LE DORMEUR DU VAL

www.donquichotte-editions.com

© Don Quichotte éditions, une marque des éditions du Seuil, 2011.

ISBN : 978-2-35949-023-7

FABIENNE BOULIN BURGEAT

LE DORMEUR DU VAL

À Éric,
Et à tous les nôtres.

AVANT-PROPOS

Le Dormeur du Val.

8 JUIN 2010, MIDI
PALAIS DE JUSTICE DE PARIS

Le soleil m'éblouit alors que je descends les marches du palais, une fois de plus depuis le début de ce combat pour la vérité. Nous sortons, mon avocat Olivier Morice et moi, d'une audience d'une heure trente chez le procureur général. Il vient de nous informer que les pièces sur lesquelles nous demandions des analyses ADN ont disparu du dossier, comme tant d'autres auparavant, à chaque fois que nous avons eu l'idée de nous y intéresser. Je distingue mal à contre-jour les visages des journalistes qui nous attendent au bas des marches. Eux savent déjà, tout aussi stupéfaits que nous. Mais ils vont aussi nous apprendre ce que le procureur, que nous quittons à peine, ne nous a pas dit : il vient d'opposer un refus à notre demande de réouverture de l'instruction sur les causes de la mort de mon père. C'est là, à cet instant précis, en ce début d'été hésitant, que j'ai ressenti la nécessité d'écrire ce livre, le dos au mur du palais et impatiente d'en franchir les grilles. Cette dernière disparition de pièces est celle de trop. Elle scelle ma conviction que je ne peux plus rien espérer, du moins pour le moment, de l'institution judiciaire en laquelle je me suis pourtant obstinée à garder confiance depuis trente ans. Depuis ce jour d'octobre 1979 où mon père, Robert Boulin, ministre du Travail et de la Participation de Valéry Giscard d'Estaing, est mort assassiné.

Deux mois plus tôt, le 25 mars 2010, Me Olivier Morice avait déposé notre nouvelle demande de réouverture de l'instruction auprès du procureur général de la cour d'appel de Paris, M. Falletti, qui venait tout juste de prendre ses fonctions. Son prédécesseur, Laurent Le Mesle, ancien conseiller pour la justice du président Chirac à l'Élysée, avait rejeté, en 2007, ma demande précédente. Mais cette fois, nous étions confiants. Avec cette requête-là, solidement fondée en droit et s'appuyant sur la toute récente jurisprudence de l'affaire Grégory concernant les recherches ADN, il nous semblait impossible que les autorités judiciaires puissent une fois encore refuser de nommer un juge d'instruction pour faire enfin la lumière sur les circonstances de la mort de mon père. Il nous semblait impossible que la justice continue à imposer la loi du silence sur l'affaire Boulin, affaire dont tant de Français savent qu'elle est l'un des plus grands scandales politico-judiciaires de la Ve République.

Ce 8 juin 2010, nous avions donc rendez-vous avec le procureur général Falletti pour entendre ses commentaires sur notre requête et répondre à ses questions éventuelles. En entrant dans son bureau, nous avions en mémoire la déclaration que la ministre de la Justice, Mme Alliot-Marie, avait faite quelques jours plus tôt, le 31 mai 2010. Au cours d'une conférence de presse à Libourne, dans la ville dont mon père fut maire, sans même attendre la décision du procureur, elle s'était fermement prononcée contre notre demande de réouverture : «Le dossier est clos et, en l'absence d'éléments nouveaux, je m'en tiens aux décisions qui ont été prises.» Ces propos ne nous avaient pas seulement inquiétés, ils nous avaient profondément indignés. Comme doivent s'en indigner tous ceux qui croient encore en la nécessité de défendre, contre les attaques continuelles dont il fait aujourd'hui l'objet, le principe de la séparation des pouvoirs, celui d'une justice indépendante et sereine, non asservie au pouvoir exécutif, qui est le fondement même de notre démocratie[1].

Est-ce parce qu'il estimait n'avoir rien à ajouter aux propos de sa ministre que M. Falletti omit de nous informer que notre requête était rejetée ? Ou était-il sous le coup de l'émotion d'avoir à nous

---

1. Le 23 novembre 2010, dans l'affaire de l'avocate France Moulin, la France a été condamnée par la Cour européenne des droits de l'homme au motif que «les membres du ministère public, en France, ne remplissent pas l'exigence d'indépendance à l'égard de l'exécutif».

faire l'incroyable aveu d'une nouvelle disparition des pièces du dossier judiciaire ? Un tome entier de la procédure, mais aussi, par un singulier hasard, les scellés contenant les lettres sur lesquelles nous avions demandé une analyse ADN s'étaient volatilisés.

L'opinion publique fut particulièrement sensible à cette énième disparition de pièces du dossier Boulin. Les journaux s'en firent largement l'écho.

Nos scellés, signalés manquants en juin, réapparurent le 8 juillet, comme par miracle. Mon avocat et moi en fûmes informés par la presse. Nous avons demandé au parquet de nous fournir toutes les précisions sur les circonstances de la disparition des scellés et les précautions prises pour les protéger, ainsi que la liste exhaustive des documents et autres scellés détenus par la justice. Au moment où j'écris ces lignes, à l'automne 2010, j'attends toujours une réponse précise à ces demandes.

PRÉAMBULE

> « C'est un trou de verdure où chante une rivière…
> Un soldat jeune… bouche ouverte, tête nue…
> Dort… étendu dans l'herbe… pâle dans son lit vert où la lumière pleut…
> Il dort… nature, berce-le chaudement : il a froid…
> Il dort dans le soleil… tranquille… Il a deux trous rouges au côté droit. »
> « Le dormeur du val », Arthur Rimbaud.

Le 30 octobre 1979 à 8 h 40, le corps de mon père, Robert Boulin, ministre en exercice et Premier-ministrable, fut officiellement découvert dans l'étang Rompu, au cœur de la forêt de Rambouillet. Son cadavre se trouvait à sept mètres de la berge, et gisait en un endroit où la profondeur était de cinquante centimètres d'eau, dont quarante centimètres de vase. Les autorités conclurent immédiatement au suicide par noyade.

En trente ans de combats judiciaires, et avec l'aide des meilleurs journalistes d'investigation, l'impossibilité de cette thèse a été amplement démontrée. Quelques décennies plus tard, nous n'arrivons toujours pas à nous faire entendre, alors que tout semble confirmer la thèse de l'assassinat.

Examinons les photos de l'identité judiciaire prises à l'étang Rompu. Nous découvrons un « trou de verdure ». Un petit étang, au milieu des magnifiques frondaisons automnales de la forêt de Rambouillet. Le sol jonché de feuilles mortes multicolores. Tout semble paisible. Robert Boulin allongé sur la berge, la bouche fermée, paraît endormi. Pourtant, à y regarder de plus près, nous discernons clairement les stigmates d'une mort brutale, le visage d'un boxeur mis KO, les traces de coups, et de liens sur les poignets. Des internautes se mirent un jour à parler de l'homme sur la photo, largement publiée dans la presse, comme du « Dormeur du Val ». C'est à eux que je dois le titre de ce livre.

Comme les lecteurs de ce poème, j'ai appris progressivement à me méfier des apparences et des impressions premières. Comme le soldat de Rimbaud, mon père est mort dans l'exercice de ses fonctions, afin de défendre des valeurs fondatrices de notre pays. Sous la toile froide du dossier judiciaire se cachent une vie brisée en plein essor et une famille meurtrie sur déjà quatre générations.

Trois livres sur l'affaire Boulin ont précédé celui-ci. Le premier est de mon frère Bertrand. *Ma vérité sur mon père*[1] fut publié début 1980, alors que toutes les plus hautes autorités de notre pays affirmaient qu'après une enquête minutieuse le suicide ne faisait pas de doute. Bertrand et moi avons été élevés dans le giron des institutions héritées du général de Gaulle. Il ne nous était pas naturel, à l'époque, de mettre en doute la parole des représentants de l'État. Contrairement à ma mère, qui avait vécu l'arrestation de son frère résistant par la Gestapo, avec la complicité de gendarmes français, Bertrand et moi, terrassés par la catastrophe, n'avions pas sur le moment remis en cause la thèse officielle du suicide. Il nous a fallu du temps, il nous a surtout fallu accumuler des faits et des témoignages en totale contradiction avec la thèse officielle pour que le voile se déchire.

Bertrand a rédigé son livre immédiatement après la mort de notre père. Écrivain, il a tenté par l'écriture de retrouver la logique d'une vérité que l'on nous imposait et que nous ne parvenions pourtant pas à comprendre. De s'expliquer d'abord à lui-même ce prétendu suicide. De tenter d'être au plus près de cet homme qu'il aimait tellement. De l'accompagner par l'imagination dans ses derniers jours de lutte et de calvaire, en se reprochant bien sûr de n'avoir pas su prévoir cet acte incompréhensible mais dont les autorités nous interdisaient de douter. Nous étions bien incapables alors d'imaginer le complot dont notre père avait été victime, convaincus que nous vivions encore dans le pays des droits de l'homme, celui de Montaigne, Hugo, Zola et de Gaulle. Dans son livre, Bertrand tenta donc d'expliquer pas à pas le prétendu suicide de son père.

---

1. Stock 2, 1980.

fut retrouvé aux alentours d'1 heure du matin, ni d'ailleurs si c'est vraiment le cas. Un témoin habitant Saint-Léger-en-Yvelines, pêcheur amateur, familier de l'étang Rompu, me raconta un jour que le corps y avait été jeté à 5 h 30. Cet homme visiblement apeuré mit longtemps à accepter de témoigner, et quand il se décida à le faire, le non-lieu avait malheureusement été prononcé. Élise Lucet, à l'époque journaliste à France 3, avait fait de lui une interview qui n'a pas été diffusée.

D'autres témoins ont pu constater, dans la nuit du 29 au 30 octobre, une agitation inhabituelle autour de l'étang Rompu. Ils se présentèrent spontanément à la gendarmerie ou à la mairie, et furent éconduits. Des années plus tard, d'autres encore se tournèrent vers des journalistes[10]. Ainsi, un militaire de carrière vivant dans le secteur affirma avoir vu, à 23 heures, la voiture de Boulin sur le terre-plein au bord de la route. Aucune de ces pistes ne fut jamais explorée au cours de l'enquête préliminaire, ni au cours de l'instruction. Or la thèse officielle veut que le «suicide» ait eu lieu entre 18 heures et 20 heures, et que mon père ait garé sa voiture juste au bord de l'étang. Pourquoi se trouvait-elle, dès lors, au bord de la route trois heures après qu'il avait perdu la vie?

Tous ces témoignages cruciaux, et d'autres encore, ont été écartés sans investigation plus poussée. L'enquête soi-disant minutieuse n'a en fait retenu que des éléments fabriqués confirmant la thèse du suicide.

---

10. Cf. notamment Francis Christophe, «*Le Grand Maquillage. L'affaire Boulin, 20 ans après*», *Golias*, n° 69, novembre-décembre 1999.

FÉVRIER 1978
Création de l'UDF, parti giscardien.

AVRIL 1978
Boulin devient ministre du Travail et de la Participation. Son cabinet a une sensibilité sociale, voire social-démocrate, très prononcée. Beaucoup trop aux yeux de Raymond Soubie, conseiller social auprès du Premier ministre, plus proche du patronat et des milieux

AVRIL 1978
d'affaires. Trente ans plus tard, Raymond Soubie sera conseiller pour les affaires sociales auprès de Nicolas Sarkozy.

Un petit trou de verdure...

Et puis, que pouvait bien signifier le choix de ce lieu ? L'étang Rompu est un charmant plan d'eau perdu en forêt de Rambouillet, dans le département des Yvelines. Il se situe à un kilomètre à l'ouest des étangs de Hollande, à trois kilomètres au nord de Saint-Léger-en-Yvelines et à cinq kilomètres au sud de Montfort-l'Amaury, dans un lacet de la départementale D138.

Les courriers posthumes attribués à Robert Boulin[11] prétendent justifier le choix de cet endroit par le fait que le ministre «aimai[t] à y faire du cheval». En réalité, cet étang ne correspond à rien de particulier pour lui.

Robert Boulin aimait l'exercice physique. Il avait commencé à monter à cheval alors qu'il était ministre de l'Agriculture en 1968-1969. Pendant l'heure du déjeuner, il suivait des cours d'équitation à l'École militaire, avec pour professeur un écuyer du Cadre noir de Saumur ; ses progrès furent rapides. À l'époque, nous habitions Fontenay-le-Fleury, et le week-end, il allait s'exercer dans un club hippique voisin, en forêt de Rambouillet. Là-bas, il retrouvait le grand chef de cuisine Raymond Oliver, qui partageait son amour des chevaux. Tous deux se connaissaient depuis que le père de Raymond, cuisinier hors pair lui aussi, avait caché Robert dans son restaurant à Langon, aux heures de la Résistance. Pourchassé par la Gestapo, mon père avait fini, après avoir frappé à plusieurs portes, par trouver asile dans ce cocon exceptionnel.

Cependant, il ne fréquenta pas longtemps le club hippique et la forêt de Rambouillet car, en 1970, nous quittâmes

---

11. Dans les jours qui suivirent la mort du ministre, plusieurs journaux et personnalités reçurent une photocopie de la lettre dans laquelle Robert Boulin annonçait son prétendu suicide.

6 DÉCEMBRE 1978

L'«appel de Cochin», lancé par Jacques Chirac, accusant le président de la République d'être à la tête d'un «parti de l'étranger», est considéré par de nombreux gaullistes, dont Robert Boulin, comme une inacceptable déclaration de guerre contre le

6 DÉCEMBRE 1978

gouvernement, en vue des élections européennes de juin 1979 et, au-delà, de la présidentielle de 1981.

Fontenay-le-Fleury pour habiter boulevard Maillot, à Neuilly. Il se rendait depuis dans la forêt de Compiègne pour de longues et énergiques sorties à cheval avec la compagnie de chasse à courre de la Futaie des amis, animée par Monique de Rothschild dont le charme, policé et sauvage à la fois, nous avait tous conquis. Quand mon père voulait faire du cheval, c'est donc toujours à Compiègne qu'il allait. Pourquoi aurait-il choisi la forêt de Rambouillet pour mettre fin à ses jours ?

Il fallait connaître Robert Boulin de longue date pour faire resurgir ce point de détail de sa vie et le mentionner dans un faux écrit posthume. Je ne sais si ce mérite revient à une seule personne ou si plusieurs furent complices. L'artifice permit en tout cas de justifier le choix de l'improbable lieu et d'étouffer dans l'œuf les légitimes questionnements de chacun. Une méthode qui s'avéra efficace, puisque l'enquête ne se soucia jamais de rechercher avec qui mon père, ce jour-là, aurait pu avoir rendez-vous dans le voisinage de l'étang. Il n'avait en effet aucune raison de se rendre en forêt de Rambouillet, à moins qu'un rendez-vous lui eût été donné dans les environs. En cherchant alentour, on aurait trouvé par exemple, à cinq kilomètres à vol d'oiseau, la maison de René Journiac, ancien bras droit de Jacques Foccart et «Monsieur Afrique» du président de la République [12]. Mon père a pu rencontrer ses assassins en chemin.

Ce secteur, fief du procureur Chalret, devait plus tard voir advenir des choses étranges. Dans cette même circonscription judiciaire, le

---

12. René Journiac est mort dans un accident d'avion inexpliqué en Afrique le 6 février 1980. Voir aussi *Un homme à abattre, op. cit.,* pp. 390-395.

1978-1979

AFFAIRE TOURNET.
Henri Tournet fait pression sur Boulin pour qu'il l'aide à se sortir de ses ennuis judiciaires concernant les terrains de Ramatuelle. Fin de non-recevoir de Boulin.

29 mars 1980 à 1 h 45, cinq mois jour pour jour après la mort de mon père, le député Charles Bignon, président de la commission des conflits du RPR [13], mourait carbonisé dans sa voiture sur l'autoroute de l'Ouest. Si l'enquête conclut – très vite – à un accident de la route, une «note blanche» des Renseignements généraux, datée du 28 mai 1982 et non signée, met sérieusement en doute la thèse de l'accident du député. Cette note parle aussi de Charles Bignon comme «l'homme qui accompagnait Robert Boulin le 29 octobre à Montfort-l'Amaury». Curieusement, elle figure au dossier judiciaire de mon père ; tout aussi curieusement, elle n'a jamais été exploitée.

Monique de Piños me confia un jour que son ex-mari Henri Tournet et Jacques Foccart aimaient justement se rencontrer aux abords de l'étang Rompu. Un endroit bien connu de certains, donc, mais assurément pas un lieu où mon père avait ses habitudes.

Jean Tirlet, alors adjoint au maire de Saint-Léger-en-Yvelines et grand habitué des suicides par noyade au sein de sa commune, livra au sujet de l'étang un témoignage édifiant. Dans sa déposition, il fut formel : en général les suicidaires choisissaient le grand étang de Hollande, à un kilomètre de l'étang Rompu. C'était bien la première fois, avoua-t-il, que l'idée de se noyer dans ce petit périmètre d'eau de cinquante centimètres de profondeur serait venue à l'esprit de quelqu'un !

Comme on faisait toujours appel à lui dans ces cas-là, Tirlet observa, au matin du 30 octobre, le corps au bord de l'eau, et remarqua aussitôt qu'il ne ressemblait pas aux autres noyés. À sa sortie de l'étang par les pompiers, qui le dégagèrent «doucement, sans heurt», précisa-t-il, «il avait plutôt le visage de quelqu'un qui a pris une belle trempe». De quoi remettre en cause la thèse des prétendus chocs subis lors du déplacement du corps, et qui justifieraient les fractures constatées par la suite sur le crâne et le visage de mon père. Comme Jean Tirlet, le colonel de gendarmerie Jean Pépin, arrivé parmi les premiers sur les lieux, confirma que «la

13. Cf. p. 101. Le nom de Charles Bignon apparaît aussi dans le dossier sur l'assassinat, en 1976, de Jean de Broglie dont il était l'ami.

Traces de boue sur la carrosserie, témoignant d'une possible course poursuite.

tête [n'avait] rien heurté du tout car il n'y avait rien à heurter». Il lui parut également que Boulin ne ressemblait pas à un noyé et il avoua avoir immédiatement ouvert le col de sa chemise pour voir si le ministre n'avait pas reçu de balle. Plus de vingt ans après, dans le reportage de Bernard Nicolas et Michel Despratx sur Canal Plus[14], il dit regretter que la gendarmerie ait été dessaisie très vite au profit du SRPJ de Versailles. En effet, les gendarmes ne purent même pas faire de rapport, alors qu'ils étaient les premiers arrivés sur place et avaient commencé des investigations en protégeant de cordons certains lieux : le tour de la voiture, par exemple, et le bord de l'étang. À ce stade, ils avaient relevé des traces de boue, mélange de feuilles mortes et d'eau de l'étang, en quantité importante sur la carrosserie[15] et à la place du passager, ainsi que des marques visibles de doigts sur toute la hauteur de la portière[16]. Cela n'eut pas l'air d'intéresser leurs collègues de la police judiciaire de Versailles. Plus de cent policiers affluèrent ensuite, piétinant les lieux du crime et effaçant en particulier un indice troublant, repéré par Pépin à son arrivée : des traces de pas qui conduisaient à l'étang et d'autres qui

14. «Robert Boulin : le suicide était un crime », *op. cit.*
15. Cf. illustration ci-dessus.
16. Cf. illustration page suivante.

Traces de doigts sur toute la hauteur de la portière.

en revenaient. Et le colonel de conclure : « Ils ont pensé que ces cons de gendarmes [étaient] capables de faire la vérité ! »

Des témoins présents lors de la sortie du corps, le seul à affirmer avoir vu la tête heurter quelque chose fut l'inspecteur Drut. Il évoqua d'abord un rocher, puis une roche et, plus récemment, lors de sa dernière audition, un caillou. Les photos de l'étang réalisées par l'identité judiciaire viennent trancher le débat : elles donnent totalement raison au colonel de gendarmerie Jean Tirlet, démontrant l'absence de tout obstacle. La tête n'a rien heurté, car il n'y avait rien à heurter. C'est pourtant le témoignage de l'inspecteur Drut que les juges favoriseront avant de clôturer le dossier en 1991-1992.

Le 5 novembre 2009, l'inspecteur Courtel, rattaché à l'époque à la police judiciaire de Versailles et présent sur les lieux, mit en cause le témoignage de Patrick Drut en affirmant que ce dernier n'était pas là au moment de la sortie de l'eau. La nomination, même tardive, d'un juge d'instruction permettrait d'y voir plus clair.

Un autre élément, enfin, vient appuyer la thèse du meurtre. Tous les abords de l'étang étaient boueux, et le fond constitué de vase. Officiellement, mon père aurait marché sept mètres vers le centre de l'étang, dans cinquante à soixante centimètres d'eau, dont quarante centimètres de vase, avant de se suicider. On le trouva habillé et chaussé. Or les experts soulignèrent l'absence de boue et de vase en bas de son pantalon, dans ses chaussures et sur ses chaussettes. Cela vient confirmer que le corps a bien été déposé dans l'étang *après* la mort. Cela explique également pourquoi les lividités cadavériques ne sont pas là où elles devraient être, sur le ventre, mais sur le dos[17]. Comme le dit le colonel Pépin : « Il n'avait pas pu aller tout seul là-bas. » Sauf, miracle, à marcher sur les eaux, avant de s'y enfoncer.

Nous n'avons pu obtenir, jusqu'à présent, qu'une reconstitution soit organisée sur les lieux.

---

17. Sur l'importance de cette position des lividités, voir p. 238.

Le temps du deuil

« Évoquant le destin de cet homme ensoleillé, certains croient devoir baisser la voix. On n'est jamais assez prudent par les temps qui courent ! Il est des périodes où il ne faut distribuer son mépris qu'avec parcimonie, étant donné le nombre de nécessiteux... »

Jean-Jacques Dupeyroux[1].

Mardi 30 octobre

À 9 heures du matin, Éric, qui n'était pas rentré de la nuit, m'annonça au téléphone que l'on venait de retrouver mon père, noyé dans un étang. Il avait d'abord demandé à Bertrand de m'annoncer la nouvelle, mais ce dernier lui avait répondu que c'était à lui de s'en charger. Cher Éric, tu eus beaucoup à assumer. Mes premières pensées allèrent à ma grand-mère paternelle qui venait de perdre son fils unique et l'ignorait encore. Je voulus qu'on la protège et téléphonai immédiatement à Jacques Lusseau pour qu'il prît toutes les dispositions nécessaires avec le directeur de la maison de retraite de Libourne, où elle résidait. Je demandai qu'elle soit coupée du monde, sans télévision ni radio. Malheureusement, dans la journée, poussée sans doute par la méchanceté et trompant la vigilance du personnel, une femme portant des gâteaux et se prétendant une cousine vint lui rapporter ce qu'elle savait du « suicide » de mon père. Ma grand-mère hurla de douleur toute la nuit, loin de nous, sans que je le sache. Ce n'est que bien plus tard, à son enterrement, que la charmante infirmière qui s'occupait d'elle à la maison de retraite

---

1. Professeur de droit social, chargé de mission auprès du ministre au cabinet de Robert Boulin (ministère du Travail et de la Participation). Article sur la mort de Robert Boulin publié dans *Le Monde* en novembre 1979.

me raconta cette visite. À son évocation, j'ai encore le cœur qui se serre, trente ans après.

C'était jour de marché sur la place de la mairie, à Libourne. Très vite, reprise en boucle par les radios depuis leurs flashs de 9 heures, la nouvelle de la mort du maire se répandit, semant tristesse et consternation. Personne là-bas ne crut au suicide. Dans le reste de la France aussi, l'émotion prédomina ; les témoignages affluèrent de tous les horizons politiques, de la société civile. L'événement fit la une de la presse et l'essentiel des journaux télévisés y fut consacré plusieurs jours durant. Devant l'ampleur du retentissement, des éditions spéciales fleurirent à la hâte, toutes rendant hommage au travailleur infatigable, à l'homme de dialogue, et à l'homme intègre surtout, grand serviteur de l'État.

Dès les premières heures de la matinée, ce qui deviendrait la thèse officielle fut asséné dans les médias avec autorité et insistance : suicide par noyade, après absorption d'une très importante quantité de barbituriques. D'où pouvaient bien venir ces informations, sinon de personnes cherchant à maquiller un assassinat en suicide puisque l'enquête n'avait pas commencé et qu'aucun médecin n'avait encore pratiqué la moindre autopsie ? Voilà qu'on accréditait à tour de bras, dans les journaux, les télévisions et les radios, l'hypothèse d'un suicide dans cinquante centimètres d'eau, pour un homme en grande forme physique et de surcroît bon nageur ! Au journal de 13 heures sur Antenne 2, la journaliste Danièle Breem présenta ce scénario avec tous les détails d'un feuilleton policier, décrivant les faits et gestes du ministre jusqu'à son dernier souffle. Or, à 13 heures, la levée de corps n'avait pas encore eu lieu. Et lorsque le cadavre fut installé dans

3 FÉVRIER 1979

AFFAIRE TOURNET. Journées parlementaires du RPR à la Guadeloupe. Boulin y est convaincant ; Alain Peyrefitte, ministre de la Justice, est accueilli froidement, alors que la question du remplacement de Raymond Barre comme Premier ministre est

3 FÉVRIER 1979

largement évoquée. Dans l'avion du retour, Boulin parle à Peyrefitte de ses démêlés avec Tournet. Quelques jours après, l'affaire Tournet, en sommeil depuis février 1975, ressort soudain des cartons. Elle est confiée au jeune juge Van Ruymbeke, à Caen.

l'hélicoptère en partance pour l'Institut médico-légal, le médecin requis pour signer le certificat de décès n'avait pu que l'entrapercevoir. Pourtant, dans tous les esprits, la mort de Robert Boulin était déjà une affaire conclue. Au-delà des incohérences, seuls demeuraient les termes clefs : « suicide », « barbituriques ». Cela s'appelle de l'intox.

Boulin n'avait pas pris de barbituriques. On n'en retrouva aucune trace, ni sur lui, ni autour de lui. Pourtant jusqu'à aujourd'hui, certains croient encore au suicide à cause de cette fausse histoire de barbituriques.

Le corps de mon père nous fut rendu vers 19 heures. L'ambulance s'engouffra dans le parking souterrain de notre immeuble et des hommes en blanc le montèrent dans les escaliers trop étroits. Impossible d'y faire passer dignement le cadavre, qui fut livré comme un paquet, emballé dans un plastique blanc transparent aux allures de sac-poubelle. Nous étions pétrifiés. Pétrifiés et choqués par la disparition de l'être aimé, par l'intrusion douloureuse de la mort dans nos vies, et par cette arrivée chaotique du corps trépassé de celui qui, quelques heures auparavant, était un mari et un père. Les hommes en blanc l'installèrent sur son lit, vêtu du costume que l'Institut médico-légal nous avait demandé de leur faire parvenir un peu plus tôt, et entourèrent son corps de carboglace. Ma mère s'émut aussitôt de l'état de son visage. Mais quand elle s'enquit auprès des policiers des raisons de ses blessures, ces derniers lui expliquèrent qu'elles étaient dues à l'autopsie du crâne, ainsi qu'au flux et au reflux de l'étang. Beaucoup plus tard, nous apprendrons qu'aucune autopsie du crâne n'avait été effectuée, sur ordre formel

---

8 AVRIL 1979
Guerre ouverte entre le président VGE et Jacques Chirac. À l'initiative de Boulin, les six ministres et cinq secrétaires d'État RPR décident de répliquer avec fermeté à Chirac en publiant deux déclarations successives les 9 avril et 31 mai 1979.

8 AVRIL 1979
Les onze sont exclus des instances dirigeantes du RPR par le biais d'une modification statutaire.

PRINTEMPS-ÉTÉ 1979
AFFAIRE TOURNET.
Pressions quasi quotidiennes du cabinet de Peyrefitte, pour inquiéter Boulin sur une éventuelle mise en cause de sa personne dans l'affaire Tournet.

du procureur. Quant à l'étang Rompu, il est si petit qu'il ne connaît jamais aucun mouvement d'eau.

Nous savons aujourd'hui que le visage avait subi des soins de présentation visant à atténuer au maximum la trace des coups reçus par mon père avant sa mort (qui seront mis en évidence lors de la deuxième autopsie, réalisée à notre demande en 1983). Nous savons aussi qu'à notre insu le cadavre avait été momifié ; et que, sans l'accord de la famille, retirer le sang d'un mort pour le remplacer par du formol est un acte illégal. Ainsi, le lit de carboglace figurait une bien cruelle et inutile mise en scène.

Mon père retrouva sa dignité une fois posé sur son grand lit. Malgré la forte pénombre que l'on nous recommanda vivement de maintenir dans la chambre, certains de nos visiteurs remarquèrent à leur tour les vilaines traces sur son visage. Jean Mauriac évoqua ainsi dans ses notes un « visage violacé, entièrement tuméfié ». Quant à Gérard César, il eut la même réaction que ma mère.

J'appris qu'entre son départ, tout habillé, de l'étang Rompu en hélicoptère et son entrée, le corps nu, à l'Institut médico-légal, mon père était resté en « transit » à l'hôpital de la Pitié–Salpêtrière. Personne n'a pu encore me dire pourquoi, ni ce qui s'est passé durant cet intervalle et encore moins m'expliquer la raison de sa nudité lors de son arrivée. Quoi qu'il en soit, le directeur de l'hôpital, René Raynaud, qui vit le cadavre le 30 octobre 1979, constata qu'il présentait alors des « blessures à la limite de plaies » sur le visage comme sur l'ensemble du corps. Il découvrit Robert Boulin en présence de son adjoint Georges Lascar, et du professeur Viars : « Nous

11 JUIN 1979

AFFAIRE TOURNET. Henri Tournet est mis en examen par le juge Renaud Van Ruymbeke pour faux en écriture publique dans l'affaire des terrains de Ramatuelle. Il est incarcéré, puis relâché, à l'insu du juge, par le commissaire de Neuilly-sur-Seine.

11 JUIN 1979

Le lendemain, le juge envoie deux gendarmes récupérer Tournet, qui cherche immédiatement à mettre en cause Boulin, pensant s'attirer ainsi la faveur de Van Ruymbeke. Tournet parle de vente fictive, dit avoir reversé le prix du terrain à Boulin

11 JUIN 1979

et avance une preuve : un chèque au porteur à la signature illisible et un talon de chèque marqué « rbin ».

nous sommes franchement posé des questions et nous nous sommes demandé s'il n'avait pas reçu des coups[2].»

Je pesais quarante-huit kilos, j'en perdis six en quelques jours. J'étais en état de choc. Dans ces moments terribles, je me trouvais plongée dans une telle stupeur que tout m'apparaissait à travers un halo. Ma mère, en revanche, se montrait déjà lucide, observatrice et sceptique. Dans la journée du 30, alors que je pénétrais dans la chambre mortuaire, je la vis en effet occupée à soulever les paupières de mon père, tel un détective. Je considérai, de prime abord, son geste comme déplacé : «Ton père ! s'écria-t-elle soudain, ce ne sont pas ses yeux, pourquoi regarde-t-il vers le bas ?» Elle entendit quelqu'un à ses côtés dire qu'il trouvait normal pour un suicidé de regarder vers les enfers... L'explication, qui nous fut donnée lors de la deuxième autopsie en 1983, est en fait beaucoup plus pragmatique : des cupules avaient été posées sur ses yeux et faisaient partie intégrante de l'opération de maquillage orchestrée à notre insu à l'Institut médico-légal. Évidemment ces soins n'étaient pas gratuits. Il eût suffi de chercher qui avait réglé la facture pour en connaître le commanditaire. Je sais que la famille n'a payé que le coût de l'ouverture de la tombe au cimetière de Villandraut. Les autres frais d'obsèques ont été pris en charge, à ma connaissance, par les services du Premier ministre. Je n'ai jamais vu les détails de la facture.

Ma mère, dès ce jour-là, prit conscience qu'on lui dissimulait la vérité. Tout de suite elle chercha à accumuler des indices : elle

---

2. *Un homme à abattre, op. cit.*, pp.182-183.

20 JUIN 1979

À la demande de Robert Boulin, entre autres, le Conseil national du RPR vote l'éviction de Charles Pasqua, l'un de ses membres. Conseil que Pasqua réintégrera huit jours après la mort du ministre.

soupçonnait au fond d'elle-même que son mari avait été assassiné. À présent, j'admire son courage. Elle nous avertissait depuis des mois de la gravité des menaces qui le visaient. L'ayant soutenu sans relâche dans tous les instants de son combat, elle était capable de regarder la dure réalité en face. Jusque-là, Bertrand et moi étions conscients que notre père faisait face à des rivaux sans scrupule qui « voulaient sa peau ». Mais nous pensions que cette expression avait un sens strictement politique. Jamais nous n'aurions imaginé qu'il pût être physiquement éliminé. Accepter l'idée qu'une machine infernale se soit mise en route dans notre pays requérait une lucidité que nous n'avions pas encore acquise. Il faut avoir été confronté soi-même à l'impensable pour savoir qu'il existe. Ma mère le savait, qui avait vu son frère aîné Maurice Lalande et nombre de ses camarades résistants arrêtés à l'âge de vingt ans par la Gestapo, avec l'aide des gendarmes français. Elle avait senti quelque chose se briser au fond d'elle quand, au retour des camps, elle n'avait su reconnaître, tant il était changé, ce frère chéri qu'elle attendait avec impatience à la gare de Barsac. Alors elle avait commencé d'imaginer les souffrances endurées dans les camps de Dachau et Mauthausen, dont Maurice lui-même, comme la plupart de ses compagnons, ne voulait pas parler. La guerre fut pour ma mère un moment fondateur. Elle avait vécu dans l'enthousiasme de la jeunesse : elle sut brutalement que le pire pouvait arriver.

Mon frère et moi étions occupés à construire nos vies, avec nos époux et nos enfants. Et puis nous appartenions à la génération d'après-guerre, celle du « plus jamais ça ». Nos aînés, par leur silence, nous incitaient à l'oubli. Enfin nous avions grandi sous l'aile des

9 JUILLET 1979 — L'arrêt de la chambre d'accusation de la cour d'appel de Caen renvoie Henri Tournet et son notaire Groult devant la cour d'assises de Coutances. Henri Tournet est libéré moyennant une caution de 500 000 francs, ce qui n'est pas grand-chose

9 JUILLET 1979 — pour lui. Son passeport ne lui est pas retiré. Après la mort de Boulin, il peut s'enfuir à Ibiza, où se trouve sa résidence principale depuis 1969. Il y reçoit nombre de journalistes, et même en 1987 le juge Corneloup. Henri Tournet mourra dans sa propriété

9 JUILLET 1979 — du Chili en 2008. Il avait été condamné, in absentia, par la cour d'assises de Coutances à 15 ans de réclusion criminelle, mais son extradition n'a jamais été demandée par la France.

institutions de la République, qui avaient assuré notre sécurité, même pendant les événements d'Algérie, l'affreuse guerre qui ne disait pas son nom, lorsque nous avions dû affronter personnellement, et au quotidien, les menaces de mort de l'OAS. Depuis, je me suis souvent reproché mon manque de clairvoyance, avant l'assassinat et dans les mois qui ont suivi. Mais je sais aussi que c'est ce qui nous a protégés : si nous n'avions pas donné l'impression de nous soumettre, nos vies n'auraient pas pesé plus lourd que celle de mon père et je ne serais sans doute plus là pour en parler.

Mercredi 31 octobre

Ce jour-là, une dizaine de destinataires reçurent une lettre posthume attribuée à mon père. La presse s'en fit largement l'écho. Sur quatre pages dédiées à une démonstration circonstanciée de sa transparence dans l'affaire des terrains de Ramatuelle, une ligne, décalée par rapport au reste du texte, et un court paragraphe, sur un dernier feuillet séparé, mentionnent une intention suicidaire [3].

C'était jour de Conseil des ministres. Après une minute de silence, le président Giscard d'Estaing rendit un court hommage à son ministre du Travail, dont le siège était vide.

La classe politique déserta notre maison. Hormis les trois secrétaires d'État de Robert Boulin, Nicole Pasquier, Lionel Stoléru et Jacques Legendre, les seuls ministres qui vinrent rendre hommage à sa dépouille furent Maurice Plantier, Christian Bonnet et Michel d'Ornano. Les autres eurent sans doute peur d'attraper la peste noire !

---

3. Cf. encadré p. 268.

JUILLET 1979 Lors de son entretien du 25 septembre 1979 avec Jean Mauriac, Robert Boulin lui confie : « En juillet dernier, j'ai été curieusement l'objet de toute une série de démarches de la part du RPR : successivement sont venus me voir des gens comme Alain Devaquet, **JUILLET 1979** Jean Méo (secrétaire adjoint du RPR), Baumel, Fanton, et Michel Debré m'a convié à un petit déjeuner chez lui, rue Jacob. » (Notes confidentielles, non publiées dans *L'Après-de Gaulle*, confiées par Jean Mauriac.)

Le Premier ministre Raymond Barre se présenta le mercredi après-midi, accompagné de son directeur de cabinet Philippe Mestre. Il nous expliqua qu'il l'avait chargé de s'occuper de tout et de nous faciliter les démarches administratives. Connaissant les relations délicates de mon père avec Mestre, nous ne fûmes pas tout à fait rassurés par ce choix. Raymond Barre s'entretint longuement avec nous, nous expliquant que lorsque Robert Boulin était ministre délégué aux Finances et lui déjà Premier ministre, il dormait sur ses deux oreilles ; qu'en 1978, nous le savions, il lui avait promis de lui conserver les Finances, et cette fois à plein titre. Ainsi, quand il avait commencé à établir la liste des membres de son nouveau gouvernement, il avait d'abord posé le nom de Boulin aux Finances, mais parvenu au poste du Travail et de la Participation, il n'avait trouvé personne qui eût le poids politique et technique pour ce ministère particulièrement exposé. Raymond Barre mesurait l'ampleur des réformes à mettre en place, et les graves difficultés sociales auxquelles il fallait s'attendre en raison de la nécessité de restructurer l'industrie par pans entiers, sidérurgie en tête. Le Président et lui avaient alors jugé que seul Boulin, avec son exceptionnelle capacité de dialogue, saurait faire face aux défis. « C'est pourquoi, poursuivit-il, j'ai insisté pour qu'il accepte le ministère du Travail et de la Participation. » Je fis remarquer au Premier ministre que mon père avait beaucoup regretté de ne pas conserver les Finances, comme il le lui avait promis, qu'en serviteur de l'intérêt général il avait ravalé ses propres souhaits, mais non sans difficulté, ni sans mesurer les risques politiques qu'on lui faisait prendre en le mettant à la tête d'un ministère nettement plus faible politiquement que le précédent. Dans la lutte acharnée pour le pouvoir qui opposait à l'époque giscardiens et chiraquiens, tous les coups étaient permis et la machine puissante du ministère des Finances aurait à l'évidence mieux protégé mon père. De la violence de ces luttes, Raymond Barre, habituellement mesuré dans ses propos, donne lui-même, dans ses mémoires, des descriptions qui font froid dans le dos[4].

---

4. « Si [Giscard d'Estaing] avait choisi une personnalité RPR, celle-ci aurait été aussitôt désavouée par Chirac. Un Premier ministre RPR aurait été flingué sur-le-champ, pour reprendre l'expression de Peyrefitte », *L'Expérience du pouvoir, op. cit.*

La thèse du suicide, telle la rumeur, se propagea rapidement et sûrement, et ils furent peu nombreux, ceux qui osèrent y regarder de plus près. Seul le sénateur indépendant Pierre Marcilhacy prit soin d'étudier les invraisemblances de la version officielle et de débusquer les chausse-trappes de cette thèse, toute faite, toute prête. Il publia dans *Le Monde* du 3 novembre une tribune virulente au titre évocateur : «Je n'aime pas ça». Les autres se turent, croyant à la thèse du suicide, exactement comme mon frère et moi, à cette différence près que nous, nous étions en état de choc. Ce n'était pas leur cas. Beaucoup d'amis de Robert Boulin se donnèrent ainsi bonne conscience, avalant sans ciller la thèse du suicide, que des émissaires zélés s'activèrent dès les premières heures à propager avec force détails auprès de personnalités ciblées.

Certains allèrent bien chercher un coupable, mais pas trop loin tout de même : la faute à la presse, la faute aux journalistes qui s'étaient acharnés sur le pauvre homme tout au long des semaines précédentes ! On acceptait de raisonner sur les causes de la mort, mais seulement dans les limites du suicide… D'autres, notamment au sein de la classe politique et des médias, se laissèrent convaincre que la véritable explication se trouvait du côté de la famille : épouse hystérique et prodigue, fils dépravé. C'est en tout cas le bruit qui se répandit dans les couloirs du Parlement dès le 31 octobre. Éric en fut avisé le lendemain par quelques députés demeurés fidèles, dont Jean-Pierre Pierre-Bloch. Il demanda immédiatement à voir Jacques Chaban-Delmas, le président de l'Assemblée nationale, qui le reçut l'après-midi même, à sa descente du *perchoir*. Tout en changeant de costume avant d'aller prendre son train pour Bordeaux, il

12 SEPTEMBRE 1979
Minute publie «Les bonnes affaires de M. Austérités», mettant en cause Raymond Barre au sujet de sa villa de Saint-Jean-Cap-Ferrat.

16 SEPTEMBRE 1979
POLICIERS EN FACTION. Après le mitraillage des appartements du ministère, deux policiers en faction surveillent 24 heures sur 24 le domicile des Boulin à Neuilly-sur-Seine. Lors de l'enquête préliminaire sur la mort de Robert Boulin, aucune audition de ces

16 SEPTEMBRE 1979
policiers n'a été faite. Quand le juge Corneloup décide, en 1987, de les rechercher pour les interroger, la police tente de cacher leur existence. Notamment Max Delsol, inspecteur chargé de la sécurité du ministre.

écouta Éric lui rapporter les ignobles rumeurs colportées à deux pas de son bureau, certaines par des membres de cabinet proches d'Alain Peyrefitte et de lui-même. À la demande du président de l'Assemblée, Éric cita deux noms. Chaban promit de mettre fin aussitôt à ces bruits, ce qui fut fait. Sur l'instant. Mais le poison avait été répandu et devait, bien des années plus tard, continuer d'être distillé dans certains milieux parisiens, pour discréditer le combat de notre famille ; et même être cité, sans le moindre commencement d'indice, dans l'ordonnance de non-lieu qui clôturerait l'instruction en 1991 : « Sans estimer devoir s'arrêter sur d'éventuels problèmes familiaux secondaires… »

Sitôt mon père disparu, nous devînmes des fâcheux, des parias, et notre parole fut déconsidérée. Pourquoi ? Parce que ceux qui ont fait assassiner Robert Boulin avaient tout intérêt à faire en sorte que nous ne puissions pas redresser la tête, analyser les faits, et contester haut et fort la version préfabriquée à laquelle les autorités avaient souscrit.

« C'est fou l'amour qui existe au sein de votre famille », me dit un jour Jean Mauriac. L'amour qui nous liait, l'amour qui nous lie toujours, a permis à chacun de survivre à ce drame.

Vendredi 2 novembre – samedi 3 novembre

Base aérienne militaire de Villacoublay.

Tandis que Bertrand et sa femme Fanny étaient partis pour la Gironde en voiture, Jean Mauriac, Éric et moi devions accompagner la dépouille de mon père dans l'avion qui le ramenait pour son dernier retour au pays. Ma mère, entourée de ma belle-mère, de Mme Morlot et de Julienne Garcia, notre employée de maison,

19 SEPTEMBRE 1979 LETTRES. Robert Boulin a laissé une lettre à sa fille Fabienne, intitulée : « Instructions à Fabienne s'il devait m'arriver un accident ». Il y précise, dans une phrase sibylline : « Dormez dans la salle à manger pour protéger votre mère. » Quelque temps

19 SEPTEMBRE 1979 avant sa mort, Boulin se disait mis en danger par des individus peu scrupuleux. À certains, comme Jacques Chaban-Delmas et Alexandre Sanguinetti, il a même confié des noms.

19 SEPTEMBRE 1979 L'enquête préliminaire ne comparera pas cette lettre avec la lettre dite posthume, pourtant censée avoir été tapée par le même scripteur sur la même machine à écrire.

voyagèrent dans un deuxième avion militaire. Dans la brume flottante de ce petit matin automnal, le cercueil fut rapidement hissé dans l'avion militaire. Alain Peyrefitte, qui s'était fait désigner pour représenter tout le gouvernement – alors que nous nous attendions plus naturellement à voir là le Premier ministre ou le ministre des Armées –, força ma poignée de main devant les caméras de télévision. C'est la dernière fois que je le vis.

À la mort du ministre du Travail, Alain Peyrefitte se plaisait à répéter qu'il n'avait rien pu faire pour aider son collègue dans l'affaire de Ramatuelle : cela eût été contraire, prétendait-il, au devoir de sa charge. Or mon père ne lui avait jamais demandé d'intervenir en sa faveur. Il reprochait plutôt au garde des Sceaux de manipuler l'appareil judiciaire afin de le fragiliser sur la route de Matignon. Certains membres de son cabinet, nous disait mon père, ne cessaient de l'inquiéter en lui donnant des informations tronquées et contradictoires, notamment sur la personnalité et les intentions du juge Van Ruymbeke, qui instruisait le dossier. Le but de la manœuvre était de le gêner politiquement.

Le jeudi, veille des obsèques, le garde des Sceaux s'était présenté au domicile de mes parents en usant d'un stratagème peu délicat, sachant qu'autrement il se verrait refuser une visite. Il n'ignorait pas, en effet, que je m'opposerais à l'idée de le recevoir, vu son comportement indigne à l'égard de mon père.

Il fit donc porter à ma mère une lettre chaleureuse et sensible de son épouse. Les deux femmes éprouvaient de la sympathie l'une pour l'autre, et ma mère ne pouvait refuser que son amie lui rende visite en compagnie de son mari. Devant mes réticences, elle invoqua aussi le devoir de compassion : nous devions permettre à

FIN SEPTEMBRE 1979

PRESSIONS. Jacques Douté, propriétaire de l'hôtel Loubat, dont mon père était un client coutumier, a été témoin d'un coup de téléphone d'Alain Peyrefitte à Robert Boulin. Il dit avoir entendu : « Écoute, arrête absolument tes projets parce que le grand est prêt à tout. »

FIN SEPTEMBRE 1979

PRESSIONS. Un ingénieur chargé des écoutes téléphoniques de Bordeaux s'adresse à Jean Lalande : « Avertissez votre beau-frère. Il se prépare quelque chose contre lui. »

cet homme, pour traître et haineux qu'il ait pu être, de réfléchir et de s'amender devant la dépouille de notre père. S'il s'était conduit de manière ignoble, au moins ne l'avait-il pas tué. «Dieu est bon. Soyons grands!», répétait-elle, «Paix mes agneaux!». Alain Peyrefitte vint donc chez nous le jeudi 1er novembre et convia toute la presse à l'attendre au pied de l'immeuble…

À Libourne, l'atmosphère était bien différente. Devant une foule dense d'anonymes bouleversés, la ville rendit un émouvant hommage à la dépouille de son maire. Nul n'était là pour être vu. Tous venaient pour se souvenir, plus que du ministre, de l'homme qu'ils aimaient et qui avait été à leur écoute quel que soit leur bord politique ou leur rang. Il en fut de même à Villandraut le matin du samedi. Une immense vague de tristesse collective, silencieuse et recueillie, nous portait en son sein. Un peu à l'écart de la foule, je remarquai avec émotion, solidaire et rassurant, le petit groupe de survivants du réseau de Résistance de mon père. Puis les officiels, bien sûr, dont Raymond Barre, Michel Debré, et de nombreux membres du gouvernement. Philippe Séguin, député des Vosges, et qui deviendrait plus tard ministre du Travail, se tenait là discrètement, les larmes aux yeux. La cérémonie ne pouvait commencer à cause du ballet des nombreux photographes qui mitraillaient l'intérieur de l'église. Raymond Barre finit par se fâcher et fit taire les cliquetis d'un ton péremptoire. Parmi les absents, les plus remarqués furent entre autres le président Giscard (qui avait préféré une chasse ce jour-là), Jacques Chirac, Alain Peyrefitte, Pierre Messmer, Jacques Foccart, Jean-Claude Servan-Schreiber. Mort, Robert Boulin gênait encore!

4 OCTOBRE 1979 Lors du procès intenté contre lui par le RPR, en février 1980, Philippe Alexandre raconte : «Le 4 octobre 1979, j'ai même rencontré à l'Élysée un collaborateur du président de la République qui m'a dit que Boulin serait le meilleur choix comme Premier ministre. La présence d'un gaulliste **4 OCTOBRE 1979** à Matignon embarrasserait M. Chirac dont personne ne doute qu'il sera candidat à l'élection présidentielle.

La cérémonie funèbre put enfin commencer, concélébrée par le curé de Villandraut et Mgr Maziers. Même église, mêmes officiants que pour mon mariage avec Éric quatre ans plus tôt, sauf qu'au lieu de se trouver dans son cercueil, mon père était alors l'heureux maire qui nous avait, la veille, unis à Libourne. Lorsque la cérémonie fut terminée, je vis s'approcher sur le parvis un détachement de la légion étrangère. Les soldats rendirent les honneurs militaires au ministre et officier de réserve que fut Robert Boulin, avant de se saisir du cercueil drapé de tricolore. Chantant a capella *Le Chant des partisans*, ils accompagnèrent ensuite de leur pas cadencé la dépouille de l'enfant du pays au cimetière de Villandraut. Il fut inhumé dans le caveau familial, où reposaient déjà son père, mort lui aussi à cinquante-neuf ans, son oncle Robert, mort pour la France à Verdun, et ses grands-parents, qui l'avaient en partie élevé. Nous avions décidé de tenir ma grand-mère à l'écart de cette éprouvante journée, et tout le temps de la cérémonie à l'église je ne cessai de penser à elle, seule dans sa maison de retraite de Libourne.

Ce jour-là, alors que nous voulions être tout à notre chagrin, la triste réalité vint nous rattraper, avec son lot d'ambiguïtés et de questionnements. La famille était regroupée dans une chambre de la maison natale de mon père et nos parents girondins se serraient dans le couloir en se soutenant au mieux, quand surgit soudain un ancien chef de cabinet du ministre, Henri Martinet, que nous n'avions pas vu depuis longtemps. Il se précipita sur ma mère, l'interpellant violemment : «Vous êtes responsables de sa mort. Si vous aviez bougé plus tôt, il ne serait pas mort. Vous aviez toute la nuit pour intervenir...» Max Delsol et Marcel Cats, l'inspecteur

5 OCTOBRE 1979

TÉMOINS. Visite du président Valéry Giscard d'Estaing à Libourne. On parle de plus en plus de Boulin comme successeur de Raymond Barre à Matignon. Robert Boulin confie à sa fille : «Cette histoire finira mal car ils ne veulent pas que je

5 OCTOBRE 1979

sois Premier ministre... d'ailleurs s'ils savaient comme je m'en fous!»

garde du corps de mon père et son chef de cabinet, entouraient Martinet, sans pour autant intervenir, si bien que des cousines de ma mère durent s'interposer pour mettre un terme à cette agression parfaitement insupportable. Nous qui étions écrasés de souffrance, ce soufflet de plus nous laissa pantois.

Je ne sais toujours pas ce que ce M. Martinet voulait dire précisément ni ce que cet ancien préfet savait. Mais j'ai lu par la suite dans le dossier pénal qu'il s'était rendu à l'Institut médico-légal tandis que le corps de mon père était examiné par les médecins légistes. Que faisait-il donc là-bas? Personne n'a su me le dire.

La foule était dense aux obsèques. Mme Hargous, conseillère municipale, et Hermine Viremouneix, amie de longue date de la famille, mon professeur aimé de danse et épouse d'un conseiller municipal de mon père, ne purent entrer dans l'église que grâce à Max Delsol. Hermine se souvient encore que, en ce jour d'obsèques, Delsol était tout autant qu'elles deux convaincu de l'impossibilité du suicide. Ni les raisons invoquées, ni la foi religieuse de mon père, ni son attachement à sa famille ne permettaient de croire à cette thèse. Tous trois se dirent aussi que pour Robert Boulin, le suicide aurait été une dérobade, un manque de courage devant l'adversité, alors que très peu de temps encore avant sa mort il se montrait combatif, sûr de lui, et persuadé de pouvoir mettre fin rapidement aux calomnies. Dans le témoignage qu'elle m'a remis, Hermine ajoute que Marcel Cats survint alors pour interrompre leur discussion, l'air menaçant : « Qu'allez-vous chercher là ? Vous aimez la famille Boulin ? Dans son intérêt, acceptez le suicide ! Incident clos! » Aussi Hermine ne fut-elle qu'à moitié étonnée

OCTOBRE 1979 — TÉMOINS. À l'automne 1979, les luttes intestines au sein de la majorité présidentielle font rage. Sachant ce dont sont capables certains politiques lorsqu'ils s'appuient sur une organisation bien structurée, Robert Boulin s'inquiète à juste titre.

OCTOBRE 1979 — Il confie à sa femme : « Ce sont des assassins, ils nous tueront tous. »

10 OCTOBRE 1979 — *Le Canard enchaîné* met en cause VGE dans l'affaire des diamants que Bokassa lui aurait offerts.

de lire, le 20 mai 2010 à la une de *Sud-Ouest*, les propos d'un Max Delsol se faisant l'ardent défenseur de la thèse du suicide de Robert Boulin.

La veille de l'inhumation, à 15 h 15, Jacques Mesrine était abattu par des policiers, Porte de Clignancourt, à Paris. Dans l'avion qui ramenait Raymond Barre dans la capitale, notre ami le docteur Pierre Simon entendit l'un de ses conseillers rassurer le Premier ministre en lui faisant remarquer que la presse avait à présent un autre sujet à se mettre sous la dent. L'avenir vint malheureusement confirmer ces prévisions : le 7 novembre, alors qu'une partie de la presse et de la classe politique – ceux qui ne suivaient pas tête baissée le reste du troupeau – continuait à s'interroger, le président Giscard d'Estaing exprima clairement, en un communiqué officiel de l'Élysée, sa volonté de clore le débat. Solennellement, il demanda qu'on «[laisse] désormais les morts enterrer les morts». Robert Boulin était mort et enterré. L'affaire Boulin, elle, ne faisait que commencer.

MERCREDI 17 OCTOBRE 1979

Parution d'un article dans *Minute*, «La belle boulette de Boulin», montrant Boulin victime d'un escroc.

18 OCTOBRE 1979

PRESSIONS. Raymond Barre est hospitalisé au Val-de-Grâce pour 10 jours à cause d'une forte poussée de tension. Dans un entretien ultérieur avec Benoît Collombat, l'ancien Premier ministre lui lance : «C'est le RPR qui lâchait tout [à la presse]… C'était Pasqua. C'était Marie-France Garaud. Pierre Juillet [ces deux derniers ayant depuis

18 OCTOBRE 1979

démenti un quelconque lien avec ces affaires]. Foccart. Tous ces gens-là. Moi, je vivais tous les jours le comportement du RPR…» (*Un homme à abattre*.)

GUERRES FLORENTINES

Menaces et pressions

« La jungle que je découvre me stupéfie et me rend malade. »
Charles Bignon [1].

Le 10 novembre 2002, mon oncle Jean Lalande, viticulteur dans le Sauternais, fut auditionné dans le cadre de l'enquête sur l'affaire Boulin. Il rapporta qu'au début du mois d'octobre 1979, un responsable de la direction des télécommunications de Bordeaux, M. Rousseau, détaché aux écoutes téléphoniques, lui avait dit par deux fois avoir intercepté des conversations faisant état d'une menace sérieuse contre le ministre [2]. Alors que nous venions de porter plainte contre X pour homicide, en 1983, et que Jean Lalande ne cachait pas sa conviction qu'il avait été assassiné, ce même agent se fit à nouveau l'écho de menaces, cette fois contre Jean lui-même : «Vous parlez trop!» Un peu plus tard, la même année, mon oncle retrouva une balle de fusil fichée dans le mur de son salon. Par la suite, en août 1988, sa maison fut partiellement ravagée par un incendie. L'origine du feu demeura inexpliquée malgré une enquête approfondie de l'expert de la compagnie d'assurances qui avait enquêté sur l'incendie du lycée Pailleron [3].

---

1. Cité par Jesus Ynfante, *Un crime sous Giscard*, Cahiers Libres/François Maspero, 1981, p. 196. Résistant, ami d'enfance de Jean de Broglie, Charles Bignon était chargé au RPR de la commission des conflits. Il mourut le 29 mars 1980 à 1 h 45, près de la forêt de Rambouillet, sur l'autoroute de l'Ouest. Sa voiture, stationnée sur le bas-côté, freins serrés et feux éteints, fut percutée par un camion danois.
2. «Le suicide était un crime», *op. cit.*, et par procès-verbal du 18 novembre 2005.
3. Rendu tristement célèbre par un incendie criminel sur une structure dangereuse, dite de «type Pailleron», dont furent victimes vingt personnes, dont seize enfants, le 6 février 1973.

Jean Lalande, fidèle à ses convictions, continue aujourd'hui de dire ce qu'il sait.

Lorsque mon père était encore vivant, on chercha à l'intimider ; lorsqu'il fut mort, on s'en prit naturellement à ceux parmi ses proches qui ne croyaient pas à son suicide et cherchaient à en savoir plus. En trente ans, pas une année ne s'écoula sans que les témoins majeurs de l'affaire Boulin aient à subir une quelconque forme de menace ou de pression. L'atmosphère était lourde et nous savions que nous ne pouvions pas compter sur les institutions en place pour venir nous protéger. Aucun de nous ne porta plainte pour ces intimidations, à l'exception de deux fois où nos plaintes se transformèrent en main courante. Ce qui ne nous encouragea pas à continuer.

À deux ans de l'élection présidentielle, alors que la cote de popularité du Premier ministre Raymond Barre se trouvait au plus bas dans les sondages, la rumeur s'était répandue, on le sait, que Robert Boulin allait lui succéder. Raymond Barre avait été mis en cause dans la presse au sujet de la construction de sa villa à Saint-Jean-Cap-Ferrat. Très affecté, il avait été hospitalisé au Val-de-Grâce. D'après plusieurs témoignages, et notamment celui d'Olivier Guichard, le président VGE aurait alors confié à certains de ses proches la nomination prochaine de Boulin à Matignon – ce dont la presse se fit l'écho.

Dans ce contexte de guérilla permanente entre le parti de Jacques Chirac et le président de la République, cette perspective ne pouvait manquer d'attiser rancœurs, convoitises et mauvais coups en tous

JEUDI 18 OCTOBRE 1979

M. Claude Roire, journaliste au *Canard enchaîné*, se souvient de Robert Boulin, une semaine avant sa mort, comme d'« un homme qui se bat, pas du tout accablé ». Pourtant, ce journaliste croit à la thèse du suicide.

VENDREDI 19 OCTOBRE 1979

11 HEURES. Enregistrement du Club de la presse, d'Europe 1, du dimanche 21 octobre 1979. Boulin y déclare au sujet de l'affaire Tournet : « J'ai été exemplaire dans cette affaire, plus encore que vous ne pouvez le penser, car il y a des choses que je ne peux pas dire ici. »

SAMEDI 20 OCTOBRE 1979

Dans son audition du 5 février 2003, Hermine Viremouneix, épouse d'un conseiller municipal de Libourne, déclare avoir vu Robert Boulin pour la dernière fois à cette date. Elle indique : « Il était serein et faisait des projets d'avenir pour sa commune. Il m'avait confié être agacé par les attaques politiques dont il était victime mais il avait ajouté qu'il était

genres. Valéry Giscard d'Estaing était durement attaqué sur des diamants qu'il aurait reçus de Bokassa. Lors de son audition du 19 septembre 1984, le journaliste Philippe Alfonsi rapporta que Michel Poniatowski, intime de VGE, lui avait confié, juste avant que n'éclate la soi-disant affaire de Ramatuelle, que « l'affaire des diamants [n'avait] pas de caractère de gravité, alors que l'affaire Boulin [était] sérieuse ». Ce proche du Président espérait-il donc qu'une affaire puisse chasser l'autre ?

Dans cette atmosphère de luttes florentines, mon père se sentait exagérément exposé, et s'interrogeait sur les intentions véritables du Président. « Si un président veut prendre un nouveau Premier ministre, il le fait. Faire courir le bruit sans le nommer est dangereux », me disait-il. Dangereux, voilà le terme.

Dans la lutte entre les giscardiens et les chiraquiens – qui atteignait alors une violence inouïe –, l'opposition de mon père à la stratégie de conquête du pouvoir de Jacques Chirac était connue de tous. Il fut l'un des premiers à s'indigner publiquement que celui-ci s'empare de la direction du parti gaulliste, l'UDR, le 14 décembre 1974, alors même qu'il était encore Premier ministre. Aussitôt suivi par quelques autres comme l'ancien chef de cabinet de Georges Pompidou, René Galy-Dejean, qui dénonçait lui aussi « une manipulation » ayant « permis de couper court à toute tentative d'expression démocratique au sein de l'UDR ». Robert Boulin voyait là un reniement de la pensée du général de Gaulle, pour qui le gouvernement de la France se devait d'être au-dessus

SAMEDI 20 OCTOBRE 1979
avocat de formation, que de ce fait il savait se défendre et que nous allions bientôt voir la suite. C'est la raison pour laquelle nous n'avons jamais cru au suicide. »

AUTOUR DU 20 OCTOBRE 1979
TÉMOINS. À son domicile parisien situé rue du Bac, devant des hommes d'affaires du Moyen-Orient, Jean de Lipkowski, député RPR proche de Jacques Chirac, sabre le champagne à la chute prochaine de Boulin. Michel Mathieu a apporté par écrit le témoignage de cette scène, versé au dossier judiciaire.

DIMANCHE 21 OCTOBRE 1979
Boulin au Club de la presse sur Europe 1.

des partis. Il démissionna aussitôt du parti gaulliste et écrivit dans *Le Monde* du 17 décembre 1974 une tribune virulente intitulée «Le 14 brumaire», en référence au coup d'État du 18 Brumaire du général Bonaparte. Il y expliquait ainsi son geste : «[Ce] coup d'éclat réalisé avec audace et force continue à m'indigner en posant pour moi un problème de conscience qui a entraîné mon départ. Je crois encore – naïf que je suis – à l'honnêteté politique[4].» Il accepta toutefois de réintégrer le parti quelques mois plus tard, au nom de l'unité chère aux résistants.

Le 16 novembre 1977, il confiait encore à Jean Mauriac : «Jacques Chirac est à la fois un bulldozer et un voltigeur de pointe, le démagogue des démagogues[5].» Et poursuivait, le 1er février 1979 : «Au fond, Chirac travaille pour les socialistes… Chirac n'a rien de gaulliste en lui. Il n'a épousé les thèses gaullistes que dans un but électoral.» Le futur président de la Ve République était à ses yeux un opportuniste.

Le 6 décembre 1978, dans «l'appel de Cochin», Chirac déclara littéralement la guerre au président de la République en l'accusant d'être à la tête d'un «parti de l'étranger». Cette charge fut vécue comme une attaque par de nombreux gaullistes, mais surtout comme une stratégie en vue des élections européennes de juin 1979, et au-delà, de la présidentielle de 1981. L'escalade

---

4. Cf. encadré p. 106.
5. *L'Après-de Gaulle, op. cit.*

verbale de Chirac contre le gouvernement s'amplifia au cours des mois suivants. Robert Boulin ressentit durement ces intimidations, qu'il estimait mettre en cause la légitimité des institutions d'une manière contraire aux valeurs gaulliennes. C'est à son initiative que les six ministres et cinq secrétaires d'État RPR décidèrent de riposter avec fermeté en publiant deux déclarations successives, les 9 avril et 31 mai 1979[6]. Par le biais d'une modification statutaire, ces onze-là furent immédiatement exclus des instances dirigeantes du parti. La reprise en main chiraquienne du mouvement gaulliste ne laissait rien au hasard.

J'ai retrouvé, dans les rares archives qui me restent de mon père, un mot manuscrit de cette époque, daté du 29 mars 1979, que Benoît Collombat a fait authentifier par Raymond Barre comme étant de sa plume. Le Premier ministre répondait à Boulin qui lui avait dit son intention de répliquer à Jacques Chirac : « [...] Je pense comme vous qu'il est difficile, pour des ministres RPR, d'accepter de telles accusations à l'égard du gouvernement auquel ils participent. Je ne vois donc aucun inconvénient à une "mise au point". Veillez cependant à éviter une rupture avec le groupe parlementaire, c'est-à-dire à éviter une exclusion ou une "mise en congé automatique" qui vous priverait de rapports avec le groupe parlementaire. En tout cas, je crois que Chirac perd la raison politique... ou la raison tout court. »

---

6. « La famille gaulliste et les élections européennes de juin 1979 », Jérôme Pozzi, *Cahier IRICE*, n° 4 (Actes de la journée d'études du 6 février 2009, Université Paris-I Panthéon-Sorbonne), CNRS.

MERCREDI 24 OCTOBRE 1979

TERRAINS DE RAMATUELLE. Un article du *Canard enchaîné*, « Les permis très édifiants de M. le ministre Boulin », met en cause Robert Boulin dans une affaire immobilière, accusant le ministre d'avoir acquis contre une somme modique un terrain à Ramatuelle pour y faire construire une villa.

AUTOUR DU 25 OCTOBRE 1979

Gilles Bitbol, un ami des Boulin, prévient en pleurant la femme de Robert Boulin que celui-ci va être assassiné. Colette Boulin a mésestimé ces sources qui, d'après l'enquête de Benoît Collombat, semblent aujourd'hui être celles de la CIA.

VENDREDI 26 OCTOBRE 1979

AFFAIRE TOURNET. Article du *Monde* de James Sarazin, « Le ministre s'est-il prêté à une opération immobilière douteuse ? », qui s'achève ainsi : « Personne n'est blanc, personne n'est noir ». Ce même jour, un journal à scandale met en cause Bertrand Boulin, à mots couverts, dans une affaire de mœurs.

Après le comité central de l'UDR :
le « 14 brumaire »
Par Robert Boulin

« Le fait de quitter un parti auquel on appartient – au travers d'appellations diverses – depuis vingt-huit ans ne se fait pas sans déchirement et sur un simple coup de tête. Pourtant, après soixante-douze heures de réflexion, mon indignation n'a pas décru face à « un coup de force » que je continue de désapprouver.

Depuis la mort du général de Gaulle, qui nous avait traumatisés comme la mort d'un père, la disparition brutale de Georges Pompidou, l'échec du candidat désigné par nous à l'élection présidentielle, le mouvement gaulliste se retrouvait orphelin et divisé en tendances contraires. Il nous fallait retrouver le chemin des décisions à prendre seul, se refaire une personnalité au travers des leçons et du style qui nous avaient marqué de leur profonde empreinte.

Voici que singulièrement nous retrouvions nos chances : les difficultés du moment ravivaient, dans le pays, la nostalgie du grand capitaine un moment contesté et la fidélité à l'héritage nous incitait à rechercher dans la crise les solutions de fond, visant le long terme, en même temps que s'imposait, à l'évidence, la nécessité d'assumer les grandes mutations économiques et sociales du moment.

Quelle occasion avait en effet notre mouvement de s'exprimer, après avoir démocratisé le recrutement des membres du comité central, de se débarrasser de ses complexes, de retrouver une personnalité en même temps que son indépendance !

Bref, faire confiance à la démocratie à l'intérieur du mouvement.

Ce processus, annoncé par le secrétaire général avec des dates précises, se voyait annulé par la convocation inopinée d'un comité central, suivi de la démission du secrétaire général et l'élection de Jacques Chirac à ce poste.

Ce coup d'éclat, réalisé avec audace et force, continue à m'indigner en posant pour moi un problème de conscience qui a entraîné mon départ (je crois encore – naïf que je suis – à l'honnêteté politique).

Mais, en fait, le fond des choses est plus grave et mérite explications : A. Sanguinetti a été limogé – malgré les fleurs que l'on jette à tous ceux que l'on marie ou que l'on enterre – parce que, *en bon soldat*, il avait, à la lettre, exécuté les consignes du Premier ministre.

Depuis le début de son mandat de secrétaire général et particulièrement en juillet dernier, il avait *identifié le mouvement et l'action gouvernementale*. Cela comportait, pour être juste, le respect de non-franchissement d'une ligne rouge qui était le respect des institutions, le maintien de notre système de défense et celui de l'indépendance nationale.

Or les militants, qui ont beaucoup souffert de « l'État UDR » et qui au surplus n'approuvaient pas – tant s'en faut – la ligne du gouvernement sur son action économique, financière et sociale, s'éprenaient d'indépendance et ceux qui allaient chez Jobert ou Charbonnel obéissaient à un réflexe issu des lois naturelles, de combler le vide qu'ils ressentaient dans le mouvement gaulliste.

En fait, leur instinct était le bon. Face aux graves problèmes de l'heure, le mouvement gaulliste, largement représenté au Parlement, s'inspirant du style et de la tradition d'un passé récent, devait demeurer une force de proposition, participant à une action en profondeur qu'exigent les mutations économiques, sociales, humaines d'un monde moderne en perpétuel mouvement, sans s'arrêter aux apparences et aux faux-semblants. Cela impliquait, certes, de demeurer dans la majorité issue des élections présidentielles, soutenant le gouvernement chaque fois qu'il défend – même dans l'impopularité – l'intérêt général, mais sachant au besoin devenir critique, sans cesser d'être constructif, lorsque l'action gouvernementale s'avérait incohérente, timide ou à courte vue.

Il faut bien voir que la voie était difficile et étroite, mais c'est ce que personnellement j'ai essayé de faire à l'occasion du débat sur la Sécurité sociale et ce qu'a très bien pu faire Maurice Papon, rapporteur général, dans son rapport écrit et verbal à l'occasion du budget.

C'est en tout cas l'orientation que certains d'entre nous, au nom de l'intérêt du Mouvement ou du pays, allions essayer de donner démocratiquement à l'occasion des assises de février. Loin de rallier une opposition négative ou de reprendre les vieux rêves dorés «des barons du régime» – dont d'ailleurs les mérites et la valeur seront retenus par l'Histoire – la voie nouvelle redonnait sa chance au Mouvement.

Ce n'était pas un traquenard pour le Premier ministre qui a notre confiance et qui ne pouvait se plaindre d'une majorité cohérente, dynamique, axée sur le seul intérêt général, c'était aussi, sans arrière-pensée, maintenir le pacte majoritaire. C'était en tout cas conserver notre personnalité, voire l'affirmer, en ouvrant éventuellement des voies nouvelles vers des alliances qui n'étaient pas contre nature et que d'autres recherchent à notre place.

Le Premier ministre ne l'a pas voulu ; au nom du gaullisme qu'il veut sauvegarder, il a voulu, sans exclure à terme une opération personnelle, aller vers un renforcement de l'identification du Mouvement et de l'action gouvernementale et le sacrifice de Sanguinetti n'empêchera pas les mêmes causes de produire les mêmes effets.

Sans compter qu'il risque d'inquiéter nos partenaires de la majorité qui comptent au moins une bonne tête politique, il a commis, à mes yeux, une erreur de taille qui risque de sonner le glas de l'UDR.

Telle est ma propre analyse. Je ne prétends pas, par une prescience hors-série, avoir le monopole de la vérité, et l'instinct – au sens bergsonien du terme – me guide autant que la raison.

Mes critiques ne visent en rien la personnalité du Premier ministre, pour lequel je n'ai qu'estime et amitié, mais, surtout en matière politique, quand on «fonce à tombeau ouvert» il faut vérifier auparavant que la voie n'est pas sans issue.

L'avenir à court ou moyen terme nous départagera.»

Robert Boulin,
Ancien ministre,
Député de la Gironde.

De fait, aux élections européennes du 12 juin 1979, le RPR arriva en quatrième position. Ce résultat fut un véritable camouflet pour son président, dont il fragilisa grandement les troupes : certains au sein du mouvement se montrèrent soudain plus enclins à partager le diagnostic de Raymond Barre, et aussi à se souvenir des avertissements lancés par Boulin avant ces élections. Lors de son entretien du 25 septembre 1979 avec Jean Mauriac, mon père évoqua ainsi le brusque revirement de certaines personnalités du mouvement chiraquien à son égard : « En juillet dernier, j'ai été curieusement l'objet de toute une série de démarches de la part du RPR : successivement sont venus me voir des gens comme Alain Devaquet, Jean Méo (secrétaire adjoint du RPR), Baumel, Fanton, et Michel Debré m'a convié à un petit déjeuner chez lui, rue Jacob[7]. » Ce même 25 septembre, il lui confia encore : « Donc, nous irons tant bien que mal à l'élection présidentielle, que fera Chirac ? Qu'a-t-il dans la tête… ? Nous n'avons aucune idée de ce à quoi se résoudra Chirac. C'est un homme qui a des vérités successives, des sincérités successives… Mêlées au reste… Il est incroyable qu'il soit resté à la tête du RPR après l'échec des européennes. À la vérité, c'est parce qu'il n'y avait personne au RPR pour le combattre de manière à ce qu'il ne puisse en demeurer le dirigeant[8]. »

Il nous avait aussi raconté combien il avait été choqué d'apprendre que, lors d'un vote interne au Conseil national du RPR le 20 juin 1979, les résultats auraient été manipulés par Charles Pasqua (ce que

---

7. Notes confidentielles, non publiées dans *L'Après-de Gaulle*, que Jean Mauriac m'a confiées.
8. *L'Après-de Gaulle, op. cit.*

19 HEURES. Comme tous les vendredis soir, Robert Boulin part pour Libourne où de nombreux rendez-vous l'attendent à sa mairie, le lendemain.

À Libourne, tout le monde le trouve inchangé, énergique et concentré sur les affaires de la ville. À la question de son ami Jacques Lusseau, concierge à la mairie : « Alors bientôt Premier ministre M. le Maire ? », Robert Boulin répond : « Ils veulent me déboulonner. » Il appelle ses deux conseillers, Blank et Maillot, pour leur demander un rendez-vous

le lundi suivant, afin de discuter de la réponse à faire au *Monde*.

ce dernier a toujours nié). Avec quelques autres, dont Charles Bignon, Boulin avait obtenu de Jacques Chirac que le vote soit annulé et que Charles Pasqua soit évincé du Conseil national. Conseil qu'il réintégra huit jours à peine après la mort du ministre du Travail.

Ainsi Chirac tenait bon, mais VGE pensa manifestement profiter de sa faiblesse pour nommer Premier ministre un gaulliste incontesté. C'eût été une façon de marginaliser son adversaire à la future élection présidentielle, et de lui faire perdre sa légitimité à une candidature du chef du RPR, qui semblait jusque-là naturelle. Avec une telle configuration politique à la tête de l'exécutif, beaucoup d'observateurs politiques de l'époque avançaient que la présidentielle serait certainement gagnée par Giscard. Robert Boulin jouerait en somme «le pompier de service». Car s'il s'était vu confier Matignon, il aurait repris de fait la main sur le parti. Mieux, son image de gaulliste social, voire social-démocrate, aurait peut-être encouragé le ralliement de certains électeurs socialistes, inquiets de l'alliance avec le Parti communiste ou déçus par la défaite de l'Union de la gauche aux législatives de 1978[9]. Mon père était en effet connu comme l'un des principaux animateurs de la campagne présidentielle de Jacques Chaban-Delmas en 1974, aux côtés de personnalités comme Jacques Delors ou Michel Vauzelle, qui rejoignirent François Mitterrand après la défaite de

---

9. Ces questions furent au cœur des débats du congrès de Metz du Parti socialiste en avril 1979.

SAMEDI 27 OCTOBRE 1979

13 HEURES. Bertrand Boulin appelle son père à la mairie de Libourne pour lui faire part d'«une cabale hourdie contre [lui]» : deux articles parus dans *Spéciale Dernière* et *Le Meilleur* tentent de semer le doute sur l'honorabilité de Bertrand et Colette.

leur candidat au premier tour. Il ne les suivit pas, notamment en raison de l'alliance du PS avec le PC, mais n'en conserva pas moins un profond esprit d'ouverture.

En attendant, il continuait d'exercer au Travail. Avec pour toile de fond la montée du chômage, et pour enjeu majeur la restructuration de l'industrie lourde (de la sidérurgie entre autres), c'était devenu un portefeuille de premier plan. Mon père regrettait néanmoins d'avoir quitté celui des Finances dont la puissance de feu, technique et politique, était incomparable. Il avait interprété son transfert des Finances au Travail comme une tentative d'affaiblissement de la part d'un Raymond Barre désireux de garder toute sa mainmise sur ce grand ministère. «Tu comprends, me disait-il, c'est très dangereux, aux Finances tu vois des choses, mais tu es protégé.» Peu importe, Boulin semblait avoir les faveurs du Président. Tout laissait entendre qu'un bel avenir politique lui était promis et vite.

La visite du Président à Libourne, le 5 octobre 1979, le laissa perplexe. L'hommage vibrant que lui rendit VGE lui fit certes plaisir, mais les allusions à peine voilées à une promotion prochaine n'étaient pas sans l'inquiéter, compte tenu du climat délétère de guérilla dans la majorité. Il s'interrogeait sur les intentions véritables de VGE. D'ailleurs, rien ne confirmait pour le moment que celui-ci le nommerait bel et bien. Peut-être Giscard n'avait-il pas l'intention de choisir Boulin, et l'utilisait-il simplement pour servir une manœuvre tactique : encourager les luttes fratricides au

DIMANCHE 28 OCTOBRE 1979

LE MATIN. Selon leurs habitudes, Robert Boulin se rend avec Colette à l'église suivre la messe dominicale.

L'APRÈS-MIDI. Il reçoit ses enfants et petits-enfants. Il lit à sa famille la réponse qu'il veut adresser au *Monde* et qu'il vient de taper à la machine. Celle-ci comporte deux feuillets, est datée du 29 octobre et est adressée au rédacteur

DIMANCHE 28 OCTOBRE 1979

en chef, Jacques Fauvet. La pelure de cette réponse sera remise à la police criminelle par Éric Burgeat. Elle est bien différente de la lettre dite posthume, qui semble provenir d'un montage de textes écrits pour ses défenseurs dans l'affaire Tournet. Boulin s'était rendu au ministère faire des photocopies.

DIMANCHE 28 OCTOBRE 1979

LE SOIR. Il se fait masser par son kinésithérapeute et ami, Alain Morlot, qui peut ainsi témoigner que Boulin ne présente aucune blessure la veille de sa mort, notamment au poignet. Puis il dîne de bon appétit en compagnie de sa famille.

sein du RPR, tout en détournant temporairement l'attention des attaques dont il commençait à faire l'objet dans la presse à propos de l'affaire des diamants de Bokassa.

En fait, il y avait déjà quelque temps que mon père sentait monter le danger. Tant qu'il s'en était tenu à son rôle de ministre, tant qu'il avait apporté son image d'homme intègre travaillant sans rien réclamer pour lui, il n'était pas apparu comme une menace aux plus ambitieux. Avec la perspective de sa montée en puissance politique, et alors même qu'il n'avait rien fait pour se retrouver ainsi sur le devant de la scène, les choses prirent une autre tournure. Pas encore promu, mais déjà ciblé par ses ennemis à cause de sa probable promotion, il se retrouvait en première ligne dans le conflit qui déchirait la majorité.

En septembre 1979, soit quelques semaines avant la visite présidentielle de Libourne, mon père m'avait remis une lettre cachetée, et étrangement intitulée : « Instructions à Fabienne s'il m'arrivait un accident ». Je lui demandai bien sûr quelle était la signification de tout cela. « Bah, m'avait-il répondu, ça ne fait pas mourir les gens. » Je m'étais d'autant plus facilement contentée de sa réponse qu'il était sur le point de se rendre à une réunion en Irlande, où l'IRA venait de lancer une nouvelle offensive terroriste [10], mais surtout parce que nous étions tous sous le coup d'un récent incident. Un dimanche soir de septembre, un attentat avait été perpétré contre les appartements privés du ministère, et revendiqué tardivement par Action directe. Un tir d'arme automatique lourde, depuis une voiture passant sur le boulevard des Invalides, visa la terrasse et la chambre du ministre. Plusieurs balles devaient être retrouvées, jusque dans la pièce contiguë, le bureau de mon mari. Ce n'était peut-être qu'un avertissement. Mais nous eûmes néanmoins une sueur froide en nous rappelant que le dimanche précédent, je jouais avec les enfants sur la terrasse pendant qu'Éric travaillait dans son bureau.

---

10. Attentat mortel contre Lord Mountbatten le 27 août 1979, dans la baie de Donegal.

« Calomniez, calomniez, il en restera toujours quelque chose »

Si les attaques directes se firent jour à l'automne, la diffamation avait commencé de s'exercer sur Robert Boulin et les siens dès le début de 1979. Ses ennemis, par le passé, il les avait comptés chez les nazis puis les partisans de l'OAS, et connaissait donc leurs méthodes. Mais c'était dans un contexte de guerre frontale, de conflit ouvert, voire physique. À présent, il entrait dans une guerre feutrée contre ses propres amis politiques, et cette guerre se cachait sous des apparences sournoisement amicales.

Ainsi, à la fin de l'hiver, deux inspecteurs des Renseignements généraux reconnurent *formellement* mon frère Bertrand comme faisant de l'agit-prop à l'université de Vincennes, et leur rapport arriva derechef sur le bureau du ministre. Malheureusement pour eux, les RG durent immédiatement reconnaître leur méprise : visas et tampons de la police des frontières faisant foi, mon frère était, à cette période, aux États-Unis. Nous comprîmes à la suite de cet incident que mettre en cause Bertrand était en réalité une manière de nuire à mon père, indirectement mais sûrement.

L'intimidation se manifesta aussi sous d'autres formes. Max Delsol nous confia en 2000 qu'il détenait une grande quantité de lettres de menaces adressées à son ministre[11]. Comme en témoigna Jacques Paquet, l'un de ses anciens chefs de cabinet, les missives contenaient des « menaces très précises » en provenance du SAC, et particulièrement de proches de Dominique Ponchardier. Ponchardier comptait parmi les fondateurs de cette officine de barbouzes, et il

---

11. Entretien entre Fabienne Boulin Burgeat, Éric Burgeat et Max Delsol, enregistré en caméra cachée pour « 90 minutes », Canal Plus, Villandraut, 2000.

LUNDI 29 OCTOBRE 1979

9 H 30. Julienne Garcia, employée de maison des Boulin depuis 1951, fait le ménage dans le bureau et vide la corbeille à papiers.

LUNDI 29 OCTOBRE 1979

9 H 30-11 H 30. Réunion de cabinet où Robert Boulin fixe des rendez-vous jusqu'au 17 novembre, suivie d'une autre avec ses collaborateurs les plus proches (Yann Gaillard, Jean-Jacques Dupeyroux, Éric Burgeat, notamment) pour parler du projet de réponse

LUNDI 29 OCTOBRE 1979

au *Monde*, que ceux-ci jugent inopportune.

était également l'animateur de sa tendance la plus dure. Max Delsol, pourtant, n'a jamais cru bon de remettre les lettres en question à la justice. Elles sont, aujourd'hui encore, en sa possession. Mais ces menaces ne pèsent pas lourd à côté de la campagne de presse qui fut organisée à partir de septembre 1979 contre le ministre du Travail.

Elle prit la forme d'un dossier dénonçant l'achat d'un terrain par Robert Boulin et qui fut livré clefs en main dans la deuxième quinzaine de septembre à plusieurs médias.

Dès le 1er novembre 1979, Jacques Chaban-Delmas disait au micro d'Europe 1 : «Cherchez ceux qui ont donné le dossier aux journaux et vous connaîtrez l'assassin ou les assassins.» Mais ceux qui ont souhaité par la suite faire la lumière sur l'origine du dossier se sont exposés à de sévères déconvenues. Ainsi, le journaliste Philippe Alexandre fut condamné pour diffamation en mars 1980, pour avoir rapporté sur RTL, le 3 novembre 1979, que certains dirigeants du RPR étaient responsables de l'envoi du dossier à la presse. Tous les représentants du parti cités par Philippe Alexandre comme témoins, dont Pierre Messmer, se retournèrent contre lui.

Le terrain en question dans l'affaire de Ramatuelle avait bel et bien été acheté par mon père en 1974, par acte passé devant notaire en bonne et due forme. Certaines parcelles voisines firent ultérieurement l'objet de contestations. Henri Tournet fut poursuivi pour les avoir vendues plusieurs fois avec la complicité de son notaire, Me Groult, qui ne transcrivait pas les ventes. La chambre des notaires porta plainte contre Tournet et Groult, et la procédure traîna pendant des années devant un juge d'instruction de Coutances. Mon père, quant à lui, avait régulièrement transcrit son acquisition

LUNDI 29 OCTOBRE 1979

12 HEURES. La dernière lettre de Robert Boulin, dont on soit sûr de l'authenticité, a été remise en mains propres et sur son ordre par l'inspecteur Autié à M. Patrice Blank, son conseiller de presse, et à Me Alain Maillot, son avocat. Ces deux lettres n'ont jamais été réclamées

LUNDI 29 OCTOBRE 1979

par la justice, M. Blank assurant simplement aux enquêteurs qu'il allait chercher la sienne : «Cette lettre se trouve encore vraisemblablement dans mes dossiers, je la tiendrai à votre disposition si je la retrouve.» Ce qu'il n'a jamais fait. Me Maillot a affirmé l'avoir versée au dossier.

LUNDI 29 OCTOBRE 1979

12 H 15. Déjeuner avec son fils et son gendre, qui ne perçoivent rien d'anormal dans son comportement.

et son titre de propriété et investi toutes ses économies dans la construction de notre villa familiale. Cette propriété, dont j'ai hérité, n'a jamais été contestée par qui que ce soit. Mon père était donc complètement étranger à l'affaire Tournet–Groult, contrairement à ce que ses adversaires politiques voulurent faire croire à la presse.

L'affaire Tournet, dormant au fond d'un placard depuis février 1975, refit surface au début de 1979. Les circonstances de sa réapparition sont à bien des égards riches d'enseignement. Les 2 et 3 février 1979, durant les Journées des parlementaires RPR à la Guadeloupe, le remplacement de Raymond Barre au poste de Premier ministre était déjà dans tous les esprits. Alain Peyrefitte rêvait de Matignon et ne cachait pas son agacement de voir Boulin accueilli avec chaleur par les parlementaires de base alors que lui-même recevait de plein fouet les critiques adressées au gouvernement.

Éric, qui accompagnait mon père à ces journées pour y défendre le dossier de la participation, me décrivit en rentrant la rage de Peyrefitte et de son attachée parlementaire, lorsqu'ils se retrouvèrent seuls le premier soir à la table que le garde des Sceaux avait retenue dans la grande salle où se déroulaient les repas du congrès, pour y tenir un dîner de presse : tous les journalistes avaient de leur propre initiative choisie celle de Boulin qui, grand seigneur, ne manqua pas d'y convier son ami Alain, tout déconfit. Éric rapporta aussi que dans l'avion du retour, mon père était assis à côté de Peyrefitte et qu'il saisit cette occasion pour lui parler du souci que lui causait le harcèlement exercé par Tournet à son encontre. En effet, ce dernier pressait mon père de l'aider à se sortir de ses démêlés avec

LUNDI 29 OCTOBRE 1979

13 H 30. Boulin prend rendez-vous pour l'après-midi avec Patrice Blank et fait reporter pour le lendemain son rendez-vous de 16 h 30 avec M. Tessier, syndicaliste CFTC.

LUNDI 29 OCTOBRE 1979

15 HEURES. Il s'entretient avec Gaston Flosse, député RPR de Polynésie. À 15 h 10, le rendez-vous terminé, Boulin prend une pile de dossiers de 40 centimètres de haut dans le coffre-fort du ministère, et se rend à son domicile avec sa voiture officielle.

ses anciens partenaires sur les terrains de Ramatuelle. Il voulait que le ministre l'aide à obtenir des permis de construire sur ces terrains, ce qui l'aurait aidé à régler son contentieux avec les plaignants. Devant l'intransigeance de Boulin, qui refusait d'intervenir en sa faveur, Tournet le menaçait de remettre en cause la bonne foi de son acquisition. Coïncidence, quelques jours seulement après cette conversation dans l'avion, l'affaire Tournet refit brutalement surface à Coutances. Un jeune juge pugnace en fut saisi, M. Van Ruymbeke.

Le ministre de la Justice chercha dès lors, sans relâche, à profiter de cette occasion inespérée pour déstabiliser celui qu'il considérait comme son concurrent sur la route de Matignon. Dès le printemps 1979, il n'eut de cesse de transmettre à son collègue des messages alarmistes : l'entourage de Peyrefitte, nous racontait mon père, lui donnait chaque jour les nouvelles les plus sombres et allait jusqu'à agiter la menace d'une mise en examen, ce que les magistrats chargés de l'affaire démentirent formellement par la suite. Les informations émanant du ministère de la Justice étaient souvent relayées, comme me le dit mon père et me le confirma ensuite l'ami d'enfance et ancien collaborateur de Boulin, le magistrat Jean Bergeras, par Raoul Béteille, alors directeur des Affaires criminelles. Rappelons que ce dernier fut, dans les années quatre-vingt-dix, président du MIL [12], dont nombre de membres étaient des anciens du SAC. Parmi le comité d'honneur du MIL : Alain Peyrefitte et Pierre Messmer. Raoul Béteille compte encore aujourd'hui parmi

---

12. Mouvement Initiative et Liberté créé le 17 novembre 1981. Il est alors présidé par Jacques Rougeot, un proche du Rassemblement pour la République (RPR) et président de l'Union nationale interuniversitaire (UNI). Le général Alain de Boissieu, Pierre Messmer, Jacques Foccart et Pierre Debizet, président du SAC, participent également à la création du MIL.

LUNDI 29 OCTOBRE 1979 — 15 H 30. Arrivé au domicile, l'inspecteur Autié pose la pile des dossiers sur le bureau. Boulin se lave les mains, avale un comprimé de Bilifuine pour digérer, prend la clef et les papiers de sa voiture et dit à sa femme qu'il part à un rendez-vous avec ses avocats. Il lui fait le signe du secret (un doigt sur la bouche).

Il s'arrête pour faire le plein d'essence à la porte Maillot. Il ne reviendra pas vivant de ce rendez-vous. On ne retrouvera jamais son imperméable. Aucune enquête ne sera diligentée à la suite de la disparition des dossiers, qui n'ont pas non plus été retrouvés.

les ardents défenseurs de la thèse du suicide de Boulin, selon lui acculé à la mort par son épouvantable famille.

Mon père finit bien sûr par s'apercevoir du jeu mené par son collègue, et demanda à Jean Bergeras de faire désormais l'intermédiaire entre le cabinet du garde des Sceaux et lui-même. Le 11 juin 1979, le juge Van Ruymbeke fit arrêter Henri Tournet. Il dut en réalité s'y reprendre à deux fois, car Tournet fut libéré presque aussitôt après son incarcération par le commissaire de Neuilly-sur-Seine. Étonnamment, ce fonctionnaire proche d'Achille Peretti avait agi à l'insu du juge, obligeant ce dernier à envoyer des gendarmes arrêter le prévenu à nouveau. Une fois derrière les barreaux, Tournet essaya sans surprise d'impliquer Boulin pour s'en sortir. Il déclara lui avoir remboursé les quarante mille francs du prix affiché de la vente de son terrain, prétendant que le ministre était censé, en échange, faire jouer ses relations pour lui obtenir des permis de construire sur les terrains voisins. Il divulgua également les éléments du dossier à certains de ses amis au RPR, comme le confirma le 22 octobre 2008 Louis-Marie Horeau du *Canard enchaîné*, lors de l'émission *Droit d'inventaire* de Marie Drucker. En agissant ainsi, Tournet cherchait certes à se venger de Boulin, qui ne l'avait pas aidé à se sortir de ses démêlés judiciaires, mais surtout à se protéger. Prétendre avoir pour complice un ministre, pensait-il, pourrait contribuer à étouffer son affaire, ou du moins lui attirer les faveurs des juges. Le 9 juillet 1979, il fut libéré moyennant caution et s'enfuit pour Ibiza. Boulin demeurait en France, dans une inconfortable position de potentiel accusé.

LUNDI 29 OCTOBRE 1979

15 H 45. Fabienne passe au domicile de ses parents et laisse ses enfants à leurs grand-mère et arrière-grand-mère, le temps de faire les courses. Elle a manqué de peu son père.

LUNDI 29 OCTOBRE 1979

17 H 00. Un automobiliste, M. G., reconnaît Boulin dans Montfort-l'Amaury, remontant la rue de Paris, à pied, l'air pressé. Interrogé au téléphone par Bertrand Boulin, en 1984, sur le fait qu'il est la dernière personne à avoir vu Robert Boulin vivant,

LUNDI 29 OCTOBRE 1979

M. G. nie et raccroche sans explication.

Savait-il déjà que ses ennemis exploiteraient «l'affaire de Ramatuelle» pour se débarrasser de lui ? Très certainement. Il comprit vite, comme il le confia à Jacques Lusseau, que ce dossier était instrumentalisé pour le «déboulonner». Fin septembre, début octobre, peut-être commençait-il à craindre pour sa vie. À la sortie d'une tenue maçonnique, il lança ainsi au frère chargé de la sécurité de la loge : «Geneuil, j'aurai besoin de tes gros bras d'ici trois semaines.» Il avait bien conscience de devoir faire face non pas à de simples adversaires politiques mais à des ennemis prêts à tout. Sinon, trois semaines avant sa mort, aurait-il répondu à Jacques Douté qui l'enjoignait d'être prudent : «Oui, je sais, ils veulent m'assassiner.»? Lorsque ce dernier lui demanda s'il comptait se défendre, il conclut : «J'ai tout ce qu'il faut, je vais répliquer vers les 18 et 19 novembre.» Dans l'agenda ministériel de mon père, la mention «réservé» a été portée de sa main à la date du 20 novembre. Et le magazine politico-économique *Valeurs actuelles* précisa après sa mort qu'un rendez-vous avait été pris avec le ministre pour la veille, soit le 19. À l'automne, plusieurs de ses amis ou collaborateurs, mais aussi certains journalistes, entendirent dans sa bouche les termes de «contre-offensive» et de «contre-attaque». Lorsque, au cours du traditionnel repas entre gaullistes «chabanistes», tenu chaque mercredi à l'hôtel de Lassay après le Conseil des ministres, Chaban lui demanda comment il pouvait lui venir en aide, mon père lui rétorqua : «Sachez, Président [13], que s'il m'arrive quelque chose, ce sera...» L'histoire n'en dit pas plus, et Pierre Pascal, qui rapporta l'anecdote au journaliste

---

13. Chaban-Delmas était alors président de l'Assemblée nationale.

LUNDI 29 OCTOBRE 1979

Blank déclarera à la police : «Cet après-midi-là j'avais reçu un coup de téléphone de Bertrand Boulin, à mon domicile. Il s'inquiétait de savoir si j'avais vu son père dans la journée. J'ai eu immédiatement l'intuition profonde que le ministre avait mis fin à ses jours.» Est-ce un alibi ? Quel a été

LUNDI 29 OCTOBRE 1979

son emploi du temps cet après-midi-là ? La police ne le lui demandera pas.

LUNDI 29 OCTOBRE 1979

IL EST MORT. Vers 19 h 00. Paris. Guy Aubert, propriétaire de grands magasins et conseiller de Boulin sur les relations avec le patronat, annonce à Colette Boulin, de but en blanc et sans lui fournir d'explication cohérente, que «Robert est mort !»

117

d'investigation Benoît Collombat, lui assura que jamais Chaban ne lui avait révélé le nom chuchoté à son oreille par Boulin. Chaban connaissait donc le commanditaire du «suicide». Comment expliquer autrement les paroles qu'il adressa à ma famille le jour de l'enterrement : «Je lâcherai mes chiens si vous retrouvez les dossiers ou le dossier, car sans cela, je ne pèserai pas plus lourd que Robert.» Mon père avait aussi précisé une semaine avant sa mort à Jacques Douté qu'une personnalité jouant un rôle éminent au sein du RPR «[voulait sa] peau». Il avait même cité son nom. Si seulement un juge d'instruction avait été nommé au lendemain du 29 octobre 1979, Douté aurait probablement énoncé ce nom-là.

«Le problème sera bientôt réglé»

Mon père construisit sa contre-attaque en avançant sur plusieurs fronts. Il lui fallait d'abord mettre à plat la conspiration montée contre lui et, pour cela, éclaircir l'affaire de Ramatuelle. Il se renseigna sur Tournet et apprit, notamment d'un antiquaire de la rue des Saints-Pères, que, pendant la guerre, Foccart et Tournet auraient ensemble dépouillé des Juifs sous prétexte de les conduire en zone libre. Certains l'auraient payé de leur vie. Ces éléments éclairèrent mon père sur ce dont était capable cet individu, qui se faisait passer pour grand résistant et homme d'affaires respectable.

Dans le cours de son enquête, il fut amené à rencontrer Jean de Lipkowski, ancien ministre de la Coopération, un fidèle de Jacques Chirac, qui lui proposa de lui faire des confidences. Le déjeuner fut fixé chez Lipkowski au 26 octobre 1979.

LUNDI 29 OCTOBRE 1979

IL EST MORT. Vers 20 h 00. En compagnie de deux personnes, Jacques Douté, un proche de Robert Boulin, reçoit un coup de téléphone à son restaurant de Libourne. Son interlocuteur lui indique qu'«il est mort».

LUNDI 29 OCTOBRE 1979

VERS 20 H 00. Coup de téléphone de Patrice Blank à Colette Boulin pour l'informer que Robert ne s'est pas rendu au rendez-vous prévu.

Mon père alla au rendez-vous en homme avisé sur les intentions de son hôte : il savait qu'il ne se rendait pas en terrain conquis. Peu avant ce déjeuner, l'un de mes meilleurs amis nous avait en effet rapporté des propos tenus par Lipkowski à la mi-septembre, en présence d'hommes d'affaires du Moyen-Orient. L'ancien ministre, personnalité encore fort influente au sein du RPR, s'était flatté, tout en invitant chacun à lever son verre de champagne à la bonne nouvelle, de pouvoir livrer à ses visiteurs la primeur d'une information : «Boulin a cru que c'était arrivé. Le problème sera bientôt réglé et nous n'en entendrons plus parler.» Du problème ou de Boulin ? Voilà une ambiguïté frappante et une étrange déclaration, qui ne fit pourtant l'objet d'aucune investigation. Quelle mouche avait donc bien pu piquer Lipkowski pour qu'il parlât ainsi de Boulin à des interlocuteurs étrangers, a priori peu concernés par les affaires politiques internes de la France ? Ce trouble incident en dit long sur les craintes que certains réseaux affairistes pouvaient former de la montée en puissance de mon père. Une pièce de plus au puzzle.

Mon père possédait des clefs mais ne nous les donnait pas toutes. Il était un homme discret et surtout un chef de famille soucieux de protéger les siens. Néanmoins, durant les derniers mois de sa vie, nous eûmes bien conscience que son propre camp politique cherchait à l'éloigner de la place publique. À sa mort, passé le choc de l'annonce, nous apprîmes au fil du remaillage

LUNDI 29 OCTOBRE 1979 — **VERS 20 H 10.** Colette Boulin téléphone à sa fille, à Monique de Piños et à Alain Morlot. Elle s'inquiète. C'est l'heure à laquelle Boulin rentre habituellement chez lui. Fabienne appelle son frère, qui jusque-là ne s'inquiète pas. Il va se renseigner. Elle appelle son époux, Éric Burgeat, qui se rend directement du ministère chez ses beaux-parents.

LUNDI 29 OCTOBRE 1979 — **VERS 20 H 30.** Monique de Piños et Alain Morlot arrivent, peu avant Éric Burgeat.

LUNDI 29 OCTOBRE 1979 — **VERS 20 H 45.** Bertrand Boulin appelle Max Delsol pour lui faire part de l'inquiétude des proches du ministre : «Qu'as-tu fait de mon père ? »

des faits qu'il avait tenté d'alerter une partie de son entourage sur le sort qui l'attendait. Et en premier lieu ma mère : « Ce sont des assassins, ils nous tueront tous », lui avait-il dit. Comment aurait-elle pu, après cela, croire à son suicide ? Il n'allait pas si loin en ma présence, se contentant de formules vagues : « Cela finira mal, ils ne veulent pas que je sois Premier ministre, s'ils savaient comme je m'en fous ! »

Il se confiait également à ses fidèles et amis, mais certains ne comprirent pas la portée de ses paroles. Ainsi, Pierre Simon, qui l'avait convaincu à l'époque où il n'était plus ministre (entre 1973 et 1976) de rentrer en maçonnerie, ne saisit pas les craintes que mon père exprimait. Au fond, hormis ma mère, il ne trouva pas grand monde pour l'entendre. Son tempérament doux et mesuré, ainsi que le profond respect qu'il avait de la liberté de chacun, furent nécessairement un obstacle à la mobilisation de ses interlocuteurs : un homme qui s'exprime calmement, avec pondération et ne vous exhorte pas à l'aider, cet homme-là peut-il sérieusement vous convaincre de vous battre avec lui contre ses ennemis ? Surtout quand ces ennemis sont puissants.

Jacques Douté rapporta dans son audition du 2 septembre 2003 avoir été un jour témoin d'une conversation téléphonique étrange entre Alain Peyrefitte et son hôte. C'était fin septembre 1979. Il entendit distinctement certaines paroles du garde des Sceaux : « Écoute, arrête absolument tes projets car le grand est prêt à tout. » Ce grand-là demeure encore aujourd'hui dans l'ombre. Et Douté de préciser, lors de la même audition : « Tout ce que je peux vous

LUNDI 29 OCTOBRE 1979
VERS 21 HEURES. Arrivée au domicile des Boulin de Patrice Blank et un de ses amis, inconnu de tous les Boulin et de leurs proches.

Arrivée de Max Delsol. Bertrand et Éric filent au ministère pour inspecter le bureau de Robert Boulin. Rien d'anormal.

LUNDI 29 OCTOBRE 1979
VERS 22 H 00. À son retour, Bertrand pousse Patrice Blank et son ami à partir.

LUNDI 29 OCTOBRE 1979
VERS 22 H 15. Patrice Blank appelle Mᵉ Alain Maillot, lui demandant de venir le rejoindre au domicile des Boulin.

dire, c'est que Robert Boulin allait être nommé Premier ministre et que cette nomination aurait changé l'histoire politique de la France.»

LUNDI 29 OCTOBRE 1979

VERS 22 H 30. Alain Maillot arrive au domicile des Boulin, où il retrouve Patrice Blank et son ami, revenus entre-temps.

LUNDI 29 OCTOBRE 1979

VERS 23 H 15. Alain Maillot, Patrice Blank et l'homme qui l'accompagne repartent. Dans l'ascenseur, Blank lance aux deux autres : «On a perdu un ami.»

« Vous êtes sur de la nitroglycérine »

N ous formions un clan. Peut-être était-ce la première chose qui frappait notre entourage. Dans la famille Boulin, chacun s'était forgé au contact des autres. Nous étions solidaires et complémentaires, comme les doigts de la main. Après la mort de mon père, la peur se substitua vite à l'état de choc des premiers temps. Nous avons vécu dix ans entre parenthèses, uniquement soutenus par l'amour que nous nous portions mutuellement.

Quand l'hypothèse de l'assassinat s'est fait jour, mon frère et moi avons peiné à l'envisager. Mais dans le cas de mon père, il n'était pas besoin d'imaginer un complot d'une envergure telle qu'il impliquerait toute la magistrature et la police. Il suffisait de quelques hommes bien placés agissant au bon moment. Ce qu'ils firent, et leurs collègues suivirent naturellement, par couardise, esprit de soumission, intérêt ou paresse intellectuelle. Il est si reposant de se laisser aller à l'ordre des choses tel qu'il a été officiellement établi. Il est si difficile d'y voir clair lorsque les informations qui aideraient à dévoiler la vérité sont éparpillées ici et là et que personne n'a la charge de les rassembler. La vérité saute rarement aux yeux, il faut aller la chercher. Elle ne se donne pas, elle se conquiert.

L'enquête sur la mort de mon père a été morcelée, de sorte que les divers intervenants n'ont jamais pu disposer d'une vision d'ensemble qui aurait permis de relever les contradictions pourtant criantes d'un scénario écrit d'avance. Ceci est une chose. L'autre élément clef de «l'affaire Boulin», ce sont les pressions exercées sur les dépositaires de la force publique – maire, juge, expert, policier... – qui auraient pu, par leur témoignage ou leur action, aller à l'encontre de la thèse officielle du suicide.

Étions-nous interdits de plainte? Officiellement non, mais les pressions se manifestaient avec plus d'intensité chaque fois que nous évoquions la possibilité de porter plainte contre X pour homicide. Certains de nos premiers avocats réussirent longtemps, eux aussi, à nous en dissuader.

Au début, nous étions encore des proies faciles, assommées par le choc. Ainsi, le jour même de la découverte du corps de mon père, des policiers venus interroger la famille boulevard Maillot demandèrent instamment à ma mère d'affirmer qu'un tube de Valium avait disparu de sa pharmacie. Ce n'était pas le cas. «Pourquoi devrais-je dire cela? – Parce que dans le cas contraire, votre fils Bertrand pourrait suivre le chemin de son père.» Voilà les mots exacts rapportés par ma mère. Au même moment, Éric faisait remarquer à l'inspecteur chargé de l'entendre qu'il était en train de taper sa déposition sur la machine à écrire de son beau-père et que cela pourrait gêner les analyses ultérieures. Quant à moi, qui voulais notamment faire acter que la police était entrée dans le bureau personnel de mon père et avait manipulé tous ses dossiers sans

LUNDI 29 OCTOBRE 1979

VERS 23 H 30. Éric Burgeat découvre un mot dactylographié déchiré dans la corbeille à papiers. Il la renverse pour en reconstituer le contenu. Il sera étonné très étonné d'apprendre que la police a retrouvé, le lendemain, dans cette même corbeille beaucoup de papiers, contrairement à son souvenir : huit enveloppes fermées puis rouvertes, timbrées et portant des adresses manuscrites au nom de presque tous

LUNDI 29 OCTOBRE 1979

les destinataires de la lettre posthume, un projet de lettre au juge Van Ruymbeke et des projets de lettres posthumes.

Après reconstitution de ce mot : «J'envisage de mettre fin à mes jours», Éric Burgeat va immédiatement, avec le chef de cabinet Marcel Cats, prévenir les autorités afin que les recherches soient lancées au plus tôt. Ils commencent par un coup de téléphone à M. Bouvier, directeur central

LUNDI 29 OCTOBRE 1979

de la police judiciaire. Ils se rendent ensuite au ministère de l'Intérieur, où l'homme de cabinet qui assure la permanence refuse de les recevoir et les aiguille directement vers Matignon. Là, le permanencier M. Rouher leur dit de rentrer au ministère, qu'il s'occupe des recherches et les tiendra informés. (Audition de Marcel Cats du 7 novembre 1979, par le commissaire Tourre.)

prendre la peine de nous en informer, les inspecteurs ne jugèrent naturellement pas nécessaire de m'auditionner.

Le sénateur Marcilhacy, qui avait publié quelques jours après la mort de Robert Boulin une tribune virulente dans *Le Monde* mettant en cause la thèse du suicide, ne comprit jamais pourquoi nous n'avions pas réagi à sa prise de parole. De fait, elle nous échappa. Personne ne nous en avertit. Nous étions, il est vrai, recueillis en nous-mêmes, tâchant de refaire avec notre père le chemin qui l'avait mené à la mort. Pensions-nous seulement à regarder la télévision ou à écouter la radio ? Seul le silence des âmes pouvait être entendu de nous. Je suis convaincue aujourd'hui que notre aveuglement nous a protégés. Notre apparente acceptation de la thèse officielle ne pouvait que rassurer et réjouir les assassins, comme ceux qui les avaient aidés à couvrir leur forfait.

Leur victoire trouva son couronnement lorsque mon frère fit paraître *Ma vérité sur mon père*, accréditant la thèse du suicide. Ce livre mérite d'être revisité à la lumière de tout ce que nous avons appris depuis. Je viens de le relire et suis frappée de voir combien de doutes, de questions sans réponses en émaillent les pages. L'écriture de cet ouvrage, dans les jours qui ont suivi le «suicide», fut pour Bertrand une manière d'exorciser son incompréhension du geste que l'on imputait à son père ; une tentative, vaine et désespérée, de donner un sens à une histoire insensée. Bêtes et disciplinés, à l'exception de ma mère, c'est ce que nous avions chacun tenté de faire, dans un premier temps.

Les quelques relations de mes parents qui continuaient à venir voir ma mère manquaient rarement de lui prodiguer des conseils

---

LUNDI 29 OCTOBRE 1979
23 H 30. Une autre équipe se constitue. Bertrand et Fanny Boulin se rendent avec l'inspecteur Max Delsol jusqu'aux étangs de Hollande. Ils ne verront rien d'anormal dans le brouillard épais de cette nuit-là.

29 AU 30 OCTOBRE 1979
HEURE DE LA DÉCOUVERTE DU CORPS. 2 heures du matin. Yann Gaillard, directeur de cabinet de Robert Boulin et aujourd'hui sénateur, est convoqué à Matignon par Philippe Mestre, directeur de cabinet du Premier ministre. Ce dernier reçoit, devant Yann Gaillard, un coup de téléphone. Après

29 AU 30 OCTOBRE 1979
avoir raccroché, Philippe Mestre lui aurait confié : «On a retrouvé le corps.» Cet épisode s'est déroulé plus de six heures avant la «découverte» officielle du cadavre par les gendarmes. (M. Mestre nie ces faits, une confrontation s'impose, tout comme l'analyse du cahier des présences de Matignon.)

avisés et circonstanciés. Une amie alors proche était régulièrement reçue à l'Élysée, parce que les pouvoirs publics s'intéressaient de près au projet de vente de son laboratoire pharmaceutique à un groupe étranger. De sa fréquentation des milieux autorisés, elle tirait des informations et nous les livrait sans trop s'étendre, sous forme de recommandations : «Vous devez rester très prudents. Vous êtes sur de la nitroglycérine !» Cette formule devenait une litanie oppressante, si bien que nous prîmes nos distances, non sans regret, avec la pétulante Marguerite.

«Faites sauter la République !»

Au tout début de 1980, ma mère reçut la visite d'Achille Peretti, membre du Conseil constitutionnel, maire de Neuilly-sur-Seine et proche de Jacques Foccart. Subodorant un coup fourré et voulant nous protéger, elle ne nous en parla pas mais fit appel pour l'assister à notre ami fidèle Alain Morlot, qui enregistra discrètement leur conversation. Alain revint sur cet épisode dans son audition du 13 novembre 2002 : «Il est exact que j'ai entendu M. Peretti s'exprimer ainsi face à Mme Boulin : "Taisez-vous ! Taisez-vous ! Vous n'aimeriez pas que Bertrand finisse comme Robert. Vous voulez un milliard, deux milliards, trois milliards ?"»

M. Peretti repartit comme il était venu, avec sa valise de billets. L'enregistrement avait beau être de piètre qualité, nous pouvions cependant entendre ma mère y dire : «Je sais tout !», et Peretti lui rétorquer : «Alors faites sauter la République !» Derrière la mort de mon père, il y avait donc de quoi ébranler les institutions. Nous confiâmes une copie de ces bandes à Jacques Collet, journaliste à TF1 et auteur, avec son équipe, d'une remarquable

TÉMOINS. 1 h 30 du matin. Le procureur général Louis-Bruno Chalret, membre du SAC et lié à Jacques Foccart, se serait rendu, selon le témoignage d'une ancienne collaboratrice de Boulin, administratrice de biens judiciaires, sur les lieux de la découverte du corps de Boulin avec

une équipe à lui «pour veiller personnellement au déroulement des opérations», non sans avoir au préalable prévenu toutes les autorités sur le REGIS, téléphone interministériel.

Selon Lucien Aimé-Blanc, «le procureur Chalret était bien une barbouze

judiciaire des réseaux Foccart. Chaque fois qu'on arrêtait des truands liés au gang des Lyonnais, environ trois quatre mois après, ils étaient relâchés après intervention de Chalret». (France Inter, Benoît Collombat, octobre 2009.)

enquête sur «l'affaire Boulin» (1983). Il y faisait notamment une critique approfondie de la première autopsie avec l'appui d'experts légistes de réputation internationale. Jacques Collet décrypta l'enregistrement et fit passer à l'antenne un extrait de l'entretien. Pour la première fois, un peu du climat de terreur dont nous étions victimes transparaissait aux yeux du monde. Toutes les bandes – copies et original – se sont malheureusement volatilisées. Y compris celles que nous avions déposées à TF1.

Coïncidence ? La carrière de Jacques Collet comme journaliste d'investigation politique tourna court après ce brillant coup d'éclat. Envoyé par sa chaîne à l'étranger, il se spécialisa ensuite dans les questions religieuses et la critique musicale. Aujourd'hui, il anime notamment l'émission «Musiques» sur LCI.

Il n'est pas le seul journaliste à avoir subi des pressions pour s'être intéressé à l'affaire. Toute perspicacité excessive, tout empressement à enquêter sur le dossier furent longtemps tués dans l'œuf. Philippe Alexandre pourrait en témoigner. Chroniqueur politique, il raconta au micro de RTL le 6 novembre 1979, et dans les colonnes du *Monde* daté du lendemain, comment il avait été informé de l'affaire de Ramatuelle. Selon ses propres dires, il reçut d'abord, fin septembre 1979, les confidences d'un dignitaire du RPR. L'affaire n'avait pas encore éclaté, mon père était vivant. Le correspondant voulait le prévenir qu'une sale histoire, dans laquelle Boulin aurait trempé, allait bientôt sortir. Philippe Alexandre raconta largement, tant dans la presse de mars 1980[1] que

---

1. *Le Matin* du 13 mars 1980 et *Le Monde* du 14 mars 1980.

29 AU 30 OCTOBRE 1979	29 AU 30 OCTOBRE 1979	29 AU 30 OCTOBRE 1979
HEURE DE LA DÉCOUVERTE DU CORPS. 2 heures du matin. Le ministre de l'Intérieur Christian Bonnet confie à Benoît Collombat qu'il apprend alors la nouvelle de la découverte du corps de Robert Boulin.	**HEURE DE LA DÉCOUVERTE DU CORPS.** 3 heures du matin. C'est l'heure à laquelle le Premier ministre Raymond Barre déclare avoir été prévenu par son permanencier « que l'on a retrouvé le corps de Boulin dans un étang de la forêt de Rambouillet ». On lui précise également,	avant toute autopsie, que le ministre s'est donné la mort en se noyant après avoir ingurgité des barbituriques. (Raymond Barre, *L'Expérience du pouvoir*.)

lors de son procès contre le RPR ou sur commission rogatoire du 22 octobre 1984, comment les choses se précisèrent entre le 12 et le 14 octobre 1979. Pas moins de quatre dirigeants du RPR entrèrent en contact avec lui pour l'inciter à sortir l'affaire. On lui donna le nom du promoteur Henri Tournet. Il appela donc Tournet, qui lui relata la même histoire que celle qui serait publiée quelques jours plus tard, avec fracas, dans *Le Monde* et *Le Canard enchaîné*. Le lundi suivant, 15 octobre, Philippe Alexandre participa à un déjeuner de presse au ministère du Travail. À la fin du repas, il accompagna mon père dans son bureau, pour un entretien en tête à tête. «Il semble très affecté, ajouta-t-il, me dit de me méfier de toute cette manipulation, et m'assure que tout cela est très dangereux[2].» Le journaliste quitta Robert Boulin en le rassurant : sa déontologie l'empêchait de publier une histoire reposant sur les seuls dires d'Henri Tournet.

Dans sa chronique du 6 novembre 1979 sur RTL, sans remettre en cause la thèse du suicide, Philippe Alexandre révéla qu'une réunion se serait tenue courant septembre au sein du RPR dans le but de monter un dossier contre Robert Boulin. Les réactions ne se firent pas attendre : le RPR le poursuivit immédiatement en diffamation. L'audience, qui eut lieu en mars 1980, et au cours de laquelle Alexandre donna des précisions, parues le lendemain dans *Le Matin*, aboutit à une condamnation. Étrangement, tous les témoins qu'il avait fait citer pour confirmer l'authenticité de ses informations se retournèrent contre lui : Jacques Foccart, Charles

---

2. Audition par la brigade criminelle le 22 octobre 1984.

MARDI 30 OCTOBRE 1979

6 H 25. Les premières recherches sont lancées en vue de retrouver « une haute personnalité susceptible de mettre fin à ses jours » non loin des étangs de Hollande, dans la forêt de Rambouillet.

MARDI 30 OCTOBRE 1979

6 H 30. M. Guy Aubert, dans un télégramme adressé à Jean-Pierre Guérin, directeur de l'information de TF1, affirme avoir été prévenu de la mort de Boulin par son fils Bertrand. Ce que niera ce dernier, qui n'apprendra la mort de son père qu'à 9 heures.

Pasqua, Alain Devaquet, Pierre Charpy, Jean de Lipkowski, Philippe Dechartre (proche de Marie-Thérèse Guignier) et Jean-Claude Servan-Schreiber (délégué général du RPR et chargé de la presse ; beau-frère de Monique de Piños, ex-Tournet).

Philippe Alexandre a déclaré depuis avoir déposé aux Archives nationales, dans une enveloppe, les noms des conspirateurs ainsi que la transcription des révélations que Robert Boulin lui avait faites lors de leur dernier rendez-vous. Ces informations devraient être rendues publiques en 2020. En 2008, dans l'émission «Droit d'inventaire» animée par Marie Drucker sur France 3[3], Louis-Marie Horeau, le journaliste du *Canard enchaîné* qui avait été l'un des premiers à parler du dossier de Ramatuelle, pointa à son tour les anciens du RPR comme source de ses informations. Je n'ai pas entendu de protestation de ceux-ci.

Le cas de Philippe Alexandre est d'autant plus intéressant que ce dernier, initialement, ne contesta pas la thèse officielle du suicide. Ce n'est que progressivement, et au prix d'une rare honnêteté intellectuelle, qu'il changea d'avis. Le 11 septembre 1987 enfin, il n'hésita pas à exprimer ses doutes sur le « soi-disant suicide » au micro de RTL.

Procès en diffamation pour l'un, contrôles fiscaux répétés pour un autre, perte d'emploi pour d'autres encore, les pressions varièrent selon l'interlocuteur. Comme me le dit un jour Jacques Bacelon, du *Matin de Paris*, s'occuper de l'affaire Boulin compliquait la recherche d'emploi…

---

3. « Scoops, scandales et censure », émission diffusée le 22 octobre 2008.

MARDI 30 OCTOBRE 1979

CORPS. 8 h 40. Dans la forêt de Rambouillet, le corps de Robert Boulin est officiellement retrouvé dans 50 centimètres d'eau, dans l'étang Rompu, à 7 mètres de la berge, par la brigade motocycliste des Yvelines. Il est à genoux, la face vers le fond vaseux, fiché dans le sol.

MARDI 30 OCTOBRE 1979

Le colonel Jean Pépin arrive en hélicoptère. Les gendarmes commencent les investigations, délimitent des zones à protéger. La 305 Peugeot du ministre se trouve à quelques mètres du bord.

La menace se fit parfois physique : James Sarazin, auteur en octobre 1979 de l'article du *Monde* sur l'affaire de Ramatuelle, en témoigna avec précision pour « 90 minutes » (*Le suicide était un crime*), en janvier 2002. Lui qui jamais ne cessa de remettre en cause la thèse du suicide et mena pour *L'Express* un travail long et approfondi sur l'affaire, exposa devant les caméras de Canal Plus les conséquences de son entêtement : ainsi, ce jour où deux hommes le jetèrent contre une grille en lui ordonnant de mettre fin à ses investigations. Bernard Nicolas et Michel Despratx, les deux journalistes qui enquêtèrent pendant sept mois pour réaliser l'émission, reçurent quant à eux des menaces de mort. William Reymond, collaborateur de Canal Plus au moment où la chaîne préparait son « 90 Minutes », raconta dans son audition du 28 septembre 2005 : « Alors que j'enquêtais dans le milieu marseillais [...] sur David dit "le Beau Serge", j'ai été amené à rencontrer ma source. Sans que je lui pose aucune question sur cette affaire Boulin, c'est de lui-même que ce mercenaire a souhaité évoquer ce sujet avec moi [...] Il m'a dit que ce n'était pas une bonne idée d'aller trop loin sur ce dossier-là, que les papys qui avaient fait ce coup-là étaient encore en vie. Je lui avais demandé s'il me confirmait que l'affaire Boulin était un meurtre, il m'a alors répondu que "ça, tout le monde le sait". »

Enfin, je ne citerai pas le nom de cet autre journaliste qui reçut des menaces directes sur la tête de ses enfants : les maîtres chanteurs purent même lui préciser la couleur de leurs vélos. Si la dissuasion n'allait pas toujours jusqu'à l'agression physique, tous ceux qui ont regardé là où ils n'auraient pas dû ont été gratifiés d'avertissements.

MARDI 30 OCTOBRE 1979

BRISTOL. On retrouve un bristol sur le tableau de bord. Sur une face, il est indiqué : « Embrassez éperduement (*sic*) ma femme, le seul grand amour de ma vie. » Ce style indirect est en contradiction avec la psychologie de Robert Boulin. Le bristol comporte deux écritures distinctes, néanmoins attribuées de manière non certifiée au ministre. Aucune recherche d'empreinte sur le bristol n'est effectuée et l'hypothèse qu'il ait pu écrire sous la contrainte n'a pas été approfondie.

Il est écrit sur l'autre face du bristol : « Les clefs de la voiture sont dans la poche droite de mon pantalon. » Pourtant les gendarmes retrouvent les clefs par terre, à quelques mètres de la voiture.

À de rares exceptions près, peut-être… et encore, car je ne suis pas certaine de tout savoir.

Quelque temps après la mort de mon père, un fait divers revint, lancinant, à nos oreilles. « Songez à la tuerie d'Auriol ! », nous disait-on pour nous mettre en garde. En juillet 1981, le policier Jacques Massié et cinq membres de sa famille avaient été assassinés dans leur maison par un commando de membres du SAC, dont Massié faisait lui-même partie. Son fils de sept ans fut frappé à coups de barre de fer, et achevé avec un couteau, ce qui en dit long sur la sauvagerie des exécutants. Massié était en conflit avec sa hiérarchie : il se murmurait avant sa mort qu'il était prêt à rejoindre les rangs de la gauche, alors au pouvoir, et à leur livrer des secrets du SAC, « mais on le soupçonnait également d'avoir eu des liens avec les giscardiens dans le cadre de la rivalité entre les deux droites à la fin des années soixante-dix[4] ». Bertrand des Garets, ancien député de la Gironde en tant que suppléant de mon père, et devenu ensuite responsable local du SAC, confirma lors de son audition du 25 mars 2005 que des mercenaires évoluaient alors déjà au sein de la formation.

Le SAC fut fondé en 1959 au moment de la guerre d'Algérie. « C'était en fait surtout un service d'ordre classique, destiné à assurer la sécurité des campagnes électorales du moment. On y retrouvait essentiellement des anciens du service d'ordre du RPF. À partir de mai 68, le SAC change de nature : il devient une organisation d'action et de surveillance contre "la subversion marxiste" au

---

4. François Audigier, ancien élève de l'École normale supérieure de Fontenay-Saint-Cloud, agrégé d'histoire. Il est spécialiste du gaullisme. Son livre *Histoire du SAC, la part d'ombre du gaullisme* (Stock, 2003) fait autorité sur le sujet. Archives personnelles.

MARDI 30 OCTOBRE 1979

8 H 50 DU MATIN. Alain Tourre, chef de la section criminelle, est avisé par radio de la saisine du SRPJ de Versailles par le parquet de Versailles au détriment de la gendarmerie. Le colonel Pépin se fait immédiatement cette réflexion : « Il faut dégager les gendarmes,

MARDI 30 OCTOBRE 1979

car ces cons-là sont capables de trouver la vérité. » (« 90 Minutes », Canal Plus, 2002.)

sujet de laquelle fantasment beaucoup de responsables gaullistes. L'organisation, avec le retour d'anciens de l'Algérie française (comme Debizet) revenus au gaullisme sur fond de combat commun contre la "chienlit", dérive dans son discours, sa pratique, son recrutement, vers une droite dure, extrême. L'anticommunisme y est plus fort que le gaullisme ! On y trouvera en effet des mercenaires, gravitant dans les réseaux Foccart, mais il est toujours difficile d'estimer leur part véritable car cet univers fourmille d'affabulateurs et de mythomanes. Il y a d'ailleurs eu plusieurs SAC suivant les périodes, les lieux, les niveaux de pouvoir, et certains ont gravité autour de l'organisation sans avoir été encartés[5].»

La tuerie d'Auriol amena le président François Mitterrand à exiger la dissolution du SAC le 3 août 1982, par application de la loi du 10 janvier 1936 sur les groupes de combat et milices privées. Mais en 1979 lors de l'assassinat de mon père, comme en 1981 au moment de la tuerie, il existait bien en France une organisation prête à toutes les turpitudes pour défendre son pré carré. De notre côté, nous avions compris que le crime et les menaces qui s'ensuivirent étaient une affaire éminemment politique, et nous nous heurtions à une nébuleuse, sans pouvoir nommer ceux qui exerçaient sur nous leur pouvoir de dissuasion.

Si certains subirent des pressions occasionnelles, nous dûmes pour notre part vivre à leur rythme. Mais j'ai toujours fait en sorte de ne pas y prêter attention, persuadée qu'en agissant autrement je

---

5. François Audigier, archives personnelles.

9 HEURES. La famille est prévenue de la découverte du corps mais elle est mise à l'écart. La police lui demande de rester chez elle. On la tiendra au courant des opérations.

Le proche conseiller du président Giscard, Victor Chapot, prévenu par un ancien chef de cabinet de

Boulin. Henri Martinet, indique lors de sa déposition qu'il a appris la noyade par barbituriques de Robert Boulin à 9 heures du matin et qu'il s'est précipité chez Giscard.

9 H 09. Les pompiers arrivent et sortent le corps de l'eau en présence du maire adjoint de Saint-Léger-en-Yvelines Jean Tirlet, du colonel de gendarmerie Jean Pépin, de ses hommes et des tout premiers policiers du SRPJ de Versailles qui arrivent sur les lieux.

servirais mes adversaires. Je continue, encore aujourd'hui, de suivre cette ligne de conduite. Refuser de voir partout et tout le temps des espions m'a toujours permis d'avancer. Si j'avais, pendant ces trente années, laissé aller librement mon imagination, si j'avais sans cesse cherché à savoir ce qui se cachait derrière tel détail étrange, tel individu suspect, tel accident parfois, j'aurais cessé de vivre normalement.

En 2007, quelque temps après avoir rempli à Libourne une salle de sept cents personnes convaincues de l'assassinat, je me fis rappeler, par un député de la majorité dont je tairai le nom, que j'étais écoutée et suivie. Il me conseilla de bien regarder en traversant la rue, et s'étonna de la sérénité de ma réaction : non seulement je le savais, mais je m'en accommodais fort bien. Peut-être me trouva-t-il inconséquente. J'avais seulement appris à exister avec ce fardeau sans lui donner trop de place. Et puis j'ai toujours refusé de devenir une obsédée de l'affaire Boulin. Ma vie est aussi faite d'autres combats avec leurs joies et leurs difficultés.

Freins fragiles et faux agents

Depuis 1979, la famille Boulin entretient ainsi une longue histoire avec les faux agents de France Télécom. Cela fait trente ans que nos amis s'étonnent des bruits, grésillements et autres parasites qui encombrent nos lignes téléphoniques. Périodiquement, surtout au cours des dix premières années qui suivirent la mort de mon père, des incidents venaient nous rappeler les attentions dont nous faisions l'objet. Dans le courant du mois de décembre 1979, de prétendus techniciens se présentèrent au domicile de ma mère

MARDI 30 OCTOBRE 1979 — VOITURE. La voiture est sale et couverte de boue et de feuilles mortes. Pourtant, elle se trouve non loin d'une route départementale et dans un chemin empierré non boueux. Aucune explication n'est fournie par l'enquête du SRPJ de Versailles. Le colonel Jean Pépin déclare : « J'ai constaté que la voiture a été souillée par de l'eau qui manifestement venait de l'étang [...] ; j'ai trouvé des traces de pas qui allaient à l'étang et des traces de pas qui en revenaient. À mon avis le corps n'est pas venu tout seul. » Ce témoignage du colonel Pépin est absent de l'enquête préliminaire alors qu'il soutient avoir communiqué ces éléments aux policiers du SRPJ de Versailles. (« 90 Minutes », Canal Plus, 2002.)

pour vérifier sa ligne. Après leur départ, rien ne fonctionnait plus. Furieuse, j'appelai France Télécom, qui m'apprit à cette occasion qu'aucun agent de leurs équipes ne s'était déplacé boulevard Maillot.

Un soir de 1983, un incident survint dans notre appartement de Suresnes : je me mis en effet à recevoir les appels de ma voisine de palier, tandis qu'elle-même recevait les miens. Un technicien avait été aperçu dans la journée, s'activant dans l'escalier sur les boîtiers répartiteurs. Je vérifiai auprès des télécoms, qui une nouvelle fois me confirmèrent n'avoir envoyé ni agent ni sous-traitant. Le soir, en rentrant, Éric n'eut qu'à remettre les fils en place pour rétablir les bonnes connexions.

Je ne m'attarderai pas davantage sur le fourgon EDF-GDF qui, un temps, demeura stationné jour et nuit devant nos fenêtres.

Il y eut un troisième incident télécoms en 2002, lors de notre emménagement dans une maison à Suresnes. Alors que j'attendais l'agent qui installerait ma nouvelle ligne, je le vis depuis ma fenêtre au premier étage se faire alpaguer dans la rue par deux hommes qui lui posèrent des questions. Je descendis et découvris qu'il s'agissait de policiers en civil, dont j'ignorais jusque-là la présence devant ma porte. À la suite d'une brève explication (sans que je puisse toutefois en apprendre davantage sur mes protecteurs), ils consentirent à le laisser entrer, et il put s'acquitter de sa tâche sans problème. Peu de temps après pourtant, un autre homme sonna à ma porte, se présentant lui aussi comme un agent télécoms et demandant à vérifier ma ligne qui, selon lui, ne fonctionnait pas correctement. Cette fois-là, je le congédiai sans même descendre, d'un ton peu

VOITURE. Les enquêteurs signalent la présence de mégots de Gauloises dans la voiture, alors que Robert Boulin ne fumait pas de cigarettes. Aucune analyse n'est effectuée et aucune explication apportée.

VOITURE. De longues traînées de doigts apparaissent sur la carrosserie. Pour autant, aucune recherche d'empreintes n'est ordonnée par le SRPJ de Versailles.

VOITURE. Le toit de la voiture est légèrement ouvert alors que les portes sont fermées à clef.

amène, et fis ma désormais traditionnelle vérification auprès de France Télécom : malgré un uniforme très ressemblant, il s'agissait bien d'un usurpateur.

Les premiers temps, nous pensions être victimes de véritables pieds nickelés. Mais nous comprîmes vite que ces incidents, avec leurs ficelles grossières, ne pouvaient simplement être mis sur le compte de l'incompétence de barbouzes amateurs : le manque de discrétion était aussi une manière d'exercer sur nous une pression continue.

L'attention que l'on nous portait se fit parfois plus intrusive, c'est le moins que l'on puisse dire. Au début des années quatre-vingt, alors que nous habitions sur la colline de Suresnes dans une rue très pentue, les freins de nos voitures furent par deux fois trafiqués. Quand survint l'accident, je pus m'arrêter dans une haie de troènes ; Éric, lui, dut frotter sa roue contre le trottoir pour parvenir à freiner. Plus grave encore : ma mère se fit molester devant chez elle. Après qu'elle avait été jetée brutalement à terre par une femme, nous avions dû l'amener à l'hôpital croyant qu'elle avait le bras cassé. Heureusement il ne s'agissait que de fortes contusions.

Nos appartements, de même que la maison familiale de Ramatuelle, furent visités, nos papiers fouillés, sans que rien ne soit jamais dérobé. En revanche, plusieurs anciens collaborateurs de mon père furent victimes de vols, survenus chez eux ou dans leur voiture. Ce fut aussi le cas d'Éric : début 1980, sa mallette disparut alors qu'elle se trouvait dans sa voiture. Quant à moi, la veille d'une de mes premières interventions télévisées (dans « Stars à la barre», sur Antenne 2), je me fis voler mon sac en sortant de chez mon avocat ; je montais dans ma voiture, garée à la Porte Maillot, quand deux jeunes gens bien mis me l'arrachèrent et s'enfuirent. Je transportais heureusement l'essentiel de mes dossiers dans un sac en plastique, mais perdis tout de même à cette occasion le stylo de mon père. L'officier de police auquel je déclarai l'agression le soir même me dit que, selon lui, elle ne relevait pas d'un simple fait divers et qu'il allait envoyer un télégramme pour en informer immédiatement les services du Premier ministre. L'incident n'eut pas de suite. Je ne cite ici que quelques exemples parmi les faits dont je me souviens. Si l'on devait prendre en compte tous ceux que j'ai oubliés, la liste s'allongerait démesurément.

À l'âge des explorations et des prises de risque nous avons passé au moins dix ans avec la peur au ventre, en permanence. À ce moment-là de notre vie, nous fûmes contraints, mon mari et moi, à une nouvelle économie de moyens. Avant la mort de mon père, nous avions vécu quelques années à l'étranger et n'en étions revenus qu'à sa demande. Il appréciait tant Éric qu'il avait insisté pour qu'il vienne travailler avec lui. Désormais, le projet que nous avions de repartir vers d'autres horizons devait être abandonné. Nous devions non seulement veiller sur notre famille si endolorie, mais aussi reconstruire une carrière professionnelle. Cette mort fut comme une déflagration qui nous obligea à revisiter le monde en pensée.

Pourquoi aucun de nous n'a-t-il jamais porté plainte contre X lors de ces menaces et agressions ? Pour des événements aussi fréquents, c'eût été une gageure. Et puis quelque chose nous disait que lancer des procédures judiciaires ne servirait pas à grand-chose.

MARDI 30 OCTOBRE 1979

VERS 9 H 15. Patrice Blank se rend au journal *Le Monde* pour rencontrer Jacques Fauvet, le directeur, et lui parler de la réponse de Boulin. Il tient une lettre du ministre à la main. Apprenant sa mort, Blank se lève en déclarant : «Cela change tout», et remet la lettre dans sa poche.

MARDI 30 OCTOBRE 1979

9 H 34. Selon une dépêche AFP, «Robert Boulin a été retrouvé mort, les circonstances sont encore ignorées».

MARDI 30 OCTOBRE 1979

VERS 9H45. Mᵉ Alain Maillot apprend la mort de Boulin par la radio. Il téléphone à Patrice Blank pour la lui annoncer. «Il ne le savait pas encore», affirme Maillot. Dans une première audition, Patrice Blank donnait cette version et passait sous silence sa venue au journal *Le Monde*.

En revanche, tout au long de ces trente années, nous avons eu le loisir de constater que les pressions se faisaient moins fréquentes à mesure que nous intensifiions nos efforts pour faire avancer la vérité. Devant la justice d'abord, puis devant la presse, lorsque nous n'avons plus hésité à la prendre à témoin. J'en ai tiré une leçon : sortir du silence est la meilleure façon de résister aux menaces, s'exposer est en définitive la meilleure protection. Alors, à tous ceux qui ont des choses à dire sur l'affaire Boulin, et qui hésitent encore à le faire par peur de possibles représailles, mon conseil est le suivant : parlez ! parlez ! parlez ! Utilisez la presse puisque aucun juge n'a jamais été nommé qui puisse vous entendre. Parlez, et surtout dites *tout*. Alors seulement, ceux qui voudraient faire pression sur vous auront peur à leur tour, et se tairont.

En ces moments dramatiques, ma mère comme nous tous aurait trouvé naturel de recevoir quelque témoignage de soutien du Président, avec qui son mari avait travaillé de façon étroite, depuis les années soixante, au ministère des Finances. Le 30 octobre 1979, peu après 9 heures du matin, alors que la nouvelle de la mort venait de tomber, Valéry Giscard d'Estaing l'appela au téléphone. Elle passa l'écouteur à un ami, qui nous rapporta qu'après quelques mots de circonstance, Giscard avait conclu son appel en annonçant son arrivée. Il n'est jamais venu. Pas plus qu'à l'enterrement.

Ma mère prétendait ne rien entendre à la politique, encore moins à la «politique politicienne», mais cependant c'est elle qui encouragea son mari à se présenter à la députation. Ce n'est sans

MARDI 30 OCTOBRE 1979 — 9 H 56. Une dépêche AFP annonce la mort de Robert Boulin par suicide aux barbituriques.

MARDI 30 OCTOBRE 1979 — NEZ. L'enquête préliminaire du SRPJ de Versailles fait mention d'une épistaxis (saignement de nez) à la sortie du cadavre de l'eau, ce qui est la preuve de coups portés antérieurement à la mort.

MARDI 30 OCTOBRE 1979 — TÊTE. Dans son procès-verbal, le commissaire Tourre écrit : «Aucune trace de violence n'est décelée, à l'exception de l'état facial traumatique.» Cependant pas d'analyse de ces plaies ni de recherche de fractures lors de l'enquête préliminaire.

doute pas un hasard si elle l'a fait en 1958, lorsque le retour au pouvoir du général de Gaulle laissait espérer un souffle nouveau.

Quand nous nous fûmes installés à Paris et que mon père prit l'habitude de retourner dans sa circonscription de Libourne le week-end, elle dut apprivoiser la solitude, qu'elle abhorrait. Les samedis, elle réunissait dans son salon un véritable brassage de la société française. Mon frère et moi y avons appris la diversité. Elle organisait des concours de poésie ou improvisait des défilés de mode, qui se terminaient par une platée de spaghettis. Arielle, chanteuse à l'Opéra-Comique, poussait son contre-ut, quand Gérard Houlet déclamait ses poèmes. Je récitais Rimbaud et nous refaisions le monde. C'était chaleureux et sans prétention. L'atmosphère, chez nous, n'était jamais banale.

Les années passant, ma mère consacra de plus en plus son temps à cultiver son âme et son esprit par l'écriture, la réflexion et la lecture. Mon frère et elle lisaient plusieurs livres par semaine. Voracement, même si, souvent, ils revenaient sur un livre complexe, l'épluchant par couches successives, comme un oignon. Elle, la grande bavarde, sut nous enseigner en toute simplicité l'art de développer une vie intérieure par le silence et l'introspection.

Elle a été un infatigable soutien pour mon père. Après la mort de son mari, elle fut victime d'une campagne sournoise de calomnie et de désinformation, cherchant à discréditer son combat pour faire reconnaître la réalité de l'assassinat et à faire croire que Robert Boulin se serait suicidé à cause de problèmes familiaux. Certains tentèrent de l'anéantir de leur plume empoisonnée et de leur langue fétide. Cette femme solaire fut blessée par les piqûres d'aspics

CORPS. Les enquêteurs ne s'intéressent pas à l'étrange position du corps en « coffre de voiture », jambes légèrement repliées et un seul bras levé, dont les rigidités semblent cassées.

TÊTE. Le corps est retrouvé bouche fermée, ce qui va à l'encontre de la théorie d'un suicide par noyade.

TÊTE. Contre toute logique, malgré 2 fractures à la face, mises en évidence lors de la contre-autopsie, et 8 hématomes, aucune trace de sang n'aurait été constatée ni sur le costume ni sur les lieux de la découverte du corps.

mais pas abîmée. Dans le combat, jamais elle ne se montra aigrie, méprisante ou revancharde. «Un matin mon soleil s'est couché», a-t-elle dit de la mort de son mari. Elle avait cinquante-quatre ans. Elle qui détestait la solitude n'a jamais cherché à refaire sa vie. Mère attentive, grand-mère généreuse et souriante, elle s'est gardée de nous imposer le poids du deuil qu'elle a porté en son cœur jusqu'à son dernier jour. À travers elle, mon père a continué de vivre. Leur amour a illuminé mon enfance et ma jeunesse, et éclaire encore aujourd'hui ma vie d'adulte.

MARDI 30 OCTOBRE 1979

CERTIFICAT DE DÉCÈS. 10 h 50. Le docteur en médecine Xavier de Crépy arrive sur les lieux et délivre un certificat de décès, alors que le corps est déjà dans l'hélicoptère. Il note sur le certificat le jour de la découverte, 30 octobre, sans indiquer l'heure, comptant sur les analyses médico-légales postérieures pour l'établir.

11 HEURES. Le corps est transporté en hélicoptère de la gendarmerie nationale à la Pitié-Salpêtrière, en présence de Pierre Ramat, inspecteur divisionnaire, et M. Leimbacher, substitut du procureur de la République.

Colette Boulin

《 Je t'ai rencontré un matin d'hiver où sortant de chez le coiffeur, le soleil qui boudait au dehors semblait s'être ramassé sur mes cheveux pour t'obliger à me voir, et qui sait ? À me permettre d'établir en toi mon empire. Pour le moment, nous étions, ta cousine, toi et moi, curieusement silencieux. *Tu* profitais de ce moment pour m'examiner des pieds à la tête, sans sourire, en remuant un peu du chef, ce qui m'indisposa fâcheusement, et ton : "Que faites-vous dans la vie ? [1]"

Née en 1925, ma mère, Colette Lalande, eut une enfance heureuse. Au cœur du Sauternais, mon grand-père possédait et exploitait trois vignobles à Barsac. Contrairement aux landes girondines, pourtant si proches, d'où venait mon père, le Sauternais, grâce au commerce du vin, avait fenêtre ouverte sur le monde. Mon grand-père parlait l'anglais et l'italien. Il avait des clients dans toute l'Europe, et même de l'autre côté de l'Atlantique. Il était brave et courageux, optimiste et bon vivant. Catholiques pratiquants soucieux de justice sociale et pétris de valeurs terriennes, mes grands-parents inculquèrent à ma mère quelques solides principes de vie : l'amour du prochain et l'engagement au service de l'intérêt général. Ils lui apprirent à se méfier des idées reçues et des pensées étroites. Élevée à une époque où les préjugés de classe jouaient un rôle déterminant dans les relations sociales, elle jugeait pourtant les gens sur leurs qualités propres, au-delà des codes de son temps, s'attachant davantage à l'être qu'au paraître. Elle était vive, et fit montre d'emblée d'une forte personnalité. Elle avait cinq ans quand son grand-père Omer fit venir un photographe pour faire son portrait entouré de ses cinq petits-enfants. Elle commença par manifester sa mauvaise humeur de devoir interrompre ses jeux avec ses cousines, mais finit par se camper, fière et droite, toisant l'objectif, sur les genoux de ce colosse d'Omer. Après la prise de vue, le photographe fit remarquer que si elle avait été pourvue de mitraillettes à la place des yeux, il serait mort sans sommation. La photo, toujours accrochée dans l'entrée de la maison de Barsac, en témoigne encore aujourd'hui.

Toutefois, ma mère n'échappa pas complètement à la pesanteur des traditions et vécut son enfance dans le confort et l'oisiveté des jeunes filles de sa génération. Elle cousait, faisait des points de jour sur son trousseau, apprenait la musique. L'époque imposait aux jeunes filles de sortir avec chapeau et gants ; d'avoir du maintien, une prestance naturelle. Ses cousines l'invitaient régulièrement au château de Malle, où elles passaient des soirées entières à se faire des confidences sous les édredons de plumes d'oie, dans les beaux lits à baldaquin. Colette aimait aussi lire et discourir. Elle avait élu domicile dans les arbres où elle dévorait les livres de la bibliothèque. Tout en ayant de la profondeur, elle

---

1. Colette Boulin, *Un matin mon soleil s'est couché*, manuscrit non publié.

aimait la légèreté, qu'elle trouvait d'une suprême élégance.

La beauté des vignes, colorées et parfumées selon les saisons, la joie des vendanges, le fumet des ortolans et des fruits encore chauds cueillis sur l'arbre, les baignades dans la Garonne avec ses frères, la lecture avide des grands classiques forgèrent son regard sur la vie et la force sereine qui l'habita jusqu'à sa mort, y compris dans les épreuves. Son éducation terrienne donna à la jeune fille rêveuse et imaginative une assise solide dans la réalité. De son enfance vécue dans la grâce permanente, elle garda un profond sens du bonheur qu'elle partagea avec tous ceux qui l'approchèrent. Son optimisme et sa joie de vivre s'appuyaient sur une santé d'exception. Elle ne connaissait pas, non plus que mon père, la sensation de fatigue.

Ma mère était originale et spirituelle, mais son père Amédée, qui savait se montrer sévère, veillait avec l'aide de ses deux fils à ce que la nuée de ses admirateurs ne fît pas perdre à sa fille le sens des réalités. Et si la demoiselle avait de jolies robes, il lui fallait aussi porter le tablier pour aider à la maison. Quand elle en eut l'âge, elle fut, comme tous les jeunes gens de sa génération, employée aux vendanges et autres travaux de la propriété.

Ma mère avait une grande admiration pour son père, qui régnait en maître dans sa maison. J'ai connu, moi aussi, ce paterfamilias aimé et respecté. Je le revois présidant des repas familiaux qui enchantaient petits et grands. Nos papilles

en folie et la discussion intelligente et joyeuse d'Amédée nous faisaient oublier les cinq heures que durait souvent le déjeuner du dimanche. Lors de ces agapes, il nous transmettait un trésor de culture et de sagesse amassé sur une dizaine de générations, toutes issues de ces mêmes arpents de vigne. Or mon frère et moi serions les premiers de notre lignée d'ancêtres à prendre conjoint hors du département !

Nous écoutions, fascinés, Amédée imiter encore et encore l'abbé Bort jurant du haut de sa chaire tout en prodiguant des conseils avisés à ses ouailles ; décrire en détail le récit du naufrage du *Château Renault* sur lequel il servait comme vaguemestre et interprète, torpillé en décembre 1917 par un sous-marin allemand ; ou encore son arrivée à Londres quand il avait seize ans, ou bien la vie des ouvriers agricoles au début du siècle, quand ils étaient payés en seaux de vin. Ma grand-mère, jamais lassée et toujours aussi admirative de son Gascon de mari à la langue bien ourlée, était la première à éclater de rire à ces récits, toujours réinventés.

Ma mère est née exactement entre ses deux frères, encore bien vivants aujourd'hui, et vaillants : Maurice, de cinq ans son aîné, et Jean, de cinq ans son cadet. En 1940, elle avait quinze ans. Sa mère, atteinte du virus de la poliomyélite, faillit mourir et la famille continua à craindre le pire pendant de longs mois. Dans ces moments difficiles, Colette s'occupa de son jeune frère avec une vigilance toute maternelle. Plus tard, elle vit son aîné, résistant gaulliste, se faire arrêter par la Gestapo et déporter à Dachau, puis à Mauthausen. De cette épreuve, il revint meurtri, mais sauf.

Au sortir de la guerre, elle aspira tout naturellement à une vie de bonheur. Elle était ravissante, de la tête aux pieds, avait beaucoup de charme et de présence. Ses grands yeux portaient sur le monde un regard pénétrant, interrogateur, qui interdisait l'indifférence. Elle avait beaucoup d'humour et un grand sens de l'à-propos. Il n'y avait cependant pas d'arrogance dans son assurance. Chez mon père non plus. Peut-être parce que l'un comme l'autre avaient eu la chance de n'avoir jamais été frustrés d'amour ou de reconnaissance dans leur enfance. Nous avons eu la même chance, mon frère et moi, et avons hérité de nos parents cette attitude, source de grande liberté. Lorsque la nomination de mon père comme ministre nous fit découvrir les mondanités, nous avons pu nous prêter au jeu sans préjugés, mais sans complexes non plus. Nous avons ainsi pu rester nous-mêmes. Ne dit-on pas des courtisans : «Peuple sage, peuple caméléon»? De ce point de vue, nous, les Boulin, n'étions peut-être pas si sages ! Ma mère avait le sens du bonheur. Elle vivait avec beaucoup d'humour et s'exprimait dans une langue ciselée. Elle aimait lire des livres difficiles, écrivait des poèmes et des chansons, mais surtout elle parlait. Je n'ai jamais bien compris comment elle pouvait passer tant d'heures à parler sans paraître fatiguer son auditoire ni en être elle-même épuisée. Je regrette

qu'elle soit née dans un milieu et à une époque où les filles étaient élevées pour le mariage sans qu'on ne leur reconnaisse guère d'autre droit à exister socialement. Avec son charisme, sa beauté, son goût de la littérature et sa mémoire, elle eût été une comédienne de talent.

Le général de Gaulle, comme son épouse, qu'elle côtoya, furent toujours aimables à son égard. Ma mère appréciait la compagnie d'Yvonne de Gaulle et l'acuité de ses commentaires sur les problèmes du moment. Elle trouvait d'ailleurs injuste l'image que certains voulaient donner de cette femme discrète. Le Général, quant à lui, demandait souvent que Colette soit placée à ses côtés lors des dîners officiels. Ma mère n'avait pas honte de son humble situation financière et n'aimait pas se faire prêter des robes par les grands couturiers. Elle portait donc souvent la jolie robe prune qu'elle avait achetée chez le couturier Jacques Heim quand mon père était entré au gouvernement. C'est dans ce bel apparat qu'elle accompagna un soir son mari à un dîner à l'Élysée. Elle trouva bien sûr une cohorte de jalouses, dont les regards compatissants fixaient son éternelle robe. Le Général s'avança vers elle.

– Toujours aussi ravissante, madame Boulin.
– Toujours avec la même robe, monsieur le Président.
– Eh bien, cela prouve qu'elle est à vous !
– Vous prendrez bien un peu de café?

À ce moment, toutes les dames se précipitèrent pour les rejoindre et le Général leur lança, avec un geste lent de la main :
– Pour ces dames, la tisane est au fond.

Il avait aussi ri de bon coeur quand, ayant
demandé à ma mère le nom du chapeau
qu'elle portait, celle-ci lui dit la vérité sans
ambages :
– Un charlot, M. le Président.
Il l'appelait « la charmante des
charmantes ».

Intox

**Intox : fait d'intoxiquer de manière insidieuse
les esprits en propageant des informations tendancieuses ou mensongères.**

La thèse officielle veut que la mort de mon père soit la conséquence d'insurmontables problèmes familiaux. Cette explication commença à fleurir dans les couloirs de l'Assemblée nationale dès le lendemain de sa mort. Lorsque je me remémore les qualificatifs qui nous furent attribués, je ne peux m'empêcher de penser à Élisabeth Borrel, la femme du juge français assassiné en 1995.

Rumeurs et ragots...

Bernard Borrel était un magistrat détaché en coopération à Djibouti. Le 19 octobre 1995, alors qu'il avait disparu la veille, on trouva son cadavre à moitié calciné au pied d'une falaise. Si le meurtre est aujourd'hui reconnu par les autorités françaises, ce ne fut pas toujours le cas. Du temps où la justice voulait voir dans cette mort trouble un suicide, toutes sortes de rumeurs circulaient sur les déviances supposées du juge Borrel (adultère, jeu, drogue, pédophilie…) et sur le comportement peu recommandable de sa femme. Autant d'éléments susceptibles d'expliquer une volonté d'en finir, mais aussi de porter atteinte à la crédibilité de Mme Borrel, et de nuire à ses efforts pour faire éclater la vérité. On peut se lasser de voir son honneur bafoué, surtout lorsqu'on n'a aucun moyen de tuer la calomnie à la source. Élisabeth Borrel a tenu tête et, au cours d'une bataille admirable conduite par Mᵉ Olivier Morice, elle et ses fils sont parvenus à faire reconnaître l'assassinat de leur époux et père. L'affaire est encore en cours d'instruction au tribunal de Paris. Nous avons traversé les mêmes affres, à ce détail près que, dans notre cas, il n'y a plus de juge d'instruction pour faire la vérité. Les similarités entre les deux affaires sont nombreuses, jusqu'aux termes employés par les autorités pour fermer les dossiers : «Sauf à envisager l'existence d'un vaste complot politico-judiciaire, impliquant dissimulation d'enquête par les premiers intervenants, procès-verbaux volontairement erronés, examens médicaux orientés et conspiration générale du silence, l'hypothèse de l'assassinat ne peut, à ce jour, être sérieusement retenue.» Ainsi se concluait, en 1999, le rapport de la brigade criminelle sur la mort de Bernard Borrel. C'est quasiment mot pour mot la phrase contenue dans l'ordonnance de non-lieu sur l'affaire Boulin, rendue le 20 septembre 1991 par la juge Laurence Vichnievsky : «Sauf à retenir comme certaine l'existence d'une vaste conspiration…»

Dans son livre *Un juge assassiné*[1], Élisabeth Borrel affirmait que les policiers en charge de l'affaire Borrel «[n'avaient] jamais envisagé la thèse de l'assassinat et [n'avaient] jamais enquêté dessus». Je peux soutenir la même chose à propos de l'affaire Boulin. Dès les premières investigations, les enquêteurs posèrent systématiquement aux témoins la question des «problèmes familiaux» de mon père, comme s'ils étaient évidents, connus de tous, et responsables de l'issue tragique. «N'avait-il pas des ennuis avec

---

1. Flammarion, 2006.

11 H 15. Fin des recherches autour de l'étang Rompu. L'inspecteur Tourre se retire des lieux.

CORPS. Vers 11 h 30. Le corps du ministre doit rester à l'hôpital de la Pitié-Salpêtrière, dans une chambre du service de réanimation, isolée des urgences, en attendant son transport à l'Institut médico-légal (IML), tout proche. En effet, aucun fourgon n'est disponible pour conduire le corps.

11 H 30. Selon M. Valéry Giscard d'Estaing dans ses mémoires : «Jacques Wahl [secrétaire général de l'Élysée] vient me prévenir. Le ministre de l'Intérieur, Christian Bonnet, l'a appelé pour me faire savoir qu'on venait de retrouver le corps… toutes les apparences indiquent qu'il s'agit d'un suicide.»

sa femme ? Ne s'inquiétait-il pas pour ses enfants ? N'était-il pas déprimé ?» Pourquoi donc se concentraient-ils sur cette fausse route, alors que les résultats de l'autopsie auraient dû les orienter vers la piste criminelle ? Qui les avaient donc lancés sur cette voie ? Lorsqu'ils s'adressèrent ainsi à Jacques Lusseau, concierge à la mairie de Libourne, ce dernier fut si choqué par leur attitude qu'il les reconduisit fermement à sa porte en affirmant que mon père adorait sa famille, et que c'était réciproque. Je le revois me raconter la scène, rouge de colère.

Malgré les multiples démentis des témoins, c'est la thèse des problèmes personnels que tenta de mettre en avant l'ancien président de la République, Valéry Giscard d'Estaing, dans ses mémoires parus en 1991[2]. Dans un chapitre intitulé «Le suicide de Robert Boulin», il revenait sur sa visite du 5 octobre 1979 à Libourne, et écrivait : «Quand nous sommes rentrés le soir dans notre chambre de la préfecture, Anne-Aymone m'a fait part de l'impression que lui avait faite cette journée. On lui avait rapporté que Mme Boulin tenait sur son mari des propos désobligeants. "J'ai trouvé Boulin très abattu, m'a-t-elle dit. Il fait pitié."» Estimant ce passage diffamatoire et fautif à son égard, ma mère assigna VGE ainsi que son éditeur, le 22 juillet 1991, devant le Tribunal de grande instance de Paris. Elle gagna en première instance et Giscard fit appel. La cour choisit alors d'absoudre l'ancien Président au motif qu'il faisait œuvre d'historien, mais cette argumentation fut sanctionnée par la Cour de cassation. À l'issue d'une longue

2. *Le Pouvoir et la Vie*, vol. II, *L'Affrontement*, part. II, chap. 6, Compagnie 12, 1991.

MARDI 30 OCTOBRE 1979

12 HEURES. Le procureur de Versailles parle de suicide. Toutefois, à cette heure-là, aucun médecin n'a encore véritablement examiné le corps. Au journal télévisé de 13 heures sur Antenne 2, Danièle Breem expose minute après minute, avec moult détails, le suicide aux barbituriques.

12 H 05. Ni les pompiers, ni le SAMU, ni le véhicule de police stationné devant l'hôpital n'ont pu prendre en charge le transport du cadavre de Boulin. C'est finalement le commissaire Pierre Ramat qui trouvera un fourgon police-secours, stationné dans l'hôpital, pour convoyer le corps à l'IML.

procédure, notre avocat René Boyer obtint finalement gain de cause devant la cour d'appel de Reims. Le 10 juin 1997, celle-ci condamna Valéry Giscard d'Estaing pour la phrase mettant en cause Colette Boulin, lui ordonna de supprimer la phrase fautive des éditions futures de son livre et de verser à ma mère quatre-vingt mille francs à titre de dommages et intérêts. La Cour ordonnait en outre le versement de vingt-deux mille francs en remboursement des frais de procédure.

Des années plus tard, j'eus la surprise de constater que l'ancien Président maintenait ses attaques contre ma mère, sans se préoccuper de respecter l'arrêt de la cour d'appel : la nouvelle édition de ses mémoires[3] contenait toujours la phrase qu'il avait été sommé de supprimer. Je fus extrêmement choquée qu'un ancien président de la République, membre de droit du Conseil constitutionnel, ne se montrât pas plus soucieux de respecter une décision de justice prise à son encontre. Ma mère étant décédée en 2002, je décidai de prendre sa relève et mis en demeure auteur et éditeur de se conformer à la décision de justice. En l'absence de réponse satisfaisante de leur part, je fus contrainte de les assigner devant le tribunal afin de faire respecter l'autorité de la chose jugée. Je fus déboutée : le tribunal me dénia en effet le droit de me substituer à ma mère décédée. À présent qu'elle était morte, personne, pas même ses enfants, ne pouvait plus défendre sa réputation. Cependant, je ne regrette pas mon intervention, car peu de temps avant la décision

---

3. Le Livre de Poche, 2007.

MARDI 30 OCTOBRE 1979

CORPS. Camille Siaudeau, inspecteur à la préfecture de police de Paris, contrôle les arrivées et les sorties des corps à l'IML et les identifie. Dans son audition du 16 décembre 1983, il déclare : « J'ai assisté à l'arrivée du corps, le corps était nu. » Déclaration surprenante, puisque Pierre Ramat, officier de police judiciaire, affirme avoir procédé au déshabillage du mort à l'IML.

MARDI 30 OCTOBRE 1979

CERTIFICAT DE DÉCÈS. SRPJ de Versailles. Pierre Ramat établit l'extrait de procès-verbal aux fins d'inhumation et de rédaction d'acte de décès. Sur ce papier, le jour du décès est corrigé à la main et passe du 30 octobre au 29 octobre, avec la mention « suite à la conversation téléphonique avec le secrétaire de la mairie de Saint-Léger-en-Yvelines ».

MARDI 30 OCTOBRE 1979

Bien avant le résultat des analyses, le parquet fait inscrire comme date le 29 octobre à 20 heures. Ceci rend inutile l'enquête sur les événements de la nuit du 29 au 30 octobre.

de justice, Le Livre de Poche, qui avait entrepris la publication en un seul volume des deux parties du livre de Giscard, retira cette fois la phrase. Dont acte. Dans la note de présentation de la nouvelle édition, l'éditeur passait toutefois sous silence le changement en question, arguant du seul souci d'offrir plus de commodité de lecture, et allant jusqu'à affirmer : « Nous avons choisi de ne rien toucher au texte. »

Mensonges et calomnies

Aujourd'hui encore, je dois me battre contre les informations mensongères que les tenants de la thèse officielle font circuler depuis trente ans. Ainsi, le 16 janvier 2002, je découvris dans *Libération* un article sur mon père : on y lisait qu'il avait été inculpé dans l'affaire immobilière de Ramatuelle, ce qui est totalement faux. Le journal ne prit pas la peine de répondre à la demande de rectification que je lui adressai mais je note que la désinformation sur ce point a cessé depuis. Plus récemment à Libourne, en octobre 2009, se tenait un colloque d'historiens consacré à mon père, pour lequel les organisateurs avaient adopté un principe de base : « la question du décès de Robert Boulin » ne devait y être abordée par aucun des participants. Ce choix n'était pas le mien : la mort d'un ministre en exercice est à mes yeux un fait d'histoire, indissociable de sa vie et de sa carrière politique. Mais je n'avais pas mon mot à dire sur l'ordre du jour, et dus prendre acte d'une décision que

---

MARDI 30 OCTOBRE 1979

16 HEURES. IML. Début de l'autopsie conduite par les médecins légistes. Qu'est-il advenu du corps entre 11 h 30, arrivée à la Pitié, et 16 heures, début de l'autopsie ?

MARDI 30 OCTOBRE 1979

CERTIFICAT DE DÉCÈS.Le procès-verbal comporte désormais les annotations manuscrites de Pierre Ramat.

Sur le registre d'état civil, l'acte de décès comporte 14 mots raturés, mais 13 seulement sont comptabilisés en marge de l'acte. En réalité, c'est bien l'inspecteur Pierre Ramat qui fait la déclaration de décès puis, se ravisant, demande à Éric Burgeat,

MARDI 30 OCTOBRE 1979

qu'il est allé chercher par l'entremise de Max Delsol, d'être le déclarant. Celui-ci ne connaît absolument pas l'heure du décès. C'est donc en se fiant à la déclaration de M. Ramat qu'il accepte de signer, avalisant sans le savoir un faux en écriture publique.

tous les intervenants respectèrent, sauf un : le professeur Eveno, de l'université de Paris-I.

Dans sa communication sur «L'image de Robert Boulin dans les médias», il reprit les arguments des partisans de la thèse du suicide, sans jamais préciser – ce qui est difficilement compréhensible de la part d'un historien des médias – que cette thèse était sérieusement contestée, non seulement par la famille mais par la quasi-totalité de la presse écrite et audiovisuelle familière du sujet. Comme on pouvait s'y attendre, il s'en remit aux calomnies proférées par Giscard sur ma mère, sans mentionner qu'elles avaient été sanctionnées par la justice. Il émailla également son discours de qualificatifs dénigrants voire injurieux, décrivant mon père comme «trop secret», «trop discret», «trop soumis», «trop technique», «tantôt affairiste», «tantôt fragile», «toujours broyé», «parfois cassant», mais sans jamais citer les sources médiatiques susceptibles de justifier une analyse aussi éloignée de l'image que Robert Boulin avait jusqu'alors laissée dans l'histoire. Qualifiant mon père d'«affairiste» (en d'autres termes d'homme d'affaires peu scrupuleux et préoccupé du seul profit), le professeur Eveno prétendait justifier l'injure par le fait que Boulin aurait cumulé ses fonctions de ministre avec celles de membre de différents conseils d'administration. Or il est avéré qu'il n'a siégé dans ces conseils que lors de la brève période où il ne fut pas ministre, soit entre 1973 et 1976. J'ai encore dans mes archives la copie de la lettre de démission qu'il adressa le jour même de son retour au gouvernement au président du conseil d'administration

MARDI 30 OCTOBRE 1979

DOS. Des lividités cadavériques qui, dans les cas de suicide par noyade, apparaissent d'abord sur le ventre ou le devant des jambes, sont ici visibles sur le dos. Cela prouve que la mort n'a pas eu lieu dans l'étang Rompu.

MARDI 30 OCTOBRE 1979

TÊTE. Aucune analyse des blessures au visage et au poignet droit n'a été effectuée par les médecins légistes. La blessure au poignet les intrigue pourtant. Un des docteurs note que la plaie est nettement antérieure au décès. Bernard Rumegoux, lors de la contre-autopsie, remarque les traces de liens aux poignets, ainsi qu'un hématome derrière le crâne. (France Inter, octobre 2009.)

MARDI 30 OCTOBRE 1979

TÊTE. Le procureur chargé du dossier a ordonné la recherche de traces de projectile, mais pas de fractures, alors que le visage du mort ressemblait à celui d'un boxeur mis KO.

de la CFAO. Il y expliquait que si rien, légalement, n'interdisait un cumul de ses fonctions, il croyait néanmoins «plus conforme à l'éthique qui [était] la [sienne]» de cesser d'être administrateur.

Calomnie encore lorsque le professeur Eveno évoqua la responsabilité de mon père dans l'affaire du talc Morhange, dont il avait autorisé la mise sur le marché en tant que ministre de la Santé. En 1972, ce talc empoisonné avait provoqué la mort de trente-six enfants et de graves intoxications pour cent soixante-huit autres. Un long procès mit en évidence le fait que cet accident dramatique était dû à une erreur technique survenue lors de la fabrication d'un lot de talc, et que la formule autorisée par le ministère de la Santé était quant à elle hors de cause. Le professeur Eveno ne prit pas la peine de citer dans sa communication ces éléments, pourtant connus et repris par la presse, et livra à l'auditeur une information tronquée.

Ce jour-là, j'avais été admise à participer au colloque à la condition d'y rester silencieuse – une discipline à laquelle il fallut que je m'astreigne coûte que coûte. Je ne réagis aux propos du professeur Eveno que plus tard, dans un argumentaire détaillé que je lui adressai. Je l'y invitai également à satisfaire au devoir de «détruire les histoires fausses, démonter les sens imposteurs», auquel son collègue Olivier Dumoulin, spécialiste des pratiques historiographiques en France, exhorte tout historien, et au-delà tout honnête homme. J'espère qu'il saura en tenir compte pour la version de sa communication à paraître en 2011 dans les actes du colloque.

MARDI 30 OCTOBRE 1979

POUMONS. Aucune recherche de diatomées (micro-organismes à la surface de l'eau) n'est effectuée, ce qui permettrait de certifier, en cas de noyade, le lieu exact de celle-ci. L'analyse anatomopathologique des poumons n'a donc pas été réalisée.

MARDI 30 OCTOBRE 1979

SANG. Du diazépam (principe actif du Valium) est retrouvé dans le sang de la victime. La substance a pour effet de neutraliser la volonté. Elle est souvent utilisée sur des victimes de viols et d'abus de blancs-seings. Aucun tube de comprimés de Valium n'est retrouvé et les analyses démontrent que la boîte

MARDI 30 OCTOBRE 1979

de sucrettes saisie sur les lieux n'a jamais contenu de Valium ni de barbituriques.

Il faut que les derniers partisans de la thèse officielle se sentent à court d'arguments pour continuer, trente ans après, à user de la calomnie pour expliquer le suicide et discréditer notre combat pour la vérité ! Dans une affaire d'État, les éléments factuels sont pervertis dès le départ, l'enquête tronquée, les analyses escamotées, l'information dévoyée. Immédiatement après la mort de mon père, de nombreuses personnalités du monde politique (le Premier ministre Raymond Barre lui-même), des médias et de bien d'autres cercles d'influence parisiens se sont fait piéger par de zélés désinformateurs. Avant même l'autopsie du corps, la thèse officielle sur la mort du ministre était opérationnelle. Et nombre de personnalités éminentes se sont acharnées dès le 30 octobre 1979 à expliquer le suicide de Robert Boulin à leurs collègues sceptiques.

Olivier Guichard, ancien ministre et «baron» influent du gaullisme, révéla ainsi à un membre de ma famille qu'une haute personnalité du SAC lui avait rendu visite tout de suite après l'annonce officielle pour le persuader de l'invraisemblance du meurtre et lui «dévoiler» les circonstances du décès. L'enquête n'avait pas débuté que les turpitudes sexuelles imputées à Colette et Bertrand Boulin, ou bien la prétendue humeur dépressive du ministre, suffisaient déjà à expliquer le drame.

En 2003, Michel Habib-Deloncle, résistant, député gaulliste et ministre sous de Gaulle et Pompidou, nous gratifia en ce sens d'un courrier édifiant[4] : «Je sais bien [que Robert Boulin] était incapable d'une indélicatesse et que la campagne de calomnies

---

4. Archives familiales.

CORPS. Des soins de thanatopraxie et d'embaumement sur le corps de Robert Boulin sont effectués à l'IML, sans que la famille en soit informée, ce qui est contraire au droit français. Ces opérations transforment toute la physiologie des organes. En outre, la disparition des registres de la société

appelée pour pratiquer les soins de présentation ne permet plus de savoir qui est intervenu. On sait seulement que la facture des obsèques a été payée par Matignon.

déclenchée contre lui, en un moment où s'ouvraient devant lui les plus hautes perspectives d'avenir politique, a dû l'atteindre au plus profond de lui-même. *Je me suis longuement fait expliquer ses faits et gestes, le jour de sa mort.* Je n'ai rien aperçu qui puisse infirmer la thèse désolante, mais bien compréhensible, du suicide.» Vingt-cinq ans plus tard, il s'accrochait encore à une première version et refusait de voir ce qu'il y avait justement d'*incompréhensible* dans ce prétendu suicide.

Pierre Marcilhacy, sénateur de la Charente et futur membre du Conseil constitutionnel, qui, le premier, mit publiquement en doute la thèse officielle dans *Le Monde* du 3 novembre 1979, raconta le 16 janvier 1984, au journal télévisé du soir sur TF1, que cette année-là « on [avait] tout fait pour [l]'inciter à croire à la thèse du suicide ». Il se disait prêt à répondre aux questions d'un magistrat instructeur concernant les pressions dont il affirmait avoir été l'objet, et concluait par ces mots : «La justice doit passer.» Il fut entendu par le juge Yves Corneloup le 15 novembre 1984. Il laissa au juge copie des courriers que le ministre de l'Intérieur Christian Bonnet lui avait adressés pour tenter de le convaincre. Il persista toute sa vie à penser que Robert Boulin ne s'était pas suicidé, s'appuyant sur des arguments bien étayés et que l'enquête judiciaire a ignorés.

Mais avec le temps tout s'en va...

Trente ans après les faits, certaines langues enfin se délient. En 1979, le père Michel Viot était non seulement un pasteur de l'Église évangélique, mais aussi une personnalité influente de la maçonnerie. Dans une tribune publiée le 24 juin 2010 par Rue89, sous le titre

MARDI 30 OCTOBRE 1979

Les médecins légistes déclarent dans leur rapport que « l'autopsie du crâne n'a pas été pratiquée sur ordre formel du procureur ». Plus loin, ils soulignent : «Au cours de l'autopsie du corps, nous n'avions pas conclu sur l'heure de la mort car nous n'étions pas en possession des renseignements complémentaires, à

MARDI 30 OCTOBRE 1979

savoir l'heure du dernier repas connu.»
Pourtant apparaît dans la procédure un certificat d'un des deux docteurs, daté du 30 octobre, qui établit le décès au 29 octobre à 20 heures. Comment interpréter cette contradiction entre les dires des médecins et ce certificat?

«Pourquoi je ne crois pas au suicide de Robert Boulin», il avoue avoir «été trompé» à l'époque de la mort du ministre : fin 1979, Pierre Pascal, un proche collaborateur de Chaban-Delmas, lui aurait expliqué «longuement les vraies raisons du suicide», en lui précisant qu'elles n'avaient guère à voir avec l'affaire de Ramatuelle. Selon les dires de cet interlocuteur, mon père craignait que le dossier sorti dans la presse ne soit l'arbre cachant la forêt : il redoutait de voir, dans un second temps, attaquer sa famille, et aurait donc choisi pour éviter cela de «disparaître de la scène publique en se donnant la mort…».Viot revient sur la manière dont Pascal le convainquit de ne pas prêter attention aux rumeurs d'assassinat : leur donner du crédit aurait poussé les détracteurs de Robert Boulin à «*défendre plus fortement la thèse du suicide* et, pour cela, [à] en donner les vraies raisons», ce que le ministre voulait justement éviter. Si l'on en croit ce tissu de sornettes calomnieuses, qui constitue un cas d'école, mon père aurait mis fin à ses jours pour masquer aux yeux du monde les turpitudes de sa famille dévoyée ! Tous les éléments de l'intox − mensonges et discours tendancieux − sont ici réunis pour illustrer la parodie d'argumentaire servie systématiquement, à la mort de mon père et encore des années plus tard, à ceux qui auraient été tentés d'élever la voix contre des discours officiels. Le témoignage du père Viot montre aussi comment ceux-là mêmes qui auraient pu dénoncer l'assassinat se virent transformés à leur tour, et souvent à leur insu, en agents d'intoxication dans leur propre zone d'influence.

MARDI 30 OCTOBRE 1979

TÊTE. 19 heures. Retour du corps au domicile des Boulin. Voyant le visage tuméfié de son mari, Colette Boulin demande pourquoi il est abîmé. La police lui répond que c'est à cause de l'autopsie. Or, aucune autopsie du crâne n'a été pratiquée, sur ordre formel du procureur. Les enquêteurs chercheront ensuite à faire croire que cette autopsie n'a pas été pratiquée, à la demande de la famille.

MARDI 30 OCTOBRE 1979

RAISONS DU SUICIDE. Le soir. Le SRPJ de Versailles appelle le docteur Pierre Simon, gynécologue de la famille et ami de Boulin. Les médecins légistes ont trouvé le rein de Boulin d'une grosseur anormale. Le policier demande à Pierre Simon si le ministre en souffrait au point de se suicider, avant de l'informer qu'une lettre posthume de Boulin lui est destinée.

DU 30 AU 31 OCTOBRE 1979

CERTIFICAT DE DÉCÈS. Minuit. Des policiers vont chercher le maire de Saint-Léger-en-Yvelines alors qu'il dîne chez des amis, pour lui faire rectifier le jour et l'heure de la mort de Robert Boulin sur le registre d'état civil.

La servitude volontaire

Une chose cependant continue de me troubler : comment tant de personnalités, proches de mon père pour certaines, ont-elles pu si facilement soutenir de leur autorité morale la conclusion qui leur était soufflée, en sachant pertinemment que les éléments nécessaires à l'établissement de la vérité n'étaient encore disponibles pour personne ? Quand Pierre Simon, autre grand dignitaire de la franc-maçonnerie, assénait sans relâche à ses frères que Robert Boulin s'était donné la mort, il venait au secours d'une vérité construite de toutes pièces, et dont jamais il ne chercha à vérifier le contenu. Il aurait pourtant pu éprouver sa version auprès de nous, qui étions ses amis. Il n'en fit rien. La parole du pouvoir serait-elle plus convaincante que d'autres ? Allez savoir.

Étienne de La Boétie décrit avec finesse cette forme d'obéissance. Il lui donne aussi un nom, la « servitude volontaire » : ou comment un peuple est capable de se soumettre de lui-même à la tyrannie, simplement pour se partager les miettes du pouvoir que le tyran veut bien lui accorder. C'est qu'il est difficile de marcher à contre-courant. Jacques Bacelon, journaliste d'investigation peu suspect de servitude[5], m'expliqua un jour que ses confrères, qui répétaient comme des perroquets les dires du parquet, faisaient publier leurs papiers le plus facilement du monde, sans même qu'on leur demande de recouper leurs informations. « En tant que journaliste, écrire la thèse officielle ne posait pas l'ombre d'un problème vis-à-vis de la direction éditoriale, me confia-t-il, alors que tenter

---

5. Auteur de nombreuses enquêtes, notamment *La République de la fraude*, éditions Jacques Grancher, 1986.

MERCREDI 31 OCTOBRE 1979

LETTRES. Les lettres posthumes commencent à arriver à leurs destinataires.

MERCREDI 31 OCTOBRE 1979

Lors du premier Conseil des ministres après la disparition de Robert Boulin, devant sa chaise vide, le président de la République incite ses concitoyens au silence. Il se dit « conscient de traduire les sentiments profonds des Françaises et des Français en demandant qu'on laisse désormais les morts enterrer les morts ».

MERCREDI 31 OCTOBRE 1979

Après le Conseil des ministres, Raymond Barre se rend au domicile des Boulin. Il est imité peu après par Alain Peyrefitte, qui n'hésite pas à y convoquer toute la presse.

une analyse des faits en faisant ressortir les contradictions devait être autrement justifié. De plus la mise à l'écart des journalistes sur les lieux où se trouvait le corps rendait la tâche difficile, avec de surcroît une information fausse et tronquée qui nous parvenait.»

Justement, Jacques Derogy et Jean-Marie Pontaut, « papes » du journalisme d'investigation dans les années quatre-vingt-dix, ne s'embarrassèrent pas d'inutiles justifications. Ils eurent vite fait d'écrire, au mépris du bon sens, que l'enquête de police sur la mort de mon père avait été «très minutieuse» et que, par conséquent, le suicide ne faisait aucun doute. Je me suis toujours demandé où ces deux-là dénichaient leurs informations : ils ne cherchèrent pas à rencontrer la famille Boulin, ne vinrent jamais chez mes parents, boulevard Maillot. Je fus donc effarée de lire sous leur plume une description qui se voulait très détaillée du bureau de mon père. Je n'ai rencontré Jacques Derogy qu'une seule fois, dans les coulisses de l'émission de télévision « Droit de réponse », en 1987. Quand je m'étonnai auprès de lui de ses méthodes « d'investigations », sa réaction fut d'une grande brutalité. Éric se souvient encore d'avoir dû s'interposer et arrêter sa main, tout près d'atterrir sur mon visage. Il semblerait que j'aie touché ce jour-là un point sensible.

L'analyse des mécanismes d'intoxication, dont furent victimes ou complices les journalistes, fait apparaître le rôle éminent des réseaux d'influences. Elle permet de comprendre pourquoi la manipulation exercée tant sur la presse que sur le personnel politique peut fonctionner si admirablement, comme ce fut le cas pour le meurtre de Robert Boulin.

NOVEMBRE 1979

LETTRES. Aucun original ne sera retrouvé, contrairement aux dires de l'ordonnance de non-lieu de 1991.

Les lettres dites posthumes ont été tapées sur un papier à en-tête obsolète du « ministère du Travail ». Robert Boulin n'utilisait plus à cette époque que le nouveau papier à en-tête du « ministère du Travail et de la Participation ». La lettre

NOVEMBRE 1979

dite posthume arrive dans les jours qui suivent sa mort, par la poste. Elle comporte 4 feuillets. Plusieurs destinataires la reçoivent. Elle reprend pour l'essentiel un argumentaire sur l'affaire de Ramatuelle. La première phrase, «J'ai décidé de mettre fin à mes jours», est décalée horizontalement et verticalement par rapport au reste du texte. Or, cette phrase, ainsi que

NOVEMBRE 1979

les 4 dernières lignes, elles-mêmes isolées sur un feuillet séparé, sont les seuls passages de la lettre qui évoquent une intention suicidaire.

Témoignage de Jacques Bacelon

« Le 30 mai 1983, journaliste au *Matin de Paris*, je reprends le dossier concernant la mort de Robert Boulin. L'analyse, uniquement fondée sur des faits, remet en question de façon indiscutable la thèse du suicide jusque-là avalisée par la direction de mon journal et le service politique. L'article, d'une double page, est un réquisitoire argumenté contre une police et une justice au service d'intérêts politiques. Deux mois plus tard, sur décision de Claude Perdriel, directeur de la publication, je suis licencié. Refus de l'inspecteur du travail, désavoué par sa hiérarchie. Confirmation passive de Pierre Bérégovoy, ministre du Travail, dont le directeur de cabinet m'avait reçu en compagnie de mon avocat, Mᵉ Nuri Albala, et avait dénoncé des méthodes dignes de Robert Hersant. Il m'avait semblé plus indigné que moi ! Le journaliste d'investigation que j'étais s'occupait de dizaines d'affaires sensibles dont le meurtre de Jean de Broglie, Henri Curiel et autres. Claude Perdriel m'a dit, d'ailleurs, qu'il en avait assez des interventions qu'il subissait après la parution de chacun de mes articles. Il faut préciser qu'à cette époque, j'étais systématiquement convoqué au 36 quai des Orfèvres, à la police judiciaire, après chaque parution, afin de donner mes sources, ce que j'ai toujours refusé, sur procès-verbal. Cette « tradition » a été respectée au lendemain de la parution de l'article du 30 mai 1983, concernant la mort du ministre Robert Boulin. Le dossier Boulin est particulièrement maudit. J'étais journaliste à « Droit de réponse » lors de la préparation de l'émission du 5 septembre 1987 concernant entre autres la mort du ministre du Travail. C'est en coulisse que j'ai apporté mon aide, sous la forme de quelques documents. L'émission a été supprimée après ce dernier souffle d'indépendance. Le 28 novembre 1989, je suis sur le plateau de l'émission « Star à la Barre », après avoir dans la coulisse, avec Jean-Edern Hallier, aidé à la venue à la barre de Mᵐᵉ Colette Boulin, veuve du ministre, et sa fille Fabienne. Nous avons dû être efficaces puisque l'émission a été supprimée, du jour au lendemain. Le 29 novembre, une double page, qu'en qualité de rédacteur en chef j'avais construite et signée, paraissait dans *L'Idiot international*. Aujourd'hui, le constat est simple. Le ministre du Travail a été suicidé. La presse a obéi malgré quelques sursauts de consciences individuelles. Le système judiciaire et le monde politique ont perdu toute crédibilité. La démocratie s'enlise, se liquéfie. »

Jacques Bacelon, septembre 2010.

Témoignage de Francis Christophe

« Dans la couverture et le traitement de la mort de Robert Boulin, l'Agence France-Presse, jusqu'en 2007, a fidèlement décliné la version officielle du décès du ministre, telle qu'elle est fixée dès le journal d'A2 de la mi-journée du 30 octobre 1979, avant la moindre autopsie, analyse anatomo-pathologique, etc. L'AFP a évidemment rempli sa fonction auprès des médias, son leadership était acquis d'emblée : destinataire de l'une des huit lettres attribuées sans preuve au ministre, l'AFP en diffusa le texte à ses abonnés… Sans émettre le moindre doute sur son authenticité, et le reste à l'avenant.

À partir de 1983, un déclic m'a placé, au sein de l'AFP, en position d'observateur privilégié. Affecté depuis peu à l'un des placards de l'agence, qui répondait au doux nom de service des écoutes (arabes, russes et françaises), une rencontre fortuite avec un proche du maire de Saint-Léger-en-Yvelines m'en apprit de belles sur le fonctionnement de nos institutions. Il est avéré que la mairie de ce village a reçu, en pleine nuit, la visite d'un mystérieux officier de police judiciaire, venu sans le moindre justificatif modifier, raturer et échanger des pièces d'état civil relatives à la mort de Robert Boulin, changeant notamment l'heure, et donc la date du décès. Le maire avait été sommé d'ouvrir sa mairie à ce visiteur nocturne par un coup de téléphone comminatoire du procureur de la République de Versailles, ce que ce dernier a toujours démenti. La confirmation de ces embrouilles figure notamment dans un PV d'écoutes judiciaires au cours duquel le maire corrobore en détail la version que l'avocat de la famille Boulin (à l'époque Jacques Vergès) avait communiqué au juge d'instruction Yves Corneloup. Versé au dossier en 1984, ce document connu de l'AFP et d'autres ne sort qu'en 1987, dans *Libération*.

Dans le cas Boulin, cohabitation ou pas, la ligne était claire et constante : le suicide de Boulin est incontestable. Aucun élément factuel ne saurait porter atteinte à ce dogme, et donc aucune dépêche en faisant état n'a lieu d'être publiée.

Bien sûr, cela n'empêche pas des tentatives inverses, mais le verrouillage va bien au-delà de l'agence : lors de la seconde autopsie, en 1983, un photographe du bureau de Bordeaux, dûment briefé, a fait plusieurs rouleaux. Comme il était d'usage, ces pellicules étaient confiées par un motard de l'Agence au service hors sac de la gare de Bordeaux, et étaient récupérées cinq heures après par un motard du siège parisien dès l'arrivée du train à Paris-Austerlitz. Pour la première – et dernière – fois dans l'histoire de l'AFP, un envoi hors sac SNCF a été volé…

En 1987, un déplacement du juge Corneloup est programmé à Ibiza pour entendre Henri Tournet, célèbre acteur du montage de Ramatuelle (cause officielle du prétendu suicide de Robert Boulin). Ce déplacement est d'autant plus médiatique que le sieur Tournet, condamné par contumace à quinze ans de réclusion par la cour d'assises de Coutances pour cette affaire, coule des jours tranquilles aux Baléares, sans le moindre mandat d'arrêt à son encontre, et tient table ouverte aux journalistes de passage. Le bureau AFP de Madrid, dûment briefé, fait son travail, d'autant plus aisément que la presse locale, elle aussi briefée, couvre largement et sans restriction les différentes facettes de l'affaire Boulin. Finalement, aucune dépêche ne passe sur les fils de l'agence. Le chef de poste de Madrid, dûment questionné, a fini par avouer qu'il avait reçu l'ordre impératif (ce qui ne lui était jamais arrivé) de ne pas relater l'audition de Tournet.

Dans les années quatre-vingt, le téléphone mobile et l'internet n'existaient pas. Pour entrer en contact, il n'y avait que le téléphone fixe. Et cela avait, semble-t-il, des effets pervers. Cela favorisait quelques ambiguïtés : quand un journaliste de l'AFP rend visite à un témoin, à une source éventuelle, il lui laisse le numéro de téléphone où il est joignable, c'est donc son numéro de poste à l'AFP. Cela ne démontre en rien qu'il est missionné par l'AFP, mais cela peut prêter à confusion, d'autant que, vu de l'extérieur, pas toujours facile de comprendre que l'AFP ne fait pas d'enquête, même si on explique qu'il s'agit d'une recherche personnelle...
Mon chef de service (de placard) me prit à part, en 1988, alors que certains médias, notamment James Sarazin, venaient de sortir quatre pages dans *L'Express* sur le faux suicide de RB, pour me transmettre un message aussi flou qu'éloquent : "Ce que tu fais hors de l'Agence ne me regarde en rien, mais on m'a dit de te dire d'arrêter de t'occuper de cette affaire." Il n'y a pas

eu moyen d'en savoir plus sur ce "on" qui apparemment transcendait les murs de la maison. À la même période, je reçus des coups de téléphone menaçants et anonymes à domicile ; une voisine, avec laquelle je n'entretenais aucune relation, fut également menacée téléphoniquement en mon nom, et porta plainte. Le directeur des ressources humaines de l'AFP me fit clairement et informellement comprendre que je n'avais aucun avenir dans la maison, et qu'après le placard, il ne restait que la porte, avec ou sans indemnités. En 1990, ce fut la porte.»

Francis Christophe, octobre 2010.

Une histoire de fous

Le matin de la découverte du corps, la presse s'empara d'un détail, livré à la hâte par les autorités, comme une preuve imparable du suicide : Robert Boulin avait avalé une forte quantité de barbituriques. Cette information – qui avait déjà été donnée à Raymond Barre dans la nuit du 29 aux 30 octobre, soit plusieurs heures avant l'heure officielle de la découverte – ne reposait pourtant sur aucun élément factuel : l'autopsie n'avait pas encore été pratiquée et, quand elle le fut, aucune trace de barbiturique ne fut décelée dans le corps de mon père. Cette fausse information continua malheureusement de hanter les esprits des années durant. Giscard la reprit dans ses mémoires et tout récemment encore, le 1er juin 2010, on la lisait dans une dépêche de l'AFP[6]. Elle eut des conséquences fort néfastes sur l'enquête, puisqu'elle servit initialement à accréditer l'idée que mon père, contre toute vraisemblance, avait trouvé la mort dans cinquante centimètres d'eau ; elle vint aussi légitimer l'idée selon laquelle le ministre avait commencé de perdre la raison peu de temps auparavant, sous l'effet d'une terrible dépression nerveuse.

Il est édifiant, à cet égard, de comparer les témoignages des uns et des autres : face à ceux qui soulignèrent la combativité du ministre dans les semaines et jours précédant sa mort, les discours évoquant une dépression furent minoritaires, et émanèrent de témoins peu crédibles. Ainsi quand le juge Vichnievsky rendit, en 1991, son ordonnance de non-lieu, elle fut contrainte de l'appuyer largement sur la parole de témoins dont il est établi qu'ils n'avaient pas dit toute la vérité sur des points importants à la police et à la justice.

---

6. « Mort de Robert Boulin : le dossier est clos, selon Mme Alliot-Marie », Agence France-Presse, 1er juin 2010.

NOVEMBRE 1979

LETTRES. La famille de Boulin ne reçoit aucune lettre, y compris sa mère, dont il était le fils unique et sur qui il veillait avec beaucoup d'attention.

NOVEMBRE 1979

LETTRES. Il n'a envoyé aucune lettre au président de la République ni au Premier ministre ; ni à Louis Jung du journal Le Résistant, son soutien de toujours.

Tels Guy Aubert, Max Delsol, Patrice Blank – les deux derniers ayant livré à la justice comme à la presse des versions contradictoires des mêmes faits.

Pendant l'été 1979, fortement inquiété par Max Delsol, le professeur Pène, doyen de la faculté de médecine de Marseille, spécialiste des maladies tropicales et par ailleurs relation de mes parents, avait délivré une prescription de complaisance pour des barbituriques. Mon père n'a jamais demandé lui-même de barbituriques à un praticien. Il n'en a pas utilisés non plus, la meilleure preuve de cela étant que les examens toxicologiques post mortem n'en ont relevé aucune trace. L'ordonnance de non-lieu de 1991 tira argument de cette prescription pour appuyer l'hypothèse d'une dépression. Sur la base de je ne sais quel témoignage, la juge qualifia aussi le doyen Pène de « médecin et ami d'enfance de la victime ». Ce qui est inexact puisqu'ils se sont rencontrés au début des années soixante-dix, lorsque mon père était ministre de la Santé. Le médecin traitant de mon père était le docteur Broustra, depuis 1947. Ce dernier le suivait très régulièrement. Un bilan de santé avait même eu lieu à Libourne deux semaines avant sa mort. Étonnamment, alors que Broustra décrivait son patient comme dynamique et combatif, son témoignage n'est pas mentionné dans l'ordonnance de non-lieu.

Le 31 octobre 1979, Max Delsol me demanda si j'avais retrouvé les boîtes de barbituriques ordonnées par le professeur Pène. Je me mis donc à chercher dans l'appartement de mes parents et les retrouvai rapidement : elles étaient *pleines*, ce qui est logique, puisque mon père n'en prenait pas. Max Delsol me conseilla

NOVEMBRE 1979 LETTRES. La lettre dite posthume envoyée à Gérard César est adressée à l'Assemblée nationale. Pourtant, Robert Boulin lui écrivait depuis toujours en Gironde, à Rauzan. Une enveloppe adressée à sa mairie de Rauzan, timbrée et déchirée, est d'ailleurs retrouvée dans la corbeille du ministre.

NOVEMBRE 1979 LETTRES. Une des lettres dites posthumes adressées au journal *Minute* est remise au garde des Sceaux, Alain Peyrefitte, à sa demande. Le ministre ne l'a jamais restituée aux autorités judiciaires. Au cours de l'enquête préliminaire, celles qui ont été adressées à Pierre Simon, à Gérard César, aux avocats Gérard

NOVEMBRE 1979 Bondoux et Alain Maillot et au journal *Sud-Ouest* sont saisies à des fins d'analyse.

Le secret dans la tombe de Patrice Blank

Blank eut entre ses mains une pièce à conviction d'envergure. Je ne saurai jamais s'il s'en débarrassa, mais une chose est sûre : il fit tout pour ne pas la remettre à la justice, et y réussit. Nous n'avons pas su en effet ce qu'était devenue l'enveloppe que mon père lui avait fait porter, ainsi que celle remise à leur conseiller juridique commun, Mᵉ Alain Maillot, le lundi 29 octobre 1979, quelques heures avant sa mort : cette enveloppe – tout comme celle de Maillot – se volatilisa. C'est d'autant plus regrettable qu'elles renfermaient les derniers écrits de mon père dont l'authenticité ne faisait pas de doute.

Blank soutint, à la suite d'un article de James Sarazin le mettant en cause, qu'il s'agissait du projet de réponse de mon père au *Monde*. « Après avoir pris connaissance de cette lettre, j'ai téléphoné à Mᵉ Maillot pour l'informer que je trouvais la réponse mauvaise », déclara-t-il dans son audition du 19 novembre 1985. « Mᵉ Maillot avait avisé le ministre pour lui faire part de nos remarques et ce dernier avait alors décidé de remanier son texte… Ce texte se trouve encore vraisemblablement dans mes dossiers, je le tiendrai à votre disposition si je le retrouve. » Non seulement il ne tint pas le fameux texte à notre disposition, mais sa version des événements contredit celle de Mᵉ Maillot. Dans son audition du 14 août 1984, ce dernier affirmait n'avoir eu le 29 octobre « aucun contact avec M. Boulin, ni téléphonique ni visuel ».

Blank a précisé au cours de ses auditions qu'il appela Robert Boulin à son ministère et prit rendez-vous avec lui pour la fin de l'après-midi. À la suite de cet appel, mon père fit reporter au lendemain sa rencontre prévue à 16 h 30 avec M. Jacques Tessier, syndicaliste CFTC. Quand à 15 h 30 il revint à son domicile pour prendre sa voiture personnelle, il avertit ma mère qu'il avait rendez-vous avec « ses avocats » – terme générique dont il désignait le tandem Blank-Maillot.

Pourquoi Patrice Blank déclara-t-il à la brigade criminelle lors d'une de ses auditions que le 29 octobre vers 16 heures, il avait « reçu un coup de téléphone de Bertrand Boulin, à [son] domicile » ? « Il s'inquiétait de savoir si j'avais vu son père dans la journée. J'ai eu immédiatement l'intuition profonde que le ministre avait mis fin à ses jours. » Mon frère a toujours nié l'existence de cet appel. À cette heure-là, après avoir déjeuné avec son père, il vaquait à ses occupations sans inquiétude. Il n'avait d'ailleurs, jusqu'à ce que je lui téléphone vers 20 h 15, aucune raison de s'inquiéter. Comment interpréter cette déclaration ? Est-ce une manière de se créer un alibi pour ne pas être soupçonné d'avoir accompagné Boulin à son rendez-vous fatal ? Il faut croire que les contradictions n'ont pas sauté aux yeux des « minutieux » enquêteurs, qui n'eurent jamais l'idée, lors de ces trois auditions différentes, de poser à Blank cette simple question : où étiez-vous cet après-midi-là ? Alors que le 29 octobre, il avait téléphoné à 20 heures à ma mère pour l'avertir « qu'il [avait] attendu en vain Robert avec lequel il avait rendez-vous », la police ne lui fit pas préciser à quelle heure ni où ce rendez-vous devait avoir lieu, ni quand il avait été pris, ni si d'autres personnes y avaient été conviées. Il est établi qu'en sortant de chez lui, mon père avait fait le plein d'essence de sa voiture. Je doute que c'eût été une priorité s'il s'était rendu chez Blank, dans le seizième arrondissement, à trois kilomètres et demi de là.

Dans sa déposition à la police, Me Maillot précisa comment il avait appris la mort de mon père le lendemain matin : « Par la radio au flash de 9 heures et j'ai ensuite téléphoné à Patrice Blank pour le lui annoncer, il ne le savait pas encore. » En réalité, le premier flash d'information annonçant le drame fut diffusé sur les ondes à 9 h 34. Interrogé sur le prétendu suicide de Boulin, Maillot, démontrant là la gamme de subtilités offerte par la langue française, se dit « surpris mais pas étonné ». Il révéla aussi à la police qu'après la soirée chez mes parents, des paroles clefs avaient été prononcées dans l'ascenseur : « Nous avons discuté un moment avec la famille, environ une heure. M. Blank, son ami et moi-même sommes redescendus ensemble et l'un d'entre nous [ce ne pouvait être que Patrice Blank] a dit dans l'ascenseur : "On a perdu un ami". »

Si le lundi 29 octobre, vers 23 h 15, Blank avait conscience du drame qui se jouait, on comprend mal pourquoi, le 30 octobre avant 9 heures, il se présenta à la rédaction du *Monde* comme si de rien n'était, pour y rencontrer son directeur Jacques Fauvet, sous le prétexte de lui parler de la réponse de mon père à l'article de James Sarazin. Comment, à moins d'avoir la mémoire très courte, cet homme, convaincu le soir du destin funeste de son « ami » Boulin, pouvait-il quelques heures plus tard rencontrer le directeur d'un journal

pour l'informer des exigences du même Boulin ? Il le fit pourtant, sans avoir pris de nouvelles auprès de notre famille – dont il aurait pourtant vu le désarroi la veille – et sans chercher à vérifier (si tant est qu'il le crût encore vivant) que mon père souhaitait toujours lui confier cette démarche.

Patrice Blank passa sous silence sa visite au *Monde* lors de sa première audition. Il se contenta de reprendre le témoignage de Me Maillot, et d'affirmer que c'est bien par celui-ci, au téléphone, qu'il avait appris la mort du ministre. La réalité est tout autre. Le témoignage de Jacques Fauvet auprès de la brigade criminelle relate la visite de Blank au journal. Fauvet rapporta leur entretien à la brigade criminelle en donnant des précisions : au moment où Blank allait lui remettre la réponse de Boulin, qu'il tenait dans sa main, l'annonce de la mort tomba sur les téléscripteurs. Blank se leva, remit la lettre dans sa poche en indiquant que tout cela était désormais inutile, puis s'en alla.

Pourquoi Blank, ce matin-là, vint-il défendre un projet de réponse qu'il jugeait mauvais, alors que, selon ses propres déclarations, il était déjà convaincu de la mort de *son ami* ? Si, comme il l'affirma, mon père avait manqué le rendez-vous du lundi après-midi pour examiner la réponse au *Monde*, il n'avait aucune raison d'aller au journal sans un nouveau mandat de sa part, qui plus est sans Me Maillot, afin de remettre à la rédaction une réponse dont ni le contenu ni le principe n'étaient établis. Son attitude demeure inexplicable, à moins qu'il ait voulu se donner un alibi : faire croire qu'il n'était pas au courant de la mort de mon père aurait été une manière d'entériner son absence, la veille, sur les lieux du rendez-vous funeste.

Sans surprise, Blank compta parmi les plus ardents défenseurs de la thèse d'un suicide «pour l'honneur», et se répandit en accusations contre Tournet, coupable d'avoir «irrémédiablement brisé l'image de l'homme intègre et indiscutée de la classe politique».

Pour décrire le soi-disant état d'esprit morose de mon père avant sa mort, l'ordonnance de non-lieu ayant mis fin à l'instruction sur notre plainte pour meurtre s'appuie largement sur les témoignages de Blank «dont la bonne foi ne peut être mise en doute». Cette ordonnance s'achève sur ces mots : « M. Aristide Blank précisait que Robert Boulin lui avait confié, parlant de la campagne de presse dont il était l'objet : "Je suis dans un marécage. Je m'enfonce dans les sables mouvants. Je ne m'en sortirai pas. Je suis perdu."» À la lumière des mensonges précédents, on comprend que tenir un tel discours était, pour Blank, un moyen de se protéger.

Pour qui travaillait-il réellement ? Dans son enquête, Benoît Collombat[1] donne une piste, selon lui très sérieuse. Blank, on le sait, était un ami de Jacques Foccart, le fondateur du SAC et maître d'œuvre des réseaux de la Françafrique jusque dans les années quatre-vingt-dix. Il était aussi membre du conseil d'administration de la Banque française intercontinentale (Fiba) depuis sa création en 1975. Banque du groupe Elf-Aquitaine, la Fiba, dont le deuxième actionnaire était le président gabonais Omar Bongo, était entre autres la banque des présidents africains. Comme le note Benoît Collombat, un puissant relais des intérêts que Robert Boulin souhaitait bousculer s'était introduit dans son entourage en la personne de Patrice Blank. Mon père avait l'intention de répliquer aux attaques en mettant sur la place publique des dossiers compromettants pour des réseaux dont Blank faisait activement partie. Il est très probable que Blank l'ait su. Mais l'homme a emporté ses secrets dans sa tombe.

---

1. *Un homme à abattre, op. cit.*

vivement de les détruire, ce que je fis le soir même, sans chercher à interpréter son empressement. J'étais écrasée de chagrin, incapable de réflexion et, surtout, soumise à l'autorité. Je les jetai sans hésiter dans les égouts de Suresnes, devant chez moi. L'initiative de Delsol, peut-être bien intentionnée, fut malheureuse, car elle nous priva d'un moyen de mettre à mal l'explication par le suicide. En effet, si ces boîtes de barbituriques étaient demeurées là, pleines, personne n'aurait compris que mon père leur eût préféré le Valium pour mettre fin à ses jours. Qui, en effet, aurait l'idée de se suicider avec du Valium – reconnu inefficace pour cet usage – en ayant de puissants barbituriques à sa disposition ?

L'analyse clairvoyante vint plus tard, lorsque pas à pas, je pus associer le comportement de l'inspecteur Delsol ce soir-là aux bruits que l'on faisait courir sur mon père : je me rappellerais alors l'émotion qui avait étreint ma mère quand, quelques semaines après la mort de son mari, elle avait entendu Delsol dire au juge Renaud Van Ruymbeke – qui en cet instant ne lui demandait rien – que Robert Boulin était fou ; je rapprocherais d'évidence ces propos d'un drôle d'article, paru dans l'hebdomadaire *VSD* du 1er novembre 1979, où l'on évoquait les prétendues crises nerveuses de mon père, dont l'une aurait nécessité peu avant sa mort une hospitalisation contrainte avec camisole de force. De telles assertions, proférées avec aplomb, ne pouvaient que faire bondir tous ceux qui connaissaient la grande tempérance de cet homme. Et il y a bien de quoi bondir, et frémir, lorsqu'on sait que l'ordonnance de non-lieu s'appuie sur ce genre de témoignages, aussi fragiles que mensongers, pour servir sa démonstration du suicide.

Aucun élément ne peut donner à penser que Robert Boulin n'avait plus sa tête. Tout concorde à prouver, au contraire, qu'il était en pleine possession de ses moyens et agissait stratégiquement. Il avait passé le dernier week-end d'octobre à travailler et à recevoir ses administrés à sa mairie de Libourne, comme toujours depuis 1961 – un comportement singulièrement calme et organisé pour un homme supposé être aux abois. L'ordonnance de non-lieu préféra néanmoins s'appuyer sur un autre élément clef de la campagne d'intox menée en 1979, selon lequel Boulin aurait, dans le cadre de ses travaux maçonniques, rédigé une «planche» sur le suicide intitulée « Suicide et initiation ». Il en fut donné lecture dans sa loge après sa mort et elle suscita de nombreux commentaires chez les francs-maçons. Pourtant, sur ce point, le témoignage ultérieur du père Michel Viot balaie toute ambiguïté : « J'affirme, écrivit-il en juin 2010, que le texte de la conférence " Suicide et initiation " est entièrement de ma main. Robert Boulin n'y a jamais collaboré comme certains l'ont dit. [7] » Dommage que ce témoignage intervienne si tard, il nous eût été d'une grande utilité, au moment où la campagne de dénigrement faisait feu de tout bois.

Diffamations

Dans ses numéros des 26 janvier et 23 février 1984, *La Lettre de l'assurance* publiait deux articles révélateurs de la campagne de calomnies qui s'exerça à notre encontre lorsque nous commençâmes à nous battre contre la thèse officielle : le journaliste y prétendait avoir trouvé l'explication de notre combat. Notre seule motivation, assurait-il, était d'obtenir le paiement de contrats d'assurance-décès que mon père aurait souscrits peu de temps avant de mourir et auxquels nous ne pouvions pas prétendre en cas de suicide. Après nous avoir traités de dépravés, après avoir accusé ma mère d'avoir lâché son mari dans les heures difficiles, nous étions taxés de cupidité !

---

7. « Pourquoi je ne crois pas au suicide de Robert Boulin », Rue89, 24 juin 2010.

NOVEMBRE 1979 — ENQUÊTE PRÉLIMINAIRE. Au cours de l'enquête préliminaire, les policiers n'ont pas auditionné MM. Guy Aubert, Patrice Blank et l'ami accompagnant ce dernier, qui se sont rendus au domicile de Robert Boulin dans la soirée du 29 octobre 1979. Pourtant, leurs noms avaient été immédiatement cités par la famille.

NOVEMBRE 1979 — Des films familiaux rangés dans le bas du placard du bureau ont disparu.

PREMIÈRE SEMAINE DE NOVEMBRE — ARCHIVES. Quelques jours après la disparition de Robert Boulin, sur ordre du SAC de Paris – sans informer ni la famille du défunt ni M. Basty, le responsable du bureau libournais de Robert Boulin –, toutes les archives du ministre entreposées à son domicile-bureau de Libourne ont été transportées pour être détruites dans un établissement libournais spécialisé.

Il nous fut aisé cependant de démontrer que mon père n'avait pas souscrit de tels contrats, et que ces calomnies n'avaient aucun fondement. *La Lettre de l'assurance* s'excusa publiquement et ne fut donc pas poursuivie. En revanche, *La Vie française* et *Le Figaro*, qui avaient repris tels quels les ragots, se virent condamnés à verser des dommages et intérêts qui nous aidèrent à payer nos avocats, mais surtout à publier le jugement. Nous n'avons toutefois jamais su qui fut à l'origine de cette pernicieuse opération de désinformation.

On nous a prêté des mœurs que nous n'avions pas, attribué des propos que nous n'avions jamais tenus. Peu importait notre parole. Ou plus exactement, notre parole importait trop car desservant le discours officiel. Alors mieux valait nous faire taire ou nous faire dire n'importe quoi. Lorsque nous découvrîmes que la première autopsie avait été incomplète et que le crâne de mon père, notamment, n'avait pas été examiné, les autorités judiciaires tentèrent de nous réduire au silence en prétendant que la « famille » du défunt s'était opposée à l'époque au « charcutage du corps ». Première nouvelle. Le jour de l'autopsie initiale, nous étions calfeutrés boulevard Maillot, tous autour de ma mère, et n'avions de contact ni avec l'Institut médico-légal, ni avec le procureur, dont il est établi qu'il exigea l'arrêt de l'autopsie sans examen du crâne. Le procureur reconnut lui-même, lors de son audition du 21 juin 1984, qu'il ne nous avait jamais vus ni eus au téléphone.

DU 1ER AU 7 NOVEMBRE 1979 | **RAISONS DU SUICIDE.** L'hebdomadaire *VSD*, dans un article intitulé « Les 30 jours qui ont détruit un homme », dit en quelque sorte que Robert Boulin était atteint de crises de démence pendant lesquelles il cassait tout autour de lui. Il aurait même été hospitalisé en mai 1979, contre toute vraisemblance, puisque son équilibre nerveux exceptionnel est souligné par chaque témoin.

1ER NOVEMBRE 1979 | **TÉMOINS.** Au micro d'Europe 1, Jacques Chaban-Delmas, interrogé par Ivan Levaï, déclare : « Dans cette affaire, il faut rechercher celui qui a communiqué ce dossier, car celui-là alors vraiment avait sûrement l'intention de nuire et l'intention de détruire. » Il fait taire les rumeurs sur les mœurs de la famille, qui se répandent dans les couloirs de l'Assemblée nationale.

1ER NOVEMBRE 1979 | **TÉMOINS.** L'appartement de Yann Gaillard, directeur de cabinet de Boulin, est cambriolé, le coffre de sa voiture fracturé, sa serviette et ses documents volés. Les coupables n'ont jamais été identifiés.

Personne ne nous demanda notre avis pour pratiquer l'autopsie de mon père (le faire eût été anormal), personne ne nous consulta non plus pour la momification. La loi est pourtant formelle sur ce point : les soins de thanatopraxie ne peuvent être effectués qu'après accord express de la famille et sous réserve d'obtenir une autorisation administrative. En novembre 2007, dans sa décision de rejeter notre demande de réouverture du dossier, le procureur général Le Mesle fit allusion à la possibilité qu'en 1979, les soins mortuaires aient été demandés par la famille. Mais les faits sont tenaces : il n'y a pas trace d'autorisation et on peinera longtemps à en trouver une puisque mon père fut momifié à notre insu. La momification illégale est traitée sévèrement. S'il s'agit d'un acte délibéré visant à entraver l'action de la justice, il peut être puni de dix à vingt ans de réclusion criminelle ; s'il s'agit d'une négligence, de trois mois à un an d'emprisonnement et d'une amende. Ici, l'impunité est totale, et les autorités, curieusement, ne se sont pas préoccupées d'identifier ni de poursuivre le coupable. L'opération fut nécessairement onéreuse : il suffisait à la justice de rechercher qui en avait réglé la facture.

Flic un jour, flic toujours

Jacques Derogy est mort en 2007. Son acolyte Jean-Marie Pontaut reste aujourd'hui l'un des derniers journalistes à s'accrocher à la thèse du suicide. La seule personne pour continuer sur cette fausse piste et sur qui il peut encore s'appuyer se nomme Maxime Delsol. Dans le magazine *L'Express* daté du 20 mai 2010, Pontaut a publié une interview de Delsol, dans laquelle ce dernier a repris à son compte (ce qu'il fit à nouveau le 13 juin dans les colonnes de

2 NOVEMBRE 1979 — ARCHIVES. Une lettre des États-Unis arrive au domicile de Colette Boulin. Elle y apprend que sa demande de location de maison est acceptée. Ce courrier est immédiatement saisi, devant sa fille, avant qu'elle n'ait le temps de le lire, par le garde du corps de Boulin, Max Delsol. Il n'a jamais été restitué à la justice ni à la famille.

2 NOVEMBRE 1979 — Mort de Jacques Mesrine. L'ennemi public n° 1 est pris au piège Porte de Clignancourt par la brigade antigang du commissaire Broussard.

3 NOVEMBRE 1979 — TÉMOINS. À l'issue de l'enterrement de Robert Boulin, à Villandraut en Gironde, Jacques Chaban-Delmas promet à la famille : « Je lâcherai mes chiens si vous retrouvez les dossiers ou le dossier, car sans cela, je ne pèserai pas plus lourd que Robert. »

Sud-Ouest) l'essentiel des contre-vérités répandues en trente ans sur le compte de mon père. Car pour Delsol, comme sans doute pour Pontaut, il faut définitivement «faire cesser ces histoires sur [l']assassinat de [Robert Boulin]». Sa mort est un suicide, «un point c'est tout». L'argument, on en conviendra, est de poids. Il est celui d'un homme dont le discours a souvent varié au fil du temps ; un homme dont on pourrait légitimement se demander en quoi il protégea mon père, puisque telle était sa mission officielle.

Inspecteur divisionnaire de police, Maxime Delsol fit l'essentiel de sa carrière à la direction des Voyages officiels et de la Protection des hautes personnalités. À ce titre, il assura entre autres la protection de François Mitterrand après la tentative d'attentat dont celui-ci aurait été victime dans les jardins de l'Observatoire à Paris, en 1959. Puis on l'affecta à la protection de mon père lorsque ce dernier fut nommé secrétaire d'État, en 1961. C'est lui qui nous accueillit sur le quai de la gare d'Austerlitz le jour où ma mère, mon frère et moi vînmes nous installer à Paris en septembre de la même année. Il devint rapidement un familier, que nous ne quittâmes pratiquement plus jusqu'à la mort de mon père, dix-huit ans plus tard, à l'exception des trois années où il ne fut plus ministre.

L'inspecteur se faisait appeler Max. Il ne portait pas de chapeau et utilisait un fume-cigarette, mais était pour tout le reste le prototype même du flic : grand, costaud, large d'épaules, petite moustache et gabardine beige.

Sa responsabilité en tant que garde du corps était, même en l'absence de demande formulée, de protéger la personnalité auprès de laquelle il était affecté, contre tout acte susceptible de porter

3 NOVEMBRE 1979 — **12 HEURES.** Dans l'avion du Premier ministre, au retour de l'enterrement, un conseiller de Raymond Barre se félicite de la mort de Mesrine, qui aurait comme conséquence avantageuse de reléguer l'affaire Boulin au second plan dans les médias.

3 NOVEMBRE 1979 — C'est le docteur Pierre Simon, présent sur le vol, qui confiera plus tard ces propos à Fabienne Boulin Bourgeat.

atteinte à son intégrité physique. Et ce, vingt-quatre heures sur vingt-quatre. Mon père mourut dans l'exercice de ses fonctions. Delsol aurait-il pu l'empêcher?

Le 29 octobre, mon père quitta son ministère à un horaire inhabituel, avec une tout aussi inhabituelle pile de dossiers. Max Delsol, étrangement, nia cet élément pourtant établi par maints témoignages concordants. Lui-même n'avait pas assisté au départ de Boulin, mais il prétendit néanmoins que le ministre n'avait emporté que son dossier de Ramatuelle. Des dossiers avaient bel et bien disparu, mais ce dossier-là fut retrouvé sur le bureau de mon père au ministère par Jean-Jacques Dupeyroux, membre de son cabinet, qui tint à me le restituer en mains propres. Pourquoi donc Max nia-t-il la réalité des faits sur ce point?

Ce même lundi vers 21 heures, cédant à l'inquiétude après mon coup de téléphone, Bertrand l'appela pour lui demander textuellement − je cite Delsol − : «Qu'est-ce que tu as foutu de mon père?» L'homme se trouvait chez lui, apparemment peu préoccupé de savoir ce qu'était devenu son patron depuis son départ précipité du ministère. Prévint-il ses supérieurs hiérarchiques? Pas à notre connaissance. Dans ses dernières interviews, il prétendit pourtant avoir immédiatement compris «qu'il s'était passé quelque chose de grave», ajoutant qu'il avait d'emblée songé au suicide, «croyant [Robert Boulin] au bout du rouleau». Que fit-il alors pour empêcher l'irréparable et venir au secours de celui dont il se disait l'ami? Pourquoi laissa-t-il Éric et le chef de cabinet de mon père informer eux-mêmes les autorités, vers minuit, après qu'Éric eut découvert dans une corbeille à papier des bribes de mots dactylographiés évoquant un potentiel suicide?

3 NOVEMBRE 1979 TÉMOINS. Le journaliste de RTL Philippe Alexandre déclare à l'antenne : «Je peux affirmer quant à moi qu'aux alentours du 15 septembre, et en tout cas avant le 20 septembre, des dirigeants du RPR se sont réunis et ont décidé de révéler à la presse des éléments de

3 NOVEMBRE 1979 l'affaire Tournet-Boulin. Cette affaire avait été portée à la connaissance du RPR par Henri Tournet lui-même, apparenté et toujours lié à Jean-Claude Servan-Schreiber, un des responsables nationaux du parti gaulliste.» Tournet est également un intime de Jacques Foccart.

3 NOVEMBRE 1979 Pierre Marcilhacy écrit une tribune dans le journal *Le Monde*, sous le titre évocateur : «Je n'aime pas ça.» Le sénateur y dénonce les invraisemblances de la version officielle du suicide.

Dans une telle situation, il existe des procédures d'alerte auxquelles tout professionnel est tenu de se conformer. Max Delsol alla explorer avec mon frère et ma belle-sœur la forêt de Rambouillet, à la recherche de notre père. Le brouillard les contraignit à rebrousser chemin sans avoir rien vu. Selon les dires de Max, le cadavre de mon père aurait été découvert le lendemain à l'emplacement indiqué dans les papiers de la corbeille. C'est faux. Le mot dactylographié indiquait un lac dans les étangs de Hollande. Or le Rompu n'est pas un lac, mais un petit étang, et il n'appartient pas aux étangs de Hollande.

Que fit Delsol à son retour de la forêt de Rambouillet ?

Nous savons à présent que le corps fut retrouvé aux alentours d'1 heure 30 du matin, au plus tard. Les témoignages de hautes personnalités sont formels sur ce point : le Premier ministre Raymond Barre, le ministre de l'Intérieur Christian Bonnet, le directeur de cabinet de mon père, Yann Gaillard, et encore Guy Aubert, Jacques Douté, Marie-Thérèse Guignier. La thèse officielle assure pourtant encore qu'à 8 h 40, le corps aurait été découvert par des motards de la gendarmerie dans l'étang Rompu.

Que fit Delsol durant toute cette nuit ?

Il ne paraît pas avoir trouvé surprenant que le ministre – qu'il prétendait bien connaître – ait élu la forêt de Rambouillet pour mettre fin à ses jours. Mon père avait pourtant cessé de s'y rendre depuis une dizaine d'années. Sans oublier qu'il restait profondément attaché à ses terres girondines, dont il était l'élu depuis vingt ans. Il n'était parisien que par obligation professionnelle. Max ignorait-il, comme nous l'apprîmes de Monique de Piños,

4 NOVEMBRE 1979 Jacques Chirac et Bernard Pons décident de porter plainte en diffamation contre Philippe Alexandre. Robert Badinter, avocat du journaliste, fait citer comme témoins Jacques Foccart, Charles Pasqua, Alain Devaquet, Pierre Charpy (directeur d'un **4 NOVEMBRE 1979** organe de presse du mouvement gaulliste, *La Lettre de la nation*), Jean de Lipkowski, Philippe Dechartre et Jean-Claude Servan-Schreiber (délégué général du RPR chargé de la presse). Tous ces témoins se porteront finalement partie civile **4 NOVEMBRE 1979** contre Philippe Alexandre qui sera condamné.

que l'étang Rompu était un endroit où Henri Tournet et Jacques Foccart avaient l'habitude de se retrouver pour discuter à l'abri des regards indiscrets ? Quelques jours après la mort de mon père, je fus troublée par sa réaction quand ma mère lui lança de but en blanc : «Max, tu l'as tué.» Ce grand et solide gaillard s'effondra d'un coup, comme assommé.

Je ne compris pas non plus pourquoi Delsol ne sut pas dire la vérité au juge d'instruction sur la présence de policiers en faction devant le domicile de mes parents. Ces policiers étaient pour nous des témoins d'une importance capitale car ils avaient pu observer directement les allées et venues des visiteurs qui se succédèrent le soir du crime. Max ne pouvait l'ignorer, pourtant il nia l'existence de cette surveillance[8]. Interrogé le 30 novembre 1987 par la brigade criminelle il déclara pour expliquer son amnésie : «Vous m'apprenez que cette surveillance s'est effectivement exercée au domicile (abords) dès le 16 septembre 1979, qu'elle comprenait deux policiers gardiens de la paix en civil. Je n'y avais absolument pas prêté attention, car il y avait eu déjà plusieurs surveillances de ce genre depuis que M. Boulin était ministre, et je suis facilement amené à les confondre.» Alors même que la dernière surveillance de ce type datait de l'OAS ! Son témoignage eut pour effet de compliquer l'identification de ses collègues, au point que leur trace finit par se perdre. Le registre conservant leurs noms disparut lors du déménagement du commissariat de Neuilly et nous ne pûmes jamais les faire interroger.

---

8. Dans un rapport de synthèse de la brigade criminelle du 29 janvier 1988 on peut lire : «Sur la foi des premiers renseignements recueillis, auprès notamment des fonctionnaires des Voyages officiels attachés à la personne de M. Robert Boulin, il avait été indiqué que le domicile du ministre, sis 32, boulevard Maillot à Neuilly-sur-Seine, n'avait pas fait l'objet d'une garde, à la suite de cet attentat [NDR : allusion au mitraillage du ministère du Travail, le 16 septembre 1979], mais de nouvelles recherches menées au commissariat de Neuilly ont confirmé l'existence de cette garde.»

CERTIFICAT DE DÉCÈS. Les médecins légistes concluent qu'«après avoir pris connaissance des renseignements complémentaires concernant l'heure approximative du dernier repas et les aliments absorbés, il apparaît sur le plan médico-légal que

le décès de M. Robert Boulin est survenu dans la soirée du 29 octobre et vraisemblablement entre 17 h 30 et 20 heures».

En mai 2010, dans le journal *Sud-Ouest*, il révélait détenir l'une des lettres posthumes attribuées à mon père : «J'en ai reçu une, elle ne laisse aucun doute sur ses intentions.» Or, d'après le dossier pénal, Delsol n'a jamais été le destinataire d'aucune de ces lettres. Mensonge ou erreur d'interprétation du journaliste ?

Le 10 octobre 1987, Max déclara au cours d'une audition : «Mon sentiment sur le décès du ministre n'a pas varié depuis le début, je pense qu'il s'est suicidé.» Interrogé par la police le 7 novembre 1979, il affirmait pourtant l'inverse : «Ce qui est arrivé au ministre m'a tout à fait stupéf[ié], car jusqu'au dernier instant rien ne permettait de penser dans son comportement qu'il ait pris la décision d'attenter à ses jours. M. Boulin était un gros travailleur d'un naturel énergique n'excluant pas la bonhomie, et qui ne vivait que pour son travail et les affaires de l'État. [...] En ce qui concerne [sa] santé, elle m'a toujours paru excellente... Il n'a jamais fait état devant moi de traitement qu'il aurait suivi, et en particulier, il ne semblait pas souffrir d'insomnie. Je ne l'ai jamais vu prendre de somnifère, et je n'aurais certainement pas manqué de le constater si tel avait été le cas.» Les témoins qui lui ont parlé lors des obsèques de mon père, comme Hermine Viremouneix, confirment qu'à cette époque Max ne semblait pas croire au suicide. En 2001, face aux caméras de Canal Plus pour le film *Le suicide était un crime*, il attesta à nouveau qu'il sentait Robert Boulin tout à fait combatif. Mais dans son dernier entretien à *L'Express* daté du 20 mai 2010, à l'évocation des derniers jours de mon père, il insistait : «Il n'en dormait plus. J'ai vu monter son angoisse.» Comprenne qui pourra.

7 NOVEMBRE 1979 | **ENQUÊTE PRÉLIMINAIRE.** Au cours de cette même enquête préliminaire, aucune audition de Fabienne Boulin Burgeat n'est effectuée, malgré sa demande, alors que les autres membres de la famille sont interrogés. Serait-ce parce qu'elle a

7 NOVEMBRE 1979 | vu, le 30 octobre, le SRPJ de Versailles fouiller le bureau de son père en l'absence d'un tiers et qu'elle voulait faire porter l'incident au dossier ?

Au moment où les défenseurs du suicide se font rares, Delsol demeure l'un des tout derniers partisans de cette thèse. Lors de ses auditions et interviews, il évoque avec une certaine autorité des faits dont il n'a pas été le témoin direct ; absent sur les lieux de la découverte du corps, il affirme par exemple que les blessures « peuvent s'expliquer par la sortie difficile du corps pour le retirer de l'eau où il avait stagné une partie de la nuit ». Il persiste à justifier l'autopsie partielle en colportant la rumeur selon laquelle la famille était « hostile à une autopsie qui aurait pu être mutilante », sans en apporter de preuve et pour cause : c'est le procureur lui-même qui donna l'ordre aux médecins légistes d'interrompre l'autopsie.

Pourquoi réécrire l'histoire ? Delsol s'acharne à transformer les faits dans une tentative pathétique d'asseoir la fable à laquelle il se cramponne. Afin de crédibiliser ses propos, il se fait passer pour l'ami, le confident de mon père, allant jusqu'à soutenir avoir été son « chef de cabinet *bis* » et « son chef d'état-major lors des campagnes électorales ».

Défend-il la thèse officielle pour ne pas avoir à assumer les conséquences morales de son incapacité à protéger Robert Boulin ? Ou plus simplement en obéissant aux ordres ? Naïvement nous avons cru que Max était au service de mon père. Depuis, j'ai fini par comprendre que les véritables patrons des officiers de sécurité ne sont pas les ministres. Flic un jour, flic toujours. Fonctionnaire de police docile, Delsol a certainement toujours su à qui il devait rendre des comptes : après la mort de Robert Boulin, alors que nombre de ses anciens collaborateurs rencontraient des difficultés pour se recaser, il fut très vite embauché par le Commissariat à

7 NOVEMBRE 1979

DISPARITION DE PIÈCES À CONVICTION. Le rouleau encreur de la machine à écrire de Robert Boulin, où ce dernier aurait tapé, selon la thèse officielle, ses lettres dites posthumes, n'est pas saisi immédiatement. Au contraire, l'inspecteur qui interroge Éric Burgeat tape

7 NOVEMBRE 1979

sa déposition sur la machine en question (comme l'indique la déposition elle-même). Elle est saisie plus tard, puis disparaît tout bonnement dans les locaux de la police judiciaire, sans avoir été analysée.

7 NOVEMBRE 1979

Dans le journal *Le Monde*, Philippe Alexandre parle de son entretien du 15 octobre avec Boulin : le ministre aurait sollicité à trois reprises une entrevue avec Jacques Chirac, en vain.

l'énergie atomique où on le chargea des enquêtes d'habilitation pour le secret-défense.

Trente ans plus tard, sa dernière tentative d'intox par voie de presse n'a pas eu les effets escomptés. Bien des Libournais, en particulier, m'ont fait part de leur émoi et de leur colère à la lecture de ses interviews. Celles-ci sont instructives à plus d'un titre : elles sont intervenues à un moment où l'affaire Boulin faisait à nouveau la une de l'actualité — au printemps 2010, nous découvrions en effet, une fois encore, que des pièces essentielles du dossier avaient disparu ; ces interviews, diffamatoires pour la mémoire de mon père, révèlent aussi que les défenseurs de la thèse officielle sont aujourd'hui à bout d'arguments et de témoins fiables.

Une enfance républicaine

Longtemps, j'ai cru que, dans les couloirs de la République, tous partageaient les valeurs de mon père. Je pensais que le combat politique était un combat d'idées conduit dans le respect des règles démocratiques. J'ai toujours entendu mon père parler d'intérêt général, jamais de raison d'État. Je n'imaginais pas que des représentants de l'État puissent seulement se soucier de promouvoir leurs intérêts personnels et, pour les défendre, se comporter comme des gangsters. En février 1962, j'avais dix ans et je n'ai rien su de la répression sanglante de la manifestation au métro Charonne. Je mis longtemps à comprendre ce qui était arrivé au leader de l'opposition marocaine Mehdi Ben Barka, kidnappé boulevard Saint-Germain à Paris puis torturé et assassiné, en 1965. Un 29 octobre, comme Robert Boulin quatorze ans plus tard. La prise de conscience, brutale, eut lieu à la veille de mes trente ans. Elle ne m'a pas fait perdre foi pour autant dans les idéaux qui avaient bercé mon enfance. Je n'ai pas choisi par seule exigence personnelle de me battre pour que la vérité soit faite sur la mort de mon père : mon combat est le fruit d'une exigence citoyenne, parce qu'il appartient à tous les citoyens d'exiger des autorités de l'État qu'elles respectent les lois et servent l'intérêt général. Que la raison d'État soit détournée à des fins privées, – d'autant qu'elle inclut ici le crime comme moyen –, jamais je ne pourrai l'admettre.

La politique est venue tôt s'immiscer entre mon père et moi. Si elle fut une source de joie et de fierté pour ma famille, elle eut aussi ses exigences. J'avais sept ans quand elle bouscula ma vie, neuf ans quand elle m'arracha à la terre de mes ancêtres, me privant de mes amis et de mes grands-parents. Pendant longtemps, elle m'enferma dans un pré carré étouffant au prétexte de consignes de sécurité. Au nom de l'intérêt général, elle me commanda de prendre mon mal en patience.

Nous étions en 1958. C'était l'automne. À mon retour de l'école, sitôt franchie la porte, j'étais tous les soirs surprise par le bourdonnement de ruche laborieuse qui, depuis le début de la campagne électorale, saturait notre maison de la rue de Géraux, à Libourne. Des militants enfiévrés préparaient les élections législatives. De ce tumulte émanait une délicieuse ambiance d'exaltation et de camaraderie. Quelquefois, Jacques Chaban-Delmas venait dîner à la maison et me prenait sur ses genoux. J'étais fière de cette position privilégiée, non pas pour la notoriété du personnage, à laquelle je n'étais pas sensible, mais à cause de l'élégance et du charme qui se dégageaient de lui, en dépit de sa voix nasillarde.

Cette année-là, je participai ainsi à ma première campagne électorale, aidant à plier les journaux, à constituer les piles de tracts. Or, quand mon père fut élu député, ce n'est pas lui qui m'annonça les résultats du scrutin mais son chef de bureau, M. Delas, qui eut la gentillesse de me prendre à part pour me dire sa joie devant ce beau succès. J'estimai alors que, comme militante de base, je n'étais pas remerciée à la hauteur de la tâche accomplie et compris à cet instant que les enfants pouvaient devenir sinon transparents pour les adultes, en tout cas citoyens de seconde zone. Je remerciai vivement M. Delas, mais un profond sentiment de tristesse m'envahit à la pensée que ce père si précieux venait de m'être confisqué. Que dire de mes crises de larmes silencieuses, seule dans mon lit, parce qu'il était parti pour Paris. Encore des soirs sans lecture ni baisers paternels si tendres ! Les retombées de tous ces sacrifices n'étaient pas bien généreuses. Dans la cour de récréation, ma copine, fille de gendarme, vint me défier un matin avec un doigt tout bleu. Elle m'expliqua comment son père établissait des cartes d'identité. Que lui répondre ? Son père faisait œuvre utile, que dire du mien ? Je ne savais pas à quoi pouvait servir un député, personne n'ayant encore pris le temps de me l'expliquer. Je pensais que la hiérarchie sociale s'établissait en fonction du degré d'utilité. Un gendarme ne pouvait être qu'au sommet de l'échelle et un député devait se situer au dernier échelon, il me fallait donc rester humble.

Quelques années plus tard, lorsque je commençai à cerner l'engagement de mon père, l'ambiance politique se fit lourde et les événements d'Algérie nous parvinrent comme une onde de choc. Robert Boulin, député gaulliste, partait plusieurs jours par semaine à Paris pour siéger à l'Assemblée nationale. Il nous laissait seuls. Les agents de l'OAS profitaient de son absence pour venir nous intimider.

Une nuit, alors que je dormais avec ma mère, je la vis soudain pousser la grande armoire devant la porte de la chambre à coucher : un homme s'était introduit dans le bureau de mon père, qui jouxtait la salle de bain, et fouillait les dossiers. Nous n'avions pas de téléphone dans la pièce et étions prises au piège, soumises à ses allées et venues. Fort heureusement, il finit par s'en aller. Bertrand, mon aîné de trois ans, trouvait parfois en rentrant de l'école de petits mots posés sur le rebord de la fenêtre, sur lesquels était inscrit : « Algérie française ». Il lui arrivait de se les voir jetés à la tête, en pleine rue. Quant à ceux qui sonnaient par défi à notre porte, en scandant trois brèves et deux longues (Al-gé-rie-fran-çaise, Al-gé-rie-fran-çaise), ils s'échappaient toujours trop vite pour que nous puissions les démasquer.

Un jour, alors que Bertrand et moi revenions du cinéma, qui n'était qu'à deux minutes de la maison, et racontions dans le salon l'essentiel du film à notre mère, celle-ci, toujours intuitive, nous pressa subitement de monter nous coucher. À peine étions-nous dans nos lits que toute la façade fut mitraillée à la chevrotine. Les impacts de balles traversèrent le salon de part en part. Comme chaque fois, arrivait alors le commandant des pompiers, dont la caserne se trouvait justement à côté du cinéma. Il avait une façon de me prendre dans ses bras qui me rassurait. Après la chevrotine, les attaques se firent plus variées : dans le sous-sol de la maison et devant la porte d'entrée, furent répandus des produits puant comme cent putois réunis. Nous apprîmes alors qu'ils étaient susceptibles de déclencher, à la moindre étincelle, une explosion ou un incendie. Heureusement, ni sonnette ni téléphone ne furent actionnés pendant ce temps, c'est du moins ce que je compris à l'époque.

Le capitaine des pompiers vint encore une fois nous rassurer, mais les voisins, eux attendirent le lendemain matin pour apporter des fleurs à ma mère et prendre de nos nouvelles.

Dans les mois qui suivirent cet épisode, je surpris une conversation d'adultes qui me troubla : il y était question d'une tentative d'enlèvement sur ma personne, déjouée la veille. À partir de ce jour, mon père ne nous laissa plus sans surveillance. La maison de son suppléant, André Lathière, avait subi un plastiquage. Si l'attentat n'avait heureusement occasionné que des dégâts matériels, il était tout de même inquiétant. C'est alors qu'intervint mon deuxième héros : aussi gentil que le commandant des pompiers, Dino Ruggieri était beau et grand comme un acteur italien de films américains, et se tenait tous les soirs fusil au poing sur le balcon, avec quelques-uns de ses amis. Il avait fait la guerre de Corée et d'Indochine et connaissait les armes.

Il m'arriva de trouver cette période amusante, car nous devions souvent aller dormir chez nos amis les Pierre ou les Bourdin, pour éviter la maison. J'étais si choyée lorsqu'ils m'accueillaient que je prenais tout ce manège pour un

jeu. Rétrospectivement, je comprends l'insistance de ma mère à venir habiter Paris : même si la vie pour la famille d'un député devait y être moins confortable qu'à Libourne, elle y serait probablement plus sûre.

L'époque reste également attachée en moi à des souvenirs pesants. Mon père était maire de Libourne depuis 1959 et sa tâche pouvait s'avérer rude. Un jour que nous rentrions de chez ma grand-mère, il s'arrêta devant une maison inconnue, entra et annonça à un couple que leur fils venait d'être tué en Algérie. Derrière la porte, un cri de bête retentit : c'était la grand-mère, cachée dans la pièce voisine. Le chemin du retour se fit dans un long silence.

En juillet 1961, je n'avais pas encore dix ans mais l'idée que nous allions partir pour Paris m'attristait infiniment. Quand je fis remarquer à ma mère que je ne voyais pas l'intérêt d'un tel départ, elle me lança comme seule raison suffisante un argument qui me cloua le bec : « Ça fera du bien à ton accent ! » J'avais le vague à l'âme d'abandonner mon chez-moi, mes amis, mes grands-parents, mon cours de danse avec mon professeur Hermine Viremouneix. Nous monterions à Paris laissant derrière nous beaucoup de notre passé. Seule ma mère était heureuse de cette nouvelle vie à venir. Quelques semaines avant l'échéance, tandis que nous passions des journées de rêve dans le palais du duc Decazes[1], sur le Grand Canal à Venise, mon père fut

---

1. La très ancienne famille vénitienne des Decazes, est implantée à Libourne depuis des siècles.

appelé d'urgence à l'Élysée. Ce coup de fil interrompit nos vacances : le 24 août 1961, Robert Boulin était nommé secrétaire d'État aux Rapatriés.

« Monsieur le député, acceptez-vous de devenir secrétaire d'État aux Rapatriés ? lui demanda le général de Gaulle.

– Oui, mon général.

– Eh bien, vous avez une belle gâche, monsieur le secrétaire d'État ! »

Notre installation dans la capitale serait sans doute facilitée, pensais-je, par cette fraîche nomination.

Ma mère, mon frère et moi débarquâmes à Paris en septembre 1961. Nous avions dû donner notre chat à mon ancienne institutrice, et notre chien Rex à un berger chez qui il fut, paraît-il, bien heureux. Sur le quai de la gare d'Austerlitz, un certain Max Delsol nous accueillit. Il se présenta comme le nouveau garde du corps de mon père. L'homme était cultivé et affectionnait les vieux livres. Ainsi, les premiers temps de notre arrivée, avec le chauffeur Yves Ramain, il nous emmenait le samedi, comme mon père se trouvait à Libourne, faire les brocantes de livres. Tous deux nous conseillaient sur les éditions rares, les beaux papiers et les iconographies intéressantes. Plus tard, Yves devint du reste antiquaire-brocanteur à Nice. Max Delsol, quant à lui, suivit mon père dans tous ses ministères, jusqu'à sa mort.

En attendant de trouver un appartement parisien, nous fûmes logés dans un immeuble de grande hauteur à Fontenay-aux-Roses. Je fêtai mes dix ans le

lendemain de notre arrivée, dans cet appartement sans charme, et découvris un supermarché pour la première fois de ma vie. Il était moche, comme notre immeuble, et nous avions du mal à pousser le caddie trop chargé, empli de ces mille et une choses dont une famille a besoin quand elle s'installe. Mon père n'avait pas encore de bureaux où faire travailler son équipe, puisque son ministère, nouveau, ne fonctionnait pas encore. Dans un premier temps, il s'était fait offrir une place dans les locaux d'un de ses collègues, près de la tour Eiffel, mais l'accueil, selon lui, ne fut pas très chaleureux.

Je ne vivais pas bien ce changement. J'avais habité jusque-là dans une grande maison et allais à mes cours de danse seule, à pied. J'avais conquis une liberté qui semblait devoir s'éteindre du jour au lendemain : je me trouvai soudain enfermée dans un petit appartement, forcée de me déplacer – consignes de sécurité obligent – dans une voiture avec chauffeur. La vie de la famille s'organiserait désormais au gré des nouvelles responsabilités de mon père. Mes parents étaient accaparés, je devais me faire discrète et patiente. Mon frère, plus âgé, s'adapta plus facilement à notre nouvelle vie.

Je trouvai une échappatoire chez nos voisins. Le député d'Algérie, qui habitait avec sa famille à l'étage supérieur, nous réserva le meilleur des accueils. Je garde un souvenir ému de sa fille, avec qui j'avais immédiatement sympathisé, et de son épouse qui ne parlait pas français et restait toute la journée sur le canapé en attendant, comme moi, le retour au pays. Durant ces journées ensoleillées par leur présence, je découvris les dattes fraîches et l'hospitalité méditerranéenne.

En novembre de la même année, mon père fit son entrée médiatique de secrétaire d'état dans l'émission télévisée d'Étienne Lalou et d'Igor Barrère « Faire face ». Cette émission, qui traitait des problèmes soulevés par l'arrivée en masse des rapatriés, fut diffusée en deux parties d'une heure chacune. Comme nous n'avions pas de télévision, nous la regardâmes chez nos amis français d'Algérie. J'étais trop petite pour mesurer les sentiments contradictoires que devaient ressentir nos hôtes. La loi de l'hospitalité nous épargna cependant tout commentaire de leur part, sinon des compliments sur la prestation du ministre.

Quelques mois plus tard, nous déménagions dans le XVIe arrondissement, au 12 rue Rémusat. Nous fûmes les derniers à nous installer dans un immeuble nouvellement construit, et apparemment réservé aux hauts fonctionnaires. Y habitaient avec leur famille, entre autres, Alexandre Sanguinetti, chargé de mission auprès du ministre de l'Intérieur Roger Frey, Jacques Boitreau, conseiller du général de Gaulle à l'Élysée, Louis Terrenoire, ancien secrétaire général du RPF, et Henri Tournet, administrateur de sociétés et conseiller auprès du haut-commissaire au Tourisme, Jean Sainteny. Comment diable Tournet s'était-il retrouvé ici ? Peut-être par la grâce de sa vieille amitié avec Jacques Foccart… Il semblait en tout cas profiter de

quelques faveurs puisque, contrairement à nous tous qui partagions un même palier, il disposait seul de tout le dernier étage pour lui. Peu de temps après notre arrivée, ma mère reconnut dans l'ascenseur une amie d'enfance de son village de Barsac, Monique de Piños, devenue Mme Tournet. Les maris firent connaissance par leur intermédiaire.

Il nous fallait apprendre à apprivoiser Paris. C'était bien difficile vu les consignes de sécurité dont nous étions l'objet : interdiction de se promener seuls dans les rues ! Je me souviens de ces petites vacances scolaires où nous avions invité à Paris Martine, la fille de nos amis les Bourdin, qui avait l'âge de Bertrand. Juste après son arrivée, notre porte d'entrée fut prise d'assaut par un très gros chien dressé à l'attaque. Tandis qu'il s'acharnait, la porte semblait vouloir céder sous les coups de boutoir de l'animal. Ma mère, mon frère et Martine la retinrent avec courage tandis que j'allai m'enfermer dans les toilettes. J'avais l'excuse d'être la plus jeune, mais la couardise qui fut la mienne ce jour-là me fit honte longtemps.

Après cet épisode, nous eûmes droit à une protection policière permanente. Un policier chargé de filtrer les entrées se tenait sur le palier et demandait aux invités d'ouvrir leur sac. Il aimait particulièrement embêter l'ami modiste de ma mère. Talentueux et enjoué, le créateur de chapeaux, avec ses airs de grande folle, n'était visiblement pas apprécié de l'homme en faction. Quand, de l'intérieur, nous entendions des cris d'orfraie à travers la porte, nous savions que le carton à chapeaux était visité de fond en comble à la recherche d'un éventuel engin explosif.

Même pendant les vacances chez ma grand-mère, un inspecteur nous collait aux basques. La situation, déjà fort pénible, tournait quelquefois au grotesque ! Un inspecteur nouvellement affecté à notre garde nous accompagna un jour à la piscine avec un maillot boxer-short imprimé de poissons rouges. Vis-à-vis des copains, nous avions honte. Le pauvre monsieur n'était vraiment pas sortable ! À vélo parfois, nous jouions à semer nos inspecteurs dans les allées sablonneuses de nos landes girondines. L'un d'eux, plus malin que les autres, restait à la maison pour tenir le cahier de comptes de ma grand-mère. Depuis son mariage en 1910, elle faisait avec une grande précision la liste de ses dépenses courantes : tant de sucre, de pommes de terre, électricité, bois de chauffage… Pour préférer ce pensum à nos courses de vélo, l'inspecteur devait être vraiment lassé de nos farces…

Une fois la menace de l'OAS évanouie, la famille retrouva sa tranquillité au moins pendant les vacances villandrautaises. À Paris, la surveillance ne connut pas de trêve. J'allais à l'école accompagnée d'un chauffeur. Dominique Grisoni fut celui qui m'accompagna le plus longtemps au lycée. Sa constante gentillesse ne réussit jamais à me faire passer l'envie de prendre librement le métro comme mes camarades. Voyant mon père reconduit à chaque gouvernement, mes parents décidèrent de

ne plus jeter l'argent par les fenêtres en location et achetèrent un appartement à Fontenay-le-Fleury, Paris étant trop cher pour leur bourse. Nous voilà partis loin, à une époque où le tunnel de Saint-Cloud était souvent bouché. Ce n'est que lorsque Bertrand quitta la maison, à la fin des années soixante, que mes parents délaissèrent Fontenay pour Neuilly.

Mon père, qui était un travailleur acharné, passait ses semaines au ministère et ses week-ends à Libourne. Lors des fêtes de Noël, il nous rejoignait chez ma grand-mère à Villandraut, pour quelques jours de repos bien mérités. Le programme, simple, s'établissait de lui-même : sieste et vélo dans nos landes girondines ; veillée de Noël familiale, simple et courte.

Même lors des retrouvailles familiales dans la maison de son enfance, pas un jour ne se passait sans que des personnes ne demandent à voir mon père. Il m'envoyait donc en émissaire, avec un gros mensonge, espérant faire croire à son absence et dissuader ainsi le visiteur. Systématiquement la tentative avortait. Non pas à cause de l'insistance du visiteur, mais parce que mon père, alors même que j'étais en train de prononcer le mensonge, arrivait derrière mon dos pour accueillir très gentiment l'importun. Sans doute s'en voulait-il de laisser sciemment quelqu'un dans la difficulté. Il n'empêche que j'acceptais mal cette trahison. Je continuai pourtant à assumer cette charge ingrate chaque fois que je le pus, pour tenter de le préserver un peu.

Depuis que Gaston Monerville, président du Sénat, avait lancé le mot de « forfaiture » pour s'opposer à la décision du général de Gaulle de faire voter par référendum l'élection du président de la République au suffrage universel direct, le général avait interdit à ses ministres de participer aux débats budgétaires devant la Haute Assemblée. Les années que dura ce boycott du Sénat, la lourde tâche revint à mon père de défendre seul les budgets de tous les ministères devant les sénateurs. Il fut très apprécié pour cela, laissa un bilan important et apprit beaucoup. Mais au cours des longues semaines de la discussion budgétaire, il travaillait jour et nuit, quoi qu'il arrivât, et je le vis plusieurs fois partir en séance de nuit avec une fièvre de cheval.

Nous étions à ce point liés avec la politique que je regardais le général de Gaulle comme un membre de ma famille, invisible mais pourtant présent. Je ne le voyais jamais, sauf à la cérémonie du 18 juin, au mont Valérien à Suresnes. À la maison, nous parlions de lui bien souvent, avec respect et affection. Mon père, à chaque sortie du Conseil des ministres, nous donnait avec bonhomie de ses nouvelles et nous racontait ses derniers bons mots. C'était comme un rituel. Ainsi, je me rappelle ce jour de 1963 où de Gaulle avait décidé de mettre fin aux négociations pour l'entrée de la Grande-Bretagne dans le Marché commun. À l'un de ses ministres qui s'inquiétait de la réaction britannique, le Général lança : « Comme dirait la

bouquetière d'Édith Piaf : "Ne pleurez pas, Milord…" ! »

Un jour où mon père fut désigné pour aller chercher à l'aéroport le président du Gabon, il revint avec un perroquet gris à queue rouge. L'animal, baptisé Dagobert, nous fascinait par ses dons d'imitation. Il faisait tourner en bourrique notre chien Oscar, qui recherchait en vain ma mère quand Dagobert l'appelait par son nom en reproduisant parfaitement la voix de sa maîtresse. Mais sa grande source d'inspiration demeurait la voix du Général. Quand ce dernier devait prononcer une allocution télévisée, toute la famille, dont Julienne[2], s'installait à l'avance devant le poste pour l'écouter dans un silence religieux. C'est alors que le perroquet inspiré déployait son savoir-faire : il devenait fou, tournant, sifflant, et rendant la prestation du président absolument inaudible. Nous étions obligés de mettre un tissu sur la cage pour faire taire le bolchevique, qui ne faisait tant de remue-ménage pour personne d'autre !

Mon père passa la plus grande partie de sa carrière ministérielle au palais du Louvre, qui était le siège du ministère des Finances. Après le secrétariat d'État aux Rapatriés, il fut secrétaire d'État au Budget (du 11 septembre 1962 au 1er avril 1967), puis secrétaire d'État à l'Économie et aux Finances (du 7 avril 1967 au 30 mai 1968). Après les ministères de la Fonction publique, de l'Agriculture, de la Santé,

---

2. Julienne Garcia, qui entra au service de mes parents l'année de ma naissance.

et des Relations avec le Parlement, il devint ministre délégué à l'Économie et aux Finances du 30 mars 1977 au mois d'avril 1978, avant d'être nommé au Travail. Au total il passa près de neuf ans de sa vie au Louvre.

J'y fêtai ma communion solennelle. En petit comité, avec mon parrain, nous déjeunâmes dans la belle salle à manger des grands salons Napoléon III, qui font maintenant partie du musée. J'y rencontrai mon mari, en mai 1968, dans les appartements privés du ministre où Bertrand l'avait convié à réviser leur bac de philo, avec quelques autres élèves de leur classe du collège Stanislas. Plus tard Antonin, notre fils aîné, fit ses tout premiers pas dans les couloirs du bureau de son grand-père et notre deuxième fils, Alexandre, s'y vit baptiser au sauternes, selon la tradition familiale.

Si elle bridait notre liberté, la charge de mon père nous offrait tout de même des avantages. Ceux que Bertrand et moi appréciions le plus étaient les places qui nous étaient quelquefois offertes à la Comédie-Française, dans la loge présidentielle, ou bien à l'Olympia pour les premières de nos chanteurs préférés, comme les Beatles. Plus tard, grâce à l'amitié du couple Renaud-Barrault, nous eûmes la joie de fréquenter assidûment le théâtre de l'Odéon.

Déjà en Gironde, à la fin des années cinquante, mes parents nous amenaient découvrir les richesses du théâtre sous le chapiteau des Tréteaux de France, dirigés par leur ami Jean Danet. Le chorégraphe Michel Rayne et la danseuse Ninon

Leberte ou encore la comédienne Janine Darcey étaient de leurs intimes. À Paris, le cercle de ces personnages riches de leur seul talent s'agrandit. Avant de prendre la direction du Théâtre populaire de Reims, Robert Hossein vivait ainsi dans un appartement sans meubles, car dès qu'il avait trois sous, il les investissait dans le théâtre. Il nous parla d'emblée de son projet de monter *Notre-Dame de Paris* sur le parvis de la cathédrale de Paris, avec Jean-Paul Belmondo dans le rôle de Quasimodo et deux mille figurants. Nous aimions ce passionné.

Beaucoup de ces moments étaient savoureux, vécus dans une ambiance décontractée et chaleureuse. Que dire de Michel Simon et de ses récits angoissés, de Frédéric Rossif me racontant l'histoire de l'éléphant traduit devant une cour d'assises en Inde, ou de ce déjeuner truculent réunissant à la table familiale Jean Yanne, Jacques Chazot, Claude Chabrol et Edgar Faure ? Cependant mon père profita peu de tous ces moments joyeux. Cet homme dévoué au service de son pays ne prenait pas plus de deux semaines de vacances par an. Il est vrai qu'il préférait l'étude aux mondanités. Il fuyait les relations mondaines, faites de faux-semblants et fondées sur des rituels de connivence. Le bonheur paisible et l'esprit d'indépendance que mes parents tentaient de préserver gênaient les envieux.

J'eus grâce à eux la joie d'approcher des êtres que je me contentais le plus souvent d'écouter en me taisant. Une bonne école qui vous donne le privilège de vous sentir partout à l'aise et la liberté de considérer l'autre pour ce qu'il est, non pour ce qu'il paraît.

Je souffrais, bien sûr, des perpétuelles absences de mon père, mais nous savions pouvoir compter sur sa totale disponibilité en cas de difficulté, et même à la moindre alerte fiévreuse. Il tenait à nous administrer lui-même les potions et à vérifier les progrès de notre convalescence. Mes parents se téléphonaient très souvent dans la journée. C'est bien au nom d'une raison supérieure que nous avions accepté tous ensemble ce sacrifice de nous voir insuffisamment. Rien, en effet, ne nous semblait plus élevé que de servir l'intérêt général, ce que mon père aimait illustrer d'une boutade : « Moi, je peux marcher dans la rue la tête haute, personne ne me doit rien ! »

Empathie pour les autres, souci d'être utile en restant fidèle à ses valeurs, voilà quelques-uns des principes dont il donna l'exemple à ses enfants. Quand il devint ministre de la Santé, Bertrand et moi sortions de l'adolescence, désireux de commencer à agir. Comme il nous parlait de la situation des enfants dans les hôpitaux, je décidai d'accompagner dans leur fin de vie les petits patients traités dans des centres de cancérologie.

Bertrand, lui, s'engagea dans un projet plus ambitieux. Il avait à peine vingt ans lorsque, avec l'aide de quelques copains, dont Éric, il lança le Comité antidrogue. C'était à l'automne 1969, et l'on commençait seulement à s'inquiéter des ravages de la drogue sur les jeunes. Bertrand était préoccupé du fait que la seule réponse donnée au problème par les pouvoirs publics était d'ordre sécuritaire, alors que lui y voyait un problème social et sanitaire. Son idée reposait sur la création de lieux d'accueil où les consommateurs de drogue pourraient trouver une écoute et être orientés vers des centres de soins anonymes, sans crainte des répressions policières. Bertrand reçut immédiatement le soutien de notre père, pour une initiative innovante qui contribua fortement à changer la politique à l'égard des toxicomanes, perçus jusqu'alors comme des délinquants. La loi antidrogue du 31 décembre 1970, votée à l'initiative de mon père, consacra cette évolution et précéda de peu l'ouverture, en juillet 1971 à l'hôpital Marmottan à Paris, d'un premier centre de soins anonymes spécialisés, sous la direction du docteur Claude Olievenstein. Bertrand qui, avec mon père, avait fortement soutenu la création de ce centre, n'eut que quelques mois pour lancer la dynamique du Comité antidrogue. En mars 1970, l'association loi de 1901 qu'il avait créée et sur laquelle reposait le comité fut investie par de nouveaux adhérents, qui en prirent le contrôle. Bertrand fut contraint à la démission. Dans le nouveau conseil d'administration, au poste de trésorier, on trouvait un certain Pierre-Philippe Pasqua, fils de Charles Pasqua.[3]

---

3. Le rôle de Bertrand avec le Comité antidrogue a été retracé dans un reportage d'Aurélie Luneau et de Marie-Ange Garandeau, diffusé le 9 décembre 2008 dans l'émission d'Emmanuel Laurentin, « La Fabrique de l'histoire », sur France Culture.

Premières disparitions

Enquête bâclée, menaces, pressions et campagnes d'intoxication ne furent pas les seuls moyens sur lesquels les partisans de la thèse officielle s'appuyèrent pour tenter d'accréditer la version du suicide. Toute l'affaire Boulin est aussi émaillée d'une série inouïe de disparitions, de vols et de destructions de pièces dont nous sommes, pour la plupart, restés longtemps ignorants. De nombreuses disparitions eurent lieu après que nous avons porté plainte pour meurtre, et la dernière en date fut constatée en 2010.

Les premières se produisirent dès la mort de mon père.

L'envol du ruban encreur

Selon la thèse accréditant le suicide, la machine à écrire que mon père utilisait à son domicile constituait une pièce à conviction de première importance. C'est en effet sur cette machine portable, de marque Olympia, qu'aurait été tapé le mot retrouvé dans la corbeille à papier, le soir de sa disparition ; c'est également sur une machine de ce type, selon les enquêteurs, qu'aurait été dactylographiée sa prétendue lettre posthume.

Le 7 novembre 1979, la police judiciaire vint au domicile de mes parents interroger les membres de la famille, dont Éric. L'officier de police s'installa au bureau et tapa l'intégralité de l'audition... sur la machine de mon père. Quand Éric le lui fit remarquer, le policier consigna ce fait dans la déposition et poursuivit sa frappe sans paraître comprendre qu'il était sans doute en train de détruire les indices de première importance présents sur la machine et son ruban encreur. Pour ne plus être tout à fait intact, le ruban encreur demeurait cependant exploitable et fut placé sous scellés par la police. Conservé dans les locaux du SRPJ de Versailles, il y disparut sans avoir été expertisé. Étonnamment, la machine à écrire ne fut pas saisie en même temps que son ruban, mais beaucoup plus tard, par le juge d'instruction, après que nous décidâmes de porter plainte. Elle aussi gardera ses secrets : lorsque je manifestai mon désir de la récupérer, le juge Corneloup me donna un bon pour la retirer au greffe du Tribunal de grande instance de Paris. Je m'y présentai immédiatement. Peine perdue, elle était ce jour-là introuvable. Ces pièces à conviction sont loin d'être les seules à avoir disparu et le bureau de mon père a probablement été l'objet d'un sac systématique : la pile de dossiers, emportée du ministère le matin de sa mort et déposée dans ce même bureau, aurait pu révéler bien des secrets. Malheureusement, elle fut subtilisée comme le reste.

«Retrouvez les dossiers!»

Le jour des obsèques, Jacques Chaban-Delmas nous prévint de l'importance de ces dossiers : selon lui, ils pouvaient avoir été la cause de la mort du ministre. Si nous les retrouvions, avait-il précisé, il se battrait à nos côtés ; dans le cas contraire, «il ne pèser[ait] pas plus lourd que Robert[1]». Interrogé à maintes reprises par la PJ[2], l'inspecteur Autié confirma chaque fois l'existence des dossiers, précisant que la pile mesurait au moins quarante centimètres de

---

1. Témoignage de mon oncle Jean Lalande, recueilli par Benoît Collombat, *op. cit.* Confirmé sur procès-verbal le 19 novembre 2002 et identique à celui de ma mère.
2. Auditions des 17 novembre 1979 et 30 juillet 1984.

10 NOVEMBRE 1979 Piratage de la ligne téléphonique de Colette Boulin. Des agents des télécoms se présentent à son domicile. À la suite de leur intervention, l'installation est si abîmée (fils arrachés, tenture murale déchirée) que, furieuse, Fabienne Boulin appelle **10 NOVEMBRE 1979** les télécoms. Ceux-ci lui apprennent qu'aucun agent n'a été envoyé chez sa mère.

haut. C'étaient des chemises cartonnées à sangles, elles lui venaient jusque sous le menton.

Depuis l'attentat commis le dimanche 16 septembre 1979 contre le ministère, des policiers se relayaient vingt-quatre heures sur vingt-quatre devant l'entrée de l'immeuble de mes parents. Le seul des agents en faction que nous ayons pu retrouver, grâce à Alain Frilet, journaliste à *Libération*, indiqua lui aussi une pile d'environ quarante centimètres de haut. Jérôme Brault, membre du cabinet Boulin, assista au départ de mon père du ministère et affirma, lors de son audition du 19 juin 1985 par la brigade criminelle, avoir vu «une pile de dossiers d'une hauteur importante sur la banquette arrière» de sa voiture. Contre tous ces témoignages concordants, seul Max Delsol, qui n'assista pas à la scène, persiste à nier ces faits-là.

Yves Autié fut le dernier à voir les dossiers. Dans l'affolement provoqué par la disparition de mon père, personne ce jour-là ne s'en soucia plus. Sauf celui ou ceux qui les subtilisèrent.

L'enquête, par la suite, ne s'intéressa pas à leur sort. Il est pourtant établi que plusieurs visiteurs s'étaient introduits au domicile de mes parents dans la soirée du 29 octobre, et qu'ils s'y étaient librement déplacés. Certains avaient même quitté les lieux discrètement, sans dire au revoir. Nous n'avons jamais réussi à faire entendre les policiers postés devant l'entrée de l'immeuble pour savoir qui ils avaient vu aller et venir, et si les visiteurs avaient des dossiers en main. Nous ne parvînmes pas non plus à obtenir les noms de ceux qui étaient en poste durant la soirée et la nuit. On finit par nous expliquer que le registre des tours de garde, conservé au commissariat de Neuilly, avait malencontreusement disparu. Comme tant d'autres pièces.

13 NOVEMBRE 1979 Selon une note du commissaire de police Pierre Richard (SRPJ de Versailles) adressée au procureur de la République : «[les] investigations sont totalement terminées et il résulte [...] que Boulin s'est volontairement donné la mort...». Or Alain Buquet,

13 NOVEMBRE 1979 l'expert en écriture qui étudiera le bristol retrouvé dans la voiture, ne sera requis par le procureur que le 26 décembre 1979. Les lettres dites posthumes seront, elles, examinées par un policier de l'identité judiciaire ne présentant aucune

13 NOVEMBRE 1979 compétence particulière en graphologie, ce qui ne l'empêchera pas d'attribuer les lettres à Boulin.

Que pouvaient bien renfermer les dossiers du ministre Boulin ? Un certain nombre d'indices permettent d'imaginer leur contenu. Le 15 janvier 1984, Bertrand fit une déclaration à l'AFP. Nous venions d'apprendre les résultats de la contre-autopsie qui révélaient les coups subis par mon père avant sa mort et qui nous avaient été dissimulés jusqu'alors. Nous commencions à comprendre que les événements ne s'étaient pas passés comme on avait voulu nous le faire croire. Mon frère décida alors de dire ce qu'il savait ; peu de temps avant son décès, notre père avait ouvert devant lui son coffre, afin d'y mettre de l'ordre. À cette occasion, Bertrand avait repéré quatre dossiers portant la mention «strictement confidentiel», et dont il cita les titres : « Elf-Aquitaine transaction CER », «Dassault», «Sécurité sociale malversations», «Arabie Saoudite avions transactions». Par complicité masculine sans doute, mon frère fut toujours plus apte que moi à entendre les rares confidences de notre père sur les affaires de l'État. Mais ce dont j'ai toujours été convaincue, c'est qu'au ministère des Finances, il avait pointé des agissements choquants. Pas au point de démissionner, parce qu'il restait confiant dans le fait que des hommes comme lui pouvaient, en résistant de l'intérieur, contrer les voyous qui utilisaient l'appareil de l'État pour soutirer des avantages indus. Toutefois, cette confiance tendait visiblement à s'émousser. Ainsi, à notre retour en France, début 1978, après quatre ans passés à New York et dans l'océan Indien, Éric et moi retrouvâmes un homme préoccupé par la situation politique et sociale de son pays. Lui, qui était entré en politique pour défendre les valeurs de la résistance, supportait mal de laisser les usurpateurs continuer à se recommander du gaullisme pour servir leurs ambitions personnelles et les intérêts de leurs supporters. Il décrivait la France comme un

15 NOVEMBRE 1979 La voiture de Jacques Paquet, un ancien chef de cabinet de Boulin, est fracturée. Sa serviette et ses documents sont volés, ainsi que les effets personnels de Jacques Douté, ami restaurateur du ministre, avec lequel Paquet déjeunait aux Halles, à Paris. Au

15 NOVEMBRE 1979 même moment, la maison de Paquet en banlieue est cambriolée. Rien n'y est volé. Les dossiers mis de côté par Boulin suscitent visiblement l'intérêt.

pays prisonnier de ses conservatismes, timoré face aux enjeux d'un monde en transformation rapide, aux mains d'un personnel politique déliquescent occupé à de permanentes guerres fratricides, et où la corruption devenait de plus en plus envahissante.

Mon père était foncièrement légitimiste. Respectueux de l'État et des fonctions républicaines, il ne se sentait cependant pas obligé de l'être, particulièrement en privé, de la personnalité de ses représentants. Il nous confiait parfois ses indignations et nous laissait en appréhender l'origine. « Il ne manquerait plus que cela, que ceux qui n'ont aucun scrupule finissent par avoir le dernier mot ! » Cette phrase, entendue de sa bouche, quelques jours avant sa mort, résonne encore à mes oreilles. Elle donne la tonalité de la situation. Attaqué par ses « amis » politiques, mon père avait donc décidé de leur répondre avec les dossiers les mettant en cause.

Alexandre Sanguinetti, ancien secrétaire général du parti gaulliste, révéla à sa fille Lætitia que « Robert en avait trop vu sur le financement des partis politiques ». Benoît Collombat[3] fit quant à lui un lien avec les circuits de financement du RPR, par l'intermédiaire des activités de la société pétrolière Elf en Afrique. À cette époque, il était légal de verser des commissions à des responsables politiques étrangers afin d'obtenir des contrats pour une entreprise. Les sommes, qui devaient obligatoirement être validées par le ministère des Finances, étaient même déductibles de l'impôt sur les sociétés. La situation ne changea qu'avec l'interdiction de ces pratiques par la convention anticorruption de l'OCDE, entrée en vigueur en

---

3. *Un homme à abattre, op. cit.*

MI-NOVEMBRE 1979

Alexandre Sanguinetti, ex-secrétaire général de l'UDR (1973-1974), cofondateur du SAC, chargé de la lutte anti-OAS au cabinet de Roger Frey pendant la guerre d'Algérie, se confie à sa fille Lætitia, qui fut son attachée parlementaire, au sujet de la mort de Boulin. Selon lui, il

MI-NOVEMBRE 1979

s'agit d'un assassinat. Aux dires de Lætitia Sanguinetti, le ministre Boulin, « d'une intégrité totale », était devenu « une cible » car il disposait d'informations sur un « réseau de fausses factures » et « de financements occultes » de partis politiques, dont le RPR.

février 1999 et ratifiée par la France, non sans quelque hésitation, en juillet 2000. Comme ministre délégué aux Finances, Robert Boulin était donc chargé d'autoriser ces versements qui visaient en principe à faciliter la négociation, notamment en Afrique.

« À ce titre, nota Benoît Collombat, [Robert Boulin] en savait long sur les dévoiements de membres de sa propre famille politique. Elf, le Gabon et les réseaux Foccart, au service du RPR de Jacques Chirac, ont permis de faire fonctionner financièrement le mouvement gaulliste. Et l'argent noir, les fameuses rétrocommissions, transitant notamment par la FIBA, ne tombait pas uniquement dans la poche des potentats africains… Les hommes du SAC ou autres mercenaires constituaient pour Foccart et Bongo une réserve sûre et sans états d'âme qui n'ont pas manqué d'être activés pour régler le problème Boulin.[4] »

Dans le témoignage qu'il donna à Rue89, le 11 mai 2007, Jean Mauriac, grande figure du journalisme politique, pointa dans la même direction : « En fait, deux personnes m'ont assuré de l'assassinat de Robert Boulin : Michel Jobert et Olivier Guichard. Quand un homme aussi au courant des affaires policières et des arcanes du pouvoir qu'Olivier Guichard vous dit cela, ça ne laisse pas indifférent. Michel Jobert, lui, se basait sur la politique. Il disait que Robert Boulin faisait peur. Pourquoi ? Parce qu'il en savait trop sur le financement du RPR […]. C'est ce que m'a dit Jobert. Dans le

---

4. *Ibid.*

29 NOVEMBRE 1979
Le SRPJ de Versailles conclut « sans ambiguïté » au suicide de Robert Boulin : « Le parquet ne pouvait que clore l'enquête. »

FIN NOVEMBRE 1979
ARCHIVES. À la demande d'un haut responsable du SAC, Roger Kieffer participe à la destruction de toutes les archives du ministre au domicile libournais des Boulin. Certaines seront évacuées par camion jusqu'à l'usine de transformation.

DERNIÈRE SEMAINE DE NOVEMBRE
ARCHIVES. Une nouvelle vague de destruction de documents est effectuée, sans que la famille en soit avisée.

financement du RPR, il y a aussi Bongo et le Gabon.» Ces propos de Jean Mauriac m'ont beaucoup troublée.

Dans *L'Humanité* datée du 15 janvier 2002, Serge Garde publia, sous le titre «Affaire Boulin : c'est un crime!», un article explorant une piste supplémentaire, liée à l'une des plus graves escroqueries dont aurait été victime la Sécurité sociale dans les années soixante-dix.

Autant d'indices intéressants. Toutefois, aucun n'a suscité le moindre intérêt des autorités judiciaires à ce jour.

Si les responsables de l'enquête officielle ne s'intéressèrent pas beaucoup aux dossiers disparus, d'autres en revanche ne ménagèrent pas leurs efforts pour les récupérer. Comme je l'ai relaté, après la mort de mon père, nos domiciles et ceux de plusieurs de ses collaborateurs furent «visités», leurs voitures fracturées et certains de leurs documents dérobés.

Des individus, non identifiés jusqu'à ce jour, recherchaient les dossiers pour s'en servir comme d'une arme contre ceux qu'ils pouvaient compromettre, d'autres pour les détruire afin que personne ne puisse les utiliser contre eux. Je ne sais pas à quelle catégorie appartiennent ceux qui se sont occupés, à notre insu, des archives personnelles de mon père à Libourne.

Le sac des archives

Début novembre 1979, les archives personnelles de Robert Boulin au ministère du Travail arrivèrent rue de Géreaux, à notre

---

DÉCEMBRE 1979

LA VOITURE. Contrairement à ce que dit une note du SRPJ de Versailles, alors qu'officiellement aucune expertise de la voiture n'a encore eu lieu et bien que la famille en ait besoin, les autorités judiciaires conservent le véhicule de Robert Boulin un mois entier. Lorsqu'elle le récupère enfin, la famille retrouve entre la banquette arrière et le coffre des cassettes

DÉCEMBRE 1979

de dictaphone destinées au secrétariat du ministère à Libourne. Cela ne ressemble pas à Boulin, ordonné et méticuleux de son vivant.

DÉCEMBRE 1979

Alexandre Sanguinetti assure à Jean Charbonnel que la mort de Boulin est bien «un assassinat». Sanguinetti lui cite «deux noms de personnalités politiques toujours vivantes» qui peuvent, selon lui, être «impliquées dans cette affaire» ainsi que le nom d'«une organisation» pour laquelle «Robert Boulin constituait une menace, une gêne, une inquiétude».

domicile libournais, rejoindre toutes celles qu'il avait accumulées en plus de vingt ans de vie politique. Selon M. Basty, qui tenait dans ces locaux la permanence de mon père, ce dernier avait décidé deux ans auparavant de rassembler ses archives dans le grenier de la maison. Elles étaient volumineuses et, avant de les entreposer au grenier, il avait fait vérifier à ses frais la solidité des solives soutenant le plancher. Il tenait à ce que ses dossiers soient conservés. Ceux-là furent pourtant détruits en totalité peu après sa mort, sans que la famille, ni même M. Basty, en soient avisés.

Je n'eus connaissance de cette destruction qu'en juin 2004, à l'occasion d'une réunion publique que j'avais organisée à Libourne pour faire le point sur l'affaire. Un certain Roger Kieffer, ancien parachutiste et en son temps membre de l'OAS, se présenta à moi et me livra l'information : il me décrivit comment, pensant rendre service à la famille, il avait participé au *nettoyage* des archives du ministre Boulin. Le délai de prescription était dépassé depuis longtemps : nous ne pouvions plus intenter d'action judiciaire.

Menant l'enquête à mon tour, j'interrogeai Gérard César[5]. Il m'expliqua que les propriétaires de la maison louée par mon père avaient, après sa mort, décidé de la vendre et qu'il fallait y mettre de l'ordre. Il avait demandé alors à son assistant parlementaire, Bernard Fonfrède, de faire le tri, assisté par un certain Jacky Joulin. Fonfrède me confia qu'il était jeune à l'époque, et n'avait pas osé s'opposer à ce qu'il décrivit lui-même comme une «basse besogne».

---

5.   Après avoir été suppléant de Robert Boulin de longues années et avoir siégé comme député, Gérard César est aujourd'hui sénateur de la Gironde.

1980 Les habitations des Boulin sont visitées à leur insu.

La mallette d'Éric Burgeat est volée dans sa voiture en stationnement à Paris. Elle n'a jamais été retrouvée officiellement. Quelque temps plus tard, cependant, un homme d'affaires sera

1980 interrogé par la police sur un projet d'entreprise qu'Éric avait imaginé lancer avec lui. Le seul endroit où le nom de cette personne avait été mentionné était l'un des documents volés avec la mallette.

Selon César, les archives ne comprenaient que les banales interventions que, comme tout parlementaire, Robert Boulin avait faites au long de sa carrière pour aider ses concitoyens dans leurs démarches avec l'administration. J'ai cependant encore en ma possession des correspondances entre mon père et M. Basty qui démontrent que ces archives contenaient bien plus que de tels dossiers d'intervention.

En réalité, Fonfrède ne passa que quelques jours à compulser et trier les dossiers dans le grenier de la maison de Libourne. Il finit par les expédier dans les usines à papier. Faut-il voir un lien entre ce fait dont il témoignera en 2003 et l'agression dont il fut victime quelques jours après, et qui faillit lui être fatale ?

Qui a donc organisé la destruction des archives de Robert Boulin ? Sur quels ordres ?

Le 22 juin 2004, Bertrand des Garets, ancien suppléant de mon père, par ailleurs responsable régional du SAC en Gironde, reconnut avec une franchise déconcertante, devant les journalistes de Canal Plus Bernard Nicolas et Michel Despratx, qu'il avait reçu à cette fin des ordres précis de Paris en novembre 1979. Il précisa qu'il avait alors sommé Jeannot Grollière, lui aussi membre du SAC, d'organiser le *nettoyage* de notre grenier.

Mon informateur initial, Roger Kieffer, confirma ces points dans son audition du 24 mai 2005, en y exprimant également sa conviction que mon père avait été assassiné. Il raconta comment Jeannot Grollière fit appel à lui, parce qu'il possédait une camionnette, pour transporter dans la première semaine de novembre 1979 une partie des archives à l'usine de la papeterie

2 FÉVRIER 1980 Mort de Joseph Fontanet, tué par balle, alors qu'il vide son coffre de voiture devant chez lui. Ses meurtriers n'ont jamais été découverts. Il ne croyait pas à la thèse du suicide.

6 FÉVRIER 1980 Mort de René Journiac, collaborateur de Foccart, dans un accident à bord de l'avion personnel du président Bongo, à N'Gaoundere.

Témoignage de Bernard Fonfrède

« En 1973, jeune sportif très connu dans le Libournais, je fus sollicité par Robert Boulin, alors ministre des Relations avec le Parlement, pour participer à la campagne électorale des législatives. J'acceptai et deviendrais par la suite assistant parlementaire du député Gérard César, suppléant de Robert Boulin. Après le décès du ministre, je me rendis à son domicile de Neuilly pour récupérer des photos afin qu'à Libourne l'Association des amis de Robert Boulin, réalise un album retraçant sa vie, album qui ne verra jamais le jour. Je me trouvai face à une famille sous le choc et visiblement conditionnée pour accréditer la thèse du suicide. Je regagnai ensuite Libourne et la permanence parlementaire située dans la maison de Robert Boulin où ce dernier occupait encore une chambre lors de ses venues dans la ville dont il était le maire. Quelques jours plus tard, les archives du ministre arrivèrent du ministère du Travail, transportées par deux camions de la gendarmerie. Elles restèrent plusieurs semaines et je fus chargé de les trier, puis de les détruire dans une usine de pâte à papier proche. Par la suite, je m'éloignai de la politique. En 2003, je fus sollicité par un journaliste de France Inter, Benoît Collombat, qui me fit raconter l'épisode des archives. Ce journaliste écrira plus tard un livre (*Un homme à abattre*) citant à nouveau ces faits. Je suis donc la dernière personne à avoir eu en main les archives du ministre. Est-ce pour cette raison que le 16 décembre 2003, quelques jours après l'émission de France Inter, je fus victime d'une agression me laissant pour mort avec deux fractures du crâne et dans le coma ?

Déroulement des faits. En 2003, je suis propriétaire à Libourne de la brasserie du Centre Leclerc, tenue par un gérant. Ce dernier témoignera qu'avant mon agression, un individu est venu une ou deux fois prendre un verre et demander, prétextant être un copain d'école, s'il m'arrivait parfois de venir dans la brasserie. Le gérant répondit que cela m'arrivait, en fin d'après-midi. Il ne remarqua pas sur le moment qu'il était impossible que cet individu soit un de mes copains d'école, ayant une dizaine d'années de moins que moi. Le 16 décembre, je passai à la brasserie et l'individu était présent. Selon le gérant, car, suite à mon coma, je n'ai aucun souvenir de ces instants, nous nous installâmes à une table, prîmes un verre et quittâmes ensemble la brasserie. Une femme dira plus tard à mon épouse qu'elle m'a vu sur le parking l'air bizarre parlant avec deux personnes et regagner seul ma voiture. Ma femme se souvient que j'avais l'air très préoccupé lorsque je suis arrivé à la maison. Alors qu'elle me faisait remarquer que les invités que nous attendions allaient bientôt arriver, je lui répondis, se rappelle-t-elle, que je venais d'avoir très peur et que deux individus se présentant comme des agents des Renseignements généraux avaient voulu me parler des archives de Boulin. Elle n'y prêta alors aucune attention particulière. Un moment plus tard, j'allais ouvrir le portail d'entrée. Ne me voyant pas revenir et alertée par les aboiements du chien, elle sortit et me trouva

allongé, ensanglanté, sans connaissance.
Un ami médecin arriva rapidement. La
suite ce fut le SAMU, l'hôpital de Libourne,
celui de Bordeaux, etc. Le lendemain, le
chirurgien de l'hôpital Pellegrin à Bordeaux
expliqua à ma famille que ma chute n'était
pas due à un malaise mais à des coups
portés avec un objet contondant qui avait
provoqué deux fractures sur le crâne à
deux endroits différents et une hémorragie
méningée. Il conseilla à ma femme de porter
plainte, ce qu'elle tenta de faire, en vain. On
lui demanda d'abord de revenir plus tard, ce
qu'elle fit mais juste pour s'entendre dire :
« Il n'y a que votre mari qui peut porter
plainte ou vous s'il meurt. »
Une fois que je fus sorti de l'hôpital, mon
avocat, bâtonnier à l'époque, me conseilla
de ne pas porter plainte. « Ils t'ont raté
une première fois, ils ne te rateront pas
la deuxième. » Je n'ai donc jamais porté
plainte. J'ai en ma possession les certificats
médicaux et différents articles de presse. »

Bernard Fonfrède.

Soustre, à Saint-Seurin, près de Libourne. Il évoqua franchement l'intervention, dans cette opération de destruction, de membres actifs du SAC, sur ordre de Paris.

Kieffer précisa que trois semaines plus tard, une nouvelle destruction fut ordonnée et effectuée. Il s'agissait des derniers dossiers de mon père, fraîchement arrivés du ministère du Travail dans deux camions de la gendarmerie. Les militants du SAC les transportèrent dans une usine de pâte à papier, à une vingtaine de kilomètres de Libourne. Simple exécutant, Roger Kieffer ne put en dire davantage. Kieffer est mort brutalement il y a deux ans environ, des suites d'une banale intervention chirurgicale. Jeannot Grollière, lui, ne fut jamais convoqué par les enquêteurs. Son audition s'imposait pourtant. Elle s'impose toujours.

D'autres papiers se volatilisèrent aussi dans des circonstances étranges. Mme Arlette Legendre, l'épouse du premier adjoint à la mairie de Libourne, me confia ainsi qu'après le décès de mon père, deux policiers étaient venus se saisir de l'entière correspondance entre Boulin et son mari. Elle confirma ces propos lors de son audition le 24 mai 2005. Le dossier judiciaire ne contient pourtant aucune mention de la saisie de cette correspondance, qui a disparu.

Mais plus grave encore est la disparition des derniers courriers rédigés par mon père le jour de sa mort, les seuls pouvant lui être attribués sans ambiguïté[6]. Ces courriers ne réapparurent pas. Personne, hormis leurs destinataires, ne sut ce qu'ils renfermaient.

---

6. Il s'agit des courriers qu'il avait fait porter à Patrice Blank et à Me Maillot.

DU 12 AU 14 MARS 1980

PRESSIONS. Procès en diffamation du RPR contre Philippe Alexandre, à la suite de ses chroniques des 3 et 5 novembre 1979. Dans sa plaidoirie, son avocat, Me Bernard Jouanneau, dira : « C'est une conspiration procédurale… »

DU 12 AU 14 MARS 1980

Cependant, il est condamné et remet aux Archives nationales le récit intégral de ses discussions avec Robert Boulin, qui seront consultables en 2020.

21 MARS 1980

Martine Anzani, qui a succédé au juge Floch, clôt officiellement le dossier de Broglie.

Malgré ma demande au juge, aucune perquisition ne fut jamais effectuée chez Blank, décédé depuis, pour mettre la main sur cette fameuse lettre. Elle est pourtant d'une importance capitale car on peut envisager sérieusement qu'elle ait servi à fabriquer la lettre dite posthume, qui accrédita la thèse du suicide et dont l'original ne fut pas retrouvé.

La secrétaire de mon père, Françoise Lecomte, se souvient encore de son émotion à la lecture, dans la presse, du prétendu courrier d'adieu. Elle reconnut en effet le texte qu'elle avait tapé le matin du 29 octobre 1979 sur demande du ministre : les mentions faisant référence au suicide avaient été surajoutées. Or, selon les dires de Patrice Blank, le courrier que lui avait remis Yves Autié ne contenait qu'un projet de réponse au *Monde*. Lorsqu'il fut interrogé, Alain Maillot, lui, ne se souvenait plus du contenu de cette lettre, sans pour autant nier l'avoir reçue.

Le RPR a-t-il fait disparaître Boulin de ses archives ?

Aux pires heures de l'Union soviétique, Staline avait la fâcheuse habitude d'éliminer ses ennemis des photographies. Une façon comme une autre d'écrire l'histoire. Jusqu'à l'année dernière, je n'aurais jamais imaginé que les compagnons gaullistes de mon père puissent user de méthodes similaires. Et pourtant.

Un colloque d'historiens eut lieu à Libourne en septembre 2009, à l'occasion de la trentième commémoration de la mort de Robert Boulin. Les chercheurs participant à ce colloque m'affirmèrent que tous les documents le concernant avaient disparu des archives du parti gaulliste, ce qui entravait considérablement leur travail de recherche.

29 MARS 1980
Mort de Charles Bignon, ancien chef de cabinet de De Broglie, président de la commission des conflits du RPR, dans un troublant accident de la route, selon une note blanche des RG. À 1 h 45 du matin, sa voiture, arrêtée tous feux éteints sur la voie lente de l'autoroute A10, près de Rambouillet, est percutée par un camion danois. La voiture est carbonisée, le corps est à l'intérieur.

Certains voudraient-ils que Robert Boulin soit définitivement gommé de l'histoire de la Vᵉ République et tombe, telles les feuilles mortes de Prévert, «dans la nuit froide de l'oubli»?

Dans le même registre, j'ai appris il y a une dizaine d'années que des étudiants en histoire ou en droit (dont ma nièce Charlotte Boulin) avaient proposé de prendre pour sujet de thèse certains aspects de l'affaire Boulin, et avaient vu leur choix rejeté. J'espère qu'il en est autrement de nos jours.

LE VOILE SE DÉCHIRE

Un lent réveil

Les médecins anesthésistes distinguent trois stades de réveil postopératoire : le réveil immédiat, le réveil intermédiaire et le réveil complet. Le premier stade concerne les simples réflexes de survie physique ; au stade deux, on se lève et l'on commence à se tenir debout ; c'est seulement au stade trois que l'activité cognitive du patient et sa capacité de réflexion reprennent toute leur ampleur. La métaphore médicale retrace précisément le cheminement qui fut le nôtre depuis l'annonce de la mort de mon père jusqu'à notre dépôt de plainte pour meurtre, en juin 1983. Pour nous réveiller pleinement, et dépasser l'interminable période de doute et de questions, il fallut quatre ans.

La claustration

Cette mort, si brutale et violente, nous avait laissés interdits, hébétés, disloqués. Dans les premiers temps, notre énergie se concentra naturellement sur les fonctions vitales : il fallait bien survivre au drame. Le monde extérieur nous apparaissait comme dans un halo, et l'ampleur du séisme politique et familial nous échappa sur le moment. Nous demeurions enfermés chez nous et en nous-mêmes. Une claustration intérieure qui nous empêcha d'entendre Jacques Chaban-Delmas, à la tribune de l'Assemblée nationale, parler d'assassinat ; ou de l'entendre, le jour suivant, déclarer sur Europe 1 qu'il « fa[llai]t chercher celui qui a[vait] communiqué ce dossier, car celui-là alors vraiment avait sûrement l'intention de nuire et l'intention de détruire » ; en novembre, nous ne lirions pas non plus dans *France-Soir* ou *Minute* les articles évoquant l'altercation au cours de laquelle Chirac aurait reproché à Chaban ses propos sur la mort de Robert Boulin ; nous ne verrions pas la tribune du sénateur Marcilhacy dans *Le Monde* du 3 novembre 1979 ; enfin, nous n'entendrions pas Philippe Alexandre dénoncer le même jour sur RTL l'attitude de certains dirigeants du RPR à l'égard de mon père.

Anne Gaillard, combative journaliste et épouse du sénateur Yann Gaillard, essaya bien de nous ouvrir les yeux. En amie, elle nous rendit visite début novembre et nous parla du fameux article de *VSD*[1] qui décrivait mon père comme fou. Mais cette affirmation, au regard de ce que nous vivions, nous sembla si éloignée de la réalité, si vaine et dérisoire, que nous n'y prêtâmes guère attention. Anne nous conseillait de porter plainte, mais nous n'avons pas su suivre ses conseils. Je comprends aujourd'hui que notre attitude ait pu la déconcerter, voire la décourager.

Passé le temps de l'accablement, nous commençâmes cependant à discerner des contradictions et des incohérences. Un par un, goutte à goutte, les avertissements de mon père nous revenaient en mémoire et prenaient leur place sur le puzzle ; de même que les vols répétés dont nous étions victimes ; ou encore l'intérêt récurrent de France Télécom – du moins ce que nous croyions être France Télécom – pour nos lignes. Cette version du suicide tenait-elle vraiment debout ? Noyée dans le drame, je ne pouvais prendre le

---

1.   *VSD*, 1er au 7 novembre 1979, n° 113.

6 OCTOBRE 1980

DESTRUCTION DES SCELLÉS. Le scellé contenant le sang de Robert Boulin est volé sans effraction dans les locaux mêmes de l'IML. L'enquête effectuée après le dépôt de plainte par l'expert responsable de l'IML n'a pas été versée au dossier pénal. L'enquête n'aboutit pas. On n'a jamais retrouvé le bocal.

9 OCTOBRE 1980

Décès d'Alexandre Sanguinetti. Peu après, sa fille Lætitia Sanguinetti rapporte que des « barbouzes du RPR » sont venues l'interroger pour savoir si elle détenait des « dossiers », notamment sur d'éventuelles « preuves écrites de l'assassinat » de M. Boulin. S'ensuivront plusieurs cambriolages à son domicile.

recul nécessaire pour faire une analyse objective des faits dont nous étions témoins. Lorsque ma mère parlait d'assassinat, j'attendais de sa part des éléments objectifs pour commencer à la croire. Mais cette femme aimante et dévastée de chagrin, que pesait-elle face à l'union de toutes les autorités?

Je vécus moi aussi un syndrome de soumission. À chaque fois que nous évoquions nos doutes à l'entourage amical, fort présent, une réponse venait immédiatement les contrer, qui nous remettait aussitôt dans le « droit chemin ». Bernard Fonfrède, assistant parlementaire demeurant à Libourne, monta un jour à Paris nous demander des photos pour la confection d'un grand album retraçant la vie de mon père. Je sus plus tard ce qu'il avait dit de notre rencontre : «Je me trouvai face à une famille sous le choc et visiblement conditionnée pour accréditer la thèse du suicide.» Au moment de l'enterrement, nos amis libournais, les Jung, furent également stupéfaits de l'image de docilité que Bertrand et moi renvoyions. Peu après, notre ami Hubert Ballay vint nous voir toute affaire cessante pour nous recommander de prendre un avocat. Notre cercle restreint nous en dissuada. L'enquête n'avait-elle pas été minutieuse? Les avocats coûtent cher, etc. Nous étions à ce stade trop choqués et somnolents pour ne pas nous laisser faire, et acquiescer en silence.

Cependant, certains détails prenaient de l'importance, telle la désertion des amis politiques et les mises en garde menaçantes. Et puis, sur le plan intime, mon père aurait-il abandonné brutalement ma grand-mère sans un mot d'adieu? Il ne nous aurait rien écrit à nous non plus, il n'aurait pas payé le loyer de mon frère – ce

DU 12 AU 15 NOVEMBRE 1980

AFFAIRE TOURNET. En l'absence du principal accusé, Henri Tournet, le procès Tournet-Groult débute à Coutances devant les assises de la Manche. La cour d'assises de Coutances examine la charge de «l'imposture commune» avec Boulin, se fondant sur de simples hypothèses non démontrées, alors que Boulin est décédé donc incapable de se défendre. La

DU 12 AU 15 NOVEMBRE 1980

famille n'est pas, non plus, partie prenante au procès. Henri Tournet est condamné à 15 ans de prison par contumace pour «faux en écriture publique» mais son extradition ne sera jamais demandée par la France, malgré les demandes répétées de la famille Boulin. Ce sera également le cas pour les gardes des Sceaux M. Pierre Arpaillange le 28 juin 1989,

DU 12 AU 15 NOVEMBRE 1980

Henri Nallet en 1991 et Michel Vauzelle en 1992.

qui ne lui arrivait jamais –, et aurait choisi de mourir avant de connaître les résultats de l'électroencéphalogramme de mon fils Alexandre, dont les évanouissements soudains l'inquiétaient tant… ? Peu à peu émergea en moi l'intuition que tout n'avait pas été éclairci, mais que si nous voulions faire la lumière sur ce suicide incompréhensible, nous devions adopter une stratégie fondée sur la patience et la détermination. Le doute nous assaillait par bribes, au hasard de certains souvenirs, et nous nous préparions, sans l'avoir encore clairement à l'esprit, à entrer dans la recherche de la vérité.

Une vérité toute crue

À l'automne 1980, soit un an après le drame, mon frère décida de réagir et demanda à Me Robert Badinter de bien vouloir défendre nos intérêts. Ce dernier accepta la requête avec grâce mais ne resta pas longtemps notre conseil puisqu'il fut nommé garde des Sceaux en juin 1981 par le nouveau président de la République, François Mitterrand, après avoir pris une part active dans sa campagne électorale. Ces quelques mois lui permirent seulement de nous interroger sur les fameux dossiers disparus et de nous faire connaître les conclusions de l'enquête préliminaire ordonnée par le parquet de Versailles suite au décès de mon père. Il fut en effet extrêmement étonné que nous n'en ayons pas reçu copie, et l'obtint donc pour nous. Le dossier fut mis entre nos mains un jour d'octobre 1980. C'était une journée ordinaire pour les gens qui nous entouraient. Éric travaillait, les enfants réclamaient de l'attention. Bertrand alla chercher le dossier chez Me Badinter et, l'ayant regardé seulement avec notre mère, me le confia.

10 MAI 1981 Élection de François Mitterrand à la présidence de la République.

23 JUIN 1981 Robert Badinter devient garde des Sceaux du président François Mitterrand.

AOÛT 1981 Décès de Marcelle, Catherine Boulin, mère de Robert, à la maison de retraite de Libourne.

Il leur avait suffi à tous deux d'observer les photos de l'Identité judiciaire pour contempler un monde de violence et de mensonge. En me le remettant, mon frère me fit part de sa stupéfaction, si bien que, pour recevoir cette sorte de grimoire, je choisis la solitude et le silence. Je suis pudique et n'aime pas peser. Pendant la sieste des enfants, la grande chambre du fond de notre appartement fut ce jour-là le lieu du recueillement. Lorsque j'ouvris le dossier et y découvris ce que je n'avais pas su voir, le choc fut sans fond.

J'attendis Éric afin de partager avec lui l'éprouvant spectacle et la lecture des procès-verbaux. Celle-ci nous donna la nette impression d'une enquête orientée et bâclée, truffée de contra-dictions – impression qui devait se confirmer plus tard. Le rapport d'autopsie, en revanche, ne nous apporta guère d'éléments : son analyse réclamait des compétences que nous n'avions pas. Mais les photos, glaçantes, sans ambiguïté, racontaient bien des choses. Lorsque nous vîmes le visage et le corps de mon père sur les clichés de l'identité judiciaire, nous restâmes prostrés et muets : une face de boxeur, cognée, brutalisée ; des hématomes sur les zones orbitales, une plaie au nez, à l'intérieur de la bouche ; des traces de liens au poignet, etc. Autant d'éléments trahissant un scénario d'une extrême brutalité[2]. Entre la dépouille que j'avais vue un an plus tôt et ce cadavre-là, il y avait un gouffre, et un terrible mensonge.

Alors seulement, le voile se déchira, sous le poids de l'évidence : les impressions et interrogations que nous avions tues nous submergèrent en une seule vague ; et l'assassinat, que ma mère tentait patiemment de nous faire admettre depuis des mois, ce crime que nous refoulions

---

2. Cf. illustration p. 210.

1981-1982 Les freins des voitures d'Éric et Fabienne Burgeat sont trafiqués à deux reprises. Les freins ne peuvent plus être actionnés, alors que le couple habite dans une rue très pentue.

1983 Les menaces à l'encontre de Jean Lalande, beau-frère de Robert Boulin, contestataire actif de la thèse du suicide («Vous parlez trop !»), sont rapidement mises à exécution : une balle traverse son salon.

comme innommable, nous apparut dans toute sa clarté. Nous comprîmes que Robert Boulin avait été frappé, puis achevé.

Depuis un an, je m'efforçais d'accepter, non sans chagrin, l'idée que mon père ait pu mourir d'une mort à la romaine. Je me consolais devant le courage qu'il avait eu d'entrer dans l'eau. Tout cela était un leurre : le digne suicide masquait un passage à tabac ; l'étang et les prétendus barbituriques dissimulaient la poigne brutale d'hommes de main, la violence de tueurs.

Il avait été torturé. On nous l'avait caché.

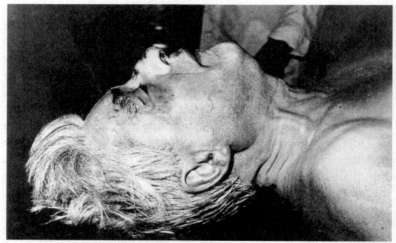

Sur le visage de Robert Boulin, les hématomes et la plaie au nez témoignent d'une mort brutale.

Il n'y a pas de mot pour décrire la douleur que je ressentis en regardant la vérité en face. La morsure me fit sortir d'une année de long sommeil. J'étais emplie d'une colère froide et profonde. Me revinrent alors les propos qu'Éric avait tenus à des journalistes peu avant l'enterrement : selon lui, mon père était « entré dans sa mort comme il [était] entré en Résistance ». Ces mots prenaient tout à coup leur signification réelle : oui, il était mort en résistant, au sens propre.

Entre cette révélation et le dépôt de notre plainte contre X pour homicide, devant le doyen des juges d'instruction de Versailles, il s'écoula près de deux ans et demi. Pourquoi ? D'abord parce que nous étions seuls, irrémédiablement seuls. L'assassinat d'un ministre au cours de son mandat était, en France, un fait sans précédent. Les rangs des politiques comptaient bien sûr leurs moissons de morts suspectes (Jean de Broglie en 1976, ou bien Joseph Fontanet peu après mon père, en 1980), mais les victimes n'étaient pas en exercice au moment de leur décès. L'histoire n'offrait pas d'exemple qui légitime nos craintes. Nous ne pouvions arguer d'aucun équivalent pour convaincre nos futurs interlocuteurs et détracteurs. Et puis, en rentrant dans le combat, nous héritions des ennemis de notre père. Qui nous croirait ? Qui prendrait seulement le risque de nous aider ?

Robert Badinter nous dissuada de porter plainte ; Mario Stasi, qui le remplaça en 1981, fit de même. Souhaitaient-ils nous protéger ? Avaient-ils peur ? Ou bien étaient-ils tout simplement convaincus de la thèse du suicide ? Elle ne faisait en effet aucun doute pour Robert Badinter, qui aujourd'hui encore la soutient, sans paraître prêter attention aux nombreux éléments qui la contredisent – éléments que nous avons réussi à mettre en évidence avec ses successeurs.

Nous n'avons probablement pas su lui faire entendre les raisons objectives sur lesquelles reposait notre souhait de combattre la vérité officielle. Il n'avait pas vécu ce que nous avions vécu et nous n'avions pas pris le temps de partager ce que nous savions déjà et qui aurait pu le persuader. De toute façon, il nous semblait que son intérêt était ailleurs, investi qu'il était dans la campagne présidentielle de Mitterrand. Il nous désigna un de ses jeunes collaborateurs

---

1983 — Piratage de leur téléphone constaté par Fabienne et Éric Burgeat. À la suite d'une intervention inopinée d'un agent de France Télécom, la voisine de palier des Burgeat s'aperçoit qu'elle reçoit leurs appels et vice-versa. Après s'être renseignée, Fabienne apprend qu'aucun agent officiel n'est intervenu.

MAI 1983 — Remarquable contre-enquête de Jacques Collet sur TF1. Colette Boulin y affirme qu'elle n'a jamais cru à la thèse du suicide de son mari et qu'après sa mort, on a fait pression sur elle pour qu'elle se taise. Elle révèle que le 29 octobre 1979, à 19 h, un collaborateur du ministre, Guy Aubert, lui a annoncé que Robert Boulin

7 JUIN 1983 — avait été tué. Jacques Collet a également demandé à un grand médecin légiste américain, celui de J.F.K., le professeur Ted Enrenreich, d'analyser le rapport d'autopsie, rendu anonyme. Il le trouve incomplet et peu démonstratif. *Paris Match* publie pour la première fois les photos de l'identité judiciaire du corps meurtri.

pour nous accompagner au procès Tournet. Nous allions suivre les audiences sur les bancs réservés aux visiteurs. Ce serait une épreuve douloureuse pour la famille. Nous allions vite regretter de n'avoir pas insisté pour que notre mère soit partie au procès.

Le jugement posthume de Robert Boulin

En novembre 1980 eut lieu le procès de l'affaire Tournet-Groult, à Coutances. Nous assistâmes, consternés, aux débats de la cour d'assises. L'affaire, instruite par le juge Van Ruymbeke, avait suivi son cours, aboutissant à la mise en cause d'Henri Tournet et de son notaire Me Groult pour faux en écriture publique : le procès était l'aboutissement d'une plainte déposée contre Tournet par des hommes d'affaires auxquels il avait vendu des terrains déjà acquis par d'autres. L'escroquerie avait été opérée grâce à la complicité de Me Groult, qui ne transcrivait pas les ventes. En 1974, mes parents avaient acheté une parcelle voisine de ces terrains pour y construire notre maison familiale. Mon père avait fait transcrire la transaction dans les règles, par son propre notaire. Mais les malversations de Tournet et Groult firent le lit du «dossier de Ramatuelle». Lorsque, dans le courant de l'année 1979, Tournet fut aux abois, il chercha en effet à impliquer le ministre en le désignant comme complice dans le conflit qui l'opposait à ses anciens partenaires. Il prétendit avoir remboursé à Boulin, par chèque au porteur, le prix de son terrain, en échange de son appui auprès des autorités pour obtenir le permis de construire vingt-six villas[3]. On connaît la suite, et la sortie de l'affaire dans la presse.

---

3. La justice n'a pas pu identifier le véritable bénéficiaire du chèque, dont l'endos est illisible. Les guichetiers de banque qui l'ont payé ont confirmé au juge n'avoir jamais vu Robert Boulin. Il est très probable que ce chèque ait été encaissé par Tournet lui-même afin de fabriquer un piège contre mon père.

7 JUIN 1983
Plainte contre X pour homicide volontaire de la famille Boulin, déposée par leur avocat Jacques Vergès, auprès du doyen des juges de Versailles. L'information sera ouverte le 29 juin auprès du juge Maestroni.

14 JUIN 1983
Mort du procureur général de la cour d'appel de Versailles, Louis-Bruno Chalret, dans un accident de voiture. Il se serait endormi au volant.

13 JUILLET 1983
Le juge Maestroni signe une commission rogatoire pour rechercher les viscères de Robert Boulin en vue de leur analyse anatomopathologique.

L'enquête, qui passa par un examen soigneux des comptes bancaires de Robert Boulin, ne permit pas d'établir le prétendu remboursement. Il en ressortit plutôt que mon père avait payé son terrain, à un prix conforme au marché de l'époque ; que c'est bien ma grand-mère paternelle qui avait versé à son fils la somme de cet achat sous forme de don manuel ; qu'enfin il ne s'était jamais comporté en complice de Tournet et qu'il n'avait pas demandé de dérogation aux règles du permis de construire pour faciliter les opérations immobilières du fraudeur. À la grande irritation de ce dernier, il avait même soutenu la position prise par son collègue, le ministre de l'Équipement, sur le dossier. Comme il le clama avec force et conviction au Club de la presse d'Europe 1, le 21 octobre 1979 : « Je suis transparent dans cette affaire, j'ai acheté, j'ai payé, j'ai transcrit… et j'ai même fait des choses que je ne peux pas dire ici ! »

L'audience se tint au palais de justice. L'atmosphère fut pesante, les audiences révulsantes.

Tournet étant absent, Me Groult était seul dans le box des accusés. Ma mère, Bertrand, Éric et moi étions accompagnés du jeune collaborateur de Me Badinter. N'étant finalement pas parties à ce procès, nous ne pouvions être entendus de la cour. C'est donc impuissants que nous fûmes contraints d'assister à la deuxième mort de mon père : les calomnies proférées par Tournet furent reprises dans l'acte d'accusation qui, s'il admettait l'absence de « preuves ponctuelles », évoquait toutefois « un ensemble de présomptions » laissant envisager « une imposture commune » entre l'accusé et Boulin. Bien que l'innocence du ministre eût été établie, les termes du réquisitoire furent inscrits sur le papier et trouvèrent leur place

3 AOÛT 1983 POUMONS. Le commissaire Gilles Leclair se rend à l'IML pour vérifier lui-même la présence des scellés des poumons. Ce qu'il constate. Le juge Maestroni fait également recueillir de l'eau de l'étang Rompu. L'expertise des poumons peut donc avoir lieu, en théorie.

dans les motifs de l'arrêt rendu par la cour d'assises à la fin du procès.

Pourquoi cet acharnement, quand le défunt n'avait jamais été formellement mis en cause ? Quand, au lendemain de sa mort, le procureur général de la Manche avait indiqué devant les télévisions qu'il n'avait pas eu l'intention d'inculper ni même d'entendre Robert Boulin ?

L'enquête, menée par le journaliste Benoît Collombat entre 2002 et 2008, allait identifier la source de ce revirement : si l'on en croit un ancien collaborateur du ministère de la Justice, c'est Alain Peyrefitte lui-même qui aurait fait modifier le réquisitoire du parquet de manière à charger lourdement Boulin.

Ces attaques ne nous surprirent pas, et nous étions venus à Coutances de notre propre initiative, conscients de ce qui se tramait. Le garde des Sceaux attendait de ce procès qu'il le lave du discrédit qu'avait jeté sur lui la lettre posthume attribuée à mon père, largement publiée dans la presse, qui l'impliquait indirectement dans le «suicide»[4]. Pour cela, il fallait faire plonger Boulin. Peyrefitte se choisit une posture de héros, et pour le défunt celle de l'escroc, à qui il avait su résister, par rigueur morale, en refusant de le blanchir. Témoins de la mascarade, nous ne pouvions protester. Ma mère avait cosigné avec mon père l'acte d'acquisition du terrain de Ramatuelle. À ce titre au moins, elle aurait pu, elle aurait dû être entendue. Mais la faire citer à l'audience risquait de mettre à mal le scénario bien orchestré de ce procès inique. Ainsi on la fit taire.

---

4. Cf. «La valse des lettres posthumes» p. 268.

POUMONS. Lorsque le juge Maestroni a voulu procéder à l'analyse anatomopathologique des poumons, il constate que les bocaux contenant ces organes, conservés à l'IML, ont disparu. Ils auraient été inopinément transférés au cimetière de Thiais dans le premier trimestre 1983. Ce qui s'avère faux.

POIGNET. Lors de son audition, le commissaire principal Tourre, du SRPJ de Versailles, déclare : «Aucune trace n'a été remarquée sur les mains et les poignets de la victime.» Pourtant il a assisté à l'autopsie qui a relevé une blessure au poignet droit en voie de cicatrisation, ce que les photos de l'identité judiciaire du

30 octobre 1979 montrent très clairement. Or, il a été démontré que Boulin ne s'était fait aucune blessure à cet endroit jusqu'au départ de son domicile. Cette blessure profonde n'a donné lieu à aucune analyse. L'ordonnance de non-lieu n'a même pas fait état de cette blessure.

Mon père, fait sans doute unique dans les annales judiciaires, fut jugé à titre posthume, sans pouvoir se défendre ni être défendu, et sans jamais avoir été entendu.

Tournet, quant à lui, se trouva condamné à quinze années de prison ferme par contumace, et l'on fut bien en peine de lui communiquer le jugement. L'absence de l'accusé principal à son procès a sûrement dû en soulager plus d'un. Dès l'ouverture des débats, l'avocat général regretta cette situation. Regrets de pure forme lorsqu'on sait le peu de zèle que ses services mirent à rechercher le prévenu. Les convocations, adressées à son ancien domicile de Neuilly-sur-Seine, étaient systématiquement retournées à leur expéditeur. Et pour cause : il ne vivait plus en France. Environ trois semaines avant le procès, un journaliste de Caen travaillant pour RTL avait averti ses auditeurs de la fuite d'Henri Tournet à l'étranger. Le soir même, Alain Lepors, de la même radio, s'envolait pour Ibiza et obtenait du fugitif une interview diffusée le lendemain à l'antenne. Il était donc de notoriété publique que l'individu habitait dans l'île espagnole. Pourquoi la justice ne chercha-t-elle pas à le cueillir là-bas ? Des années durant, nous n'avons cessé de demander son extradition. Nous pensions, à tort, que pour faire exécuter sa peine criminelle, les autorités judiciaires la réclameraient elles-mêmes, mais ce ne fut jamais le cas.

Du temps des gardes des Sceaux Michel Arpaillange puis Michel Vauzelle, je me rendis au ministère de la Justice à cette fin, en compagnie de notre avocat René Boyer. En pure perte. Le ministère

28 SEPTEMBRE 1983
CORPS. Afin de prouver scientifiquement la noyade, Jacques Vergès demande officiellement au juge d'instruction Michel Maestroni, du tribunal de Versailles, un examen anatomopathologique, pour comparer les particules contenues dans les poumons du ministre avec des prélèvements d'eau de l'étang Rompu.

7 NOVEMBRE 1983
TÊTE. Un inspecteur de police, Patrick Drut, déclare pour la première fois et fort opportunément avoir constaté la présence d'un rocher dans l'étang Rompu. Cela expliquerait les traces de coups sur le visage du ministre. Or le colonel de gendarmerie Jean Pépin affirme le contraire. Patrick Drut, lors de sa dernière audition, ne parle plus de « rocher » mais de « caillou ».

nous répondit qu'il ne connaissait pas l'adresse de Tournet. Pourtant, en octobre 1987, le juge Corneloup, chargé de l'instruction sur notre plainte pour homicide, se déplaça lui-même à Ibiza pour interroger Tournet. Jusqu'à sa mort en janvier 2008, à Santiago du Chili, où il s'était paisiblement retiré dans l'une de ses belles propriétés, aucun journaliste ne perdit sa trace. Qui donc pouvait craindre à ce point que Tournet revienne en France? Et qui pouvait, afin d'éviter cet encombrant retour, mettre ainsi la justice au pas durant tant d'années?

Comme on pouvait s'y attendre, le procès de Coutances, et surtout ce qui s'y était dit sur Robert Boulin, fut immédiatement exploité par les médias. Le soir même de la décision, Jean-Claude Bourret, présentateur du journal télévisé de TF1, lut les conclusions de l'arrêt et précisa qu'Alain Peyrefitte était ainsi mis définitivement hors de cause dans la mort de son collègue.

La colère montait. La volonté d'agir prenait forme. Mais nous en étions clairement empêchés. Des pressions incessantes s'exerçaient sur nous pour que nous ne portions pas plainte, et notre isolement devenait chaque jour plus pesant. Ma mère, surtout, en faisait les frais. Entourée de ses cinq petits-enfants, elle restait cependant de nous tous la plus douloureusement atteinte. Sa solitude nous peinait infiniment. Trois ans s'étaient écoulés depuis la mort de mon père et elle demeurait trop enfermée à mon goût. Seuls quelques rares amis – dont Josette Samson-François[5], les Renaud-Barrault[6] et Alain Morlot – lui étaient restés fidèles. Étrangement, tous avaient

---

5. Veuve du grand pianiste Samson François et découvreuse infatigable de jeunes talents musicaux.
6. Comédiens français, Jean-Louis Barrault et Madeleine Renaud fondèrent en 1946 la Compagnie Renaud-Barrault.

16 NOVEMBRE 1983
TÊTE. Une deuxième autopsie a lieu à l'hôpital Pellegrin de Bordeaux, à la demande de la famille. Après exhumation du corps, elle met en évidence la présence de plusieurs fractures au visage, passées sous silence lors de la première autopsie en 1979.

16 NOVEMBRE 1983
Aucune autopsie du crâne n'avait été effectuée après la mort, « sur directive du procureur de la République ». Les légistes considèrent qu'il y a eu «traumatisme appuyé du massif facial du vivant de Robert Boulin» sans conclure, pour autant, que ce traumatisme ait pu

16 NOVEMBRE 1983
être mortel. Les légistes constatent que le corps a été embaumé illégalement, ce qui a eu pour effet de maquiller les traces de coups. La deuxième autopsie révèle la disparition du pharynx, du larynx et de la langue, alors qu'ils n'ont pas été examinés.

ce point commun qu'ils évoluaient hors des sentiers politiques.

Un soir, je l'incitai à accepter une invitation qu'elle venait de recevoir. Ma mère se rendit donc à la réception de fiançailles d'une grande famille de banquiers, où le tout-Paris était rassemblé. Elle revit là nombre des compagnons politiques de mon père, ces hommes qu'elle connaissait depuis plus de vingt ans et qui se flattaient d'être de ses amis quand leur collègue était vivant. Personne, ce soir-là, ne parut se soucier d'elle. Pire, chaque fois qu'elle tentait de s'approcher, hommes et femmes lui tournaient le dos, au sens propre du terme, si bien qu'elle eut l'impression d'être devenue, selon ses propres mots, «la statue du commandeur». Elle ajouta même : «Si votre père s'était suicidé, les amis auraient soutenu la veuve et les orphelins.» Elle prit sur elle pour rejeter les pensées sombres que lui inspiraient ces attitudes. On peut supposer que c'est en voyant ce petit manège qu'un homme inconnu d'elle s'approcha. Ils discutèrent ensemble pendant les deux heures que ma mère passa à cette fête. Ils parlèrent de bien des choses, surtout de religion, et il finit par lui demander : «Comment fait-on pour garder la foi ?» Elle lui répondit qu'il fallait s'obstiner, ce qui parut le réjouir.» Avant de prendre congé, ma mère, qui ne conduisait pas, lui confia qu'elle espérait tout de même trouver dans l'assistance une personne aimable, susceptible de la reconduire chez elle. Ce monsieur placide et très chaleureux lui répondit alors gentiment, mais fermement, que tous ces gens n'avaient aucune importance et qu'il valait mieux, en réalité, prendre un taxi. En partant, elle s'enquit de son nom : «Vladimir Jankélévitch[7], madame», lui dit-il naturellement. Notre entourage manquait décidément d'êtres aussi sages et lucides que lui.

---

7.   Philosophe et musicologue français, né à Bourges, le 31 août 1903 et mort à Paris, le 6 juin 1985.

16 NOVEMBRE 1983 Il y a sans doute une troisième fracture au nez, mais la momification gêne l'autopsie. Alors même que la bouche est fermée et les rigidités formées, les maxillaires du cadavre sont solidarisés à l'IML. Cet acte fournit l'explication, peu pertinente, à la

16 NOVEMBRE 1983 fracture du maxillaire pour les autorités judiciaires. Le passage de l'aiguille servant à solidariser les maxillaires aurait provoqué la fracture d'un centimètre du maxillaire gauche sous-orbitaire.

La vie reprenait ses droits. La naissance de notre fille Théodora, en janvier 1982, apporta le bonheur et la joie à notre famille, vite interrompus par la détresse. Née en pleine santé, Théodora fut victime, quelques jours plus tard, d'une série d'erreurs médicales graves qui mirent ses jours en danger durant plusieurs mois, et elle dut subir par la suite de nombreuses et lourdes opérations de chirurgie orthopédique. Un combat médical, mais aussi judiciaire, tous deux heureusement couronnés de succès, dix-huit ans plus tard.

Dans la longue lutte qui s'annonçait, pour la vérité sur la mort de mon père, nous comprîmes que la précipitation jouerait contre nous, et que le temps, en revanche, serait notre allié. Toutes les personnes en fonction qui avaient à voir avec le drame finiraient par vieillir, peut-être même par se retirer de la vie politique. Avec la perte de leur influence, elles seraient chaque jour plus en peine de faire pression sur nous. Les témoins se mettraient alors à parler d'un même élan. Il nous fallait être patients, ce que saisit bien notre avocat Me Boyer[8] qui, avec perspicacité, désigna un jour les vertus de l'attente sous le nom de « stratégie de l'an 2000 ». Il avait raison.

Nouveau virage

Début 1983, la situation prit tout de même un nouveau tournant, à travers la figure de deux hommes. Jacques Collet l'ignore peut-être, mais la série de reportages qu'il réalisa pour les journaux télévisés de TF1 en mai 1983 eut, en nous confortant dans notre démarche, une influence importante sur notre décision de porter

---

8. Me Boyer nous défendit de 1986 à sa retraite, en 2001.

9 JANVIER 1984
Un inspecteur du SRPJ de Versailles retrouve la trace des bocaux dans les registres de l'IML : ils auraient été enfouis à la 102e division du cimetière de Thiais.

9 JANVIER 1984
La conservatrice du cimetière déclare lors de son audition par la police judiciaire qu'un monument à la gloire des donneurs d'organes vient d'être érigé, ajoutant que « toutes recherches poseraient des problèmes certains ».

15 JANVIER 1984
DOSSIERS DISPARUS.
Bertrand Boulin annonce avoir vu en septembre 1979 quatre dossiers dans le coffre du ministère où son père mettait un peu d'ordre : « Elf-Aquitaine transaction CER », « Dassault », « Sécurité sociale malversations » et « Arabie Saoudite avions transactions ».

plainte pour meurtre. Il faut dire aussi que nous avions choisi un nouvel avocat, Jacques Vergès, que le défi n'effarouchait pas, bien au contraire. D'autres que nous, et non des moindres, partageaient notre conviction que le suicide était loin d'être démontré. Collet plus Vergès : nous n'étions plus seuls.

L'enquête de Jacques Collet reposait sur un travail remarquable, l'un des tout premiers de cette qualité sur notre affaire. Il suscita d'ailleurs l'intérêt d'autres journalistes qui constituèrent par la suite un pool d'investigation, partageant entre eux les informations qu'ils pouvaient rassembler chacun de son côté. La mise en doute par Jacques Collet de la thèse officielle reposait sur des arguments incontestables, issus d'une recherche digne de ce nom.

À l'IML, le professeur Le Breton et son assistante Juliette Garat avaient réalisé, en octobre 1979, des analyses toxicologiques sur le corps de mon père. Celles-ci avaient mis en évidence la présence dans le sang d'un principe actif du Valium, le diazépam, dont la quantité fut évaluée à environ quatre-vingt milligrammes – soit une vingtaine de comprimés. Jacques Collet démontrait que cette dose n'aurait en vérité pas suffi à tuer mon père, ni à lui faire perdre conscience jusqu'à la noyade (a fortiori dans cinquante centimètres d'eau[9]). Les conditions climatiques non plus : l'eau de l'étang avait été évaluée par la police à dix degrés. C'était froid, suffisamment froid pour combattre toute somnolence. Ainsi, devant la caméra, un journaliste de l'équipe de tournage, Henri Chambon, ingurgita en présence d'un médecin la dose de Valium que mon père était censé avoir avalée avant

---

9. Cf. illustration page suivante.

17 JANVIER 1984

Les consorts Boulin sont convoqués par le juge Maestroni au tribunal de Versailles pour être informés des conclusions de la contre-autopsie.

À l'issue de cette rencontre, les Boulin se sentent outragés tant par les mensonges successifs des autorités judiciaires et policières que par les résultats de la

17 JANVIER 1984

contre-autopsie, mettant pour la première fois si clairement en évidence l'inanité de la thèse du suicide. Ils lisent une lettre ouverte enflammée sur les marches du palais de justice, soulignant les graves infractions dont ils estiment que le procureur de la République s'est rendu coupable.

17 JANVIER 1984

Robert Badinter, l'ancien avocat des Boulin, devenu ministre de la Justice, porte plainte contre eux devant le tribunal correctionnel de Paris pour diffamation publique envers un fonctionnaire public en raison de ses fonctions. À l'issue de plusieurs années de procédure, ils seront condamnés.

de se jeter dans l'eau. Le résultat fut édifiant. L'homme continua à parler normalement, et put même se tenir sur une jambe sans avoir à prendre appui sur quoi que ce soit pour rester en équilibre. Mᵉ Boyer nous confia un jour avoir fait lui aussi cette expérience et être parvenu aux mêmes constatations. Comment imaginer alors que, sous l'effet de la même dose du même médicament, Robert Boulin ait pu se noyer dans cinquante centimètres d'eau ? Et dans une eau à dix degrés, propre à réveiller les sens ?

Fabienne Boulin Burgeat dans l'étang Rompu, à l'endroit où fut officiellement retrouvé le corps de son père.

20 JANVIER 1984 Le procureur général près la Cour de cassation dépose une requête en dessaisissement afin de confier l'instruction de l'affaire Boulin à une autre juridiction.

26 JANVIER 1984 *La Lettre de l'assurance,* suivie par *La Vie française* et *Le Figaro,* font paraître des articles qui prétendent que la partie civile s'est constituée en tant que telle seulement dans le but d'accréditer la thèse du meurtre et de percevoir les indemnités auprès d'une assurance-vie. *La Lettre de l'assurance* présente par la suite ses excuses aux Boulin, mais la famille porte plainte pour diffamation contre les deux autres journaux.

8 FÉVRIER 1984 La chambre criminelle de la Cour de cassation désigne, dans l'intérêt d'une bonne administration de la justice, un juge d'instruction de Paris pour instruire le dossier. L'affaire Boulin est donc délocalisée, le juge Corneloup reprend l'instruction.

En outre, si mon père ne s'était pas noyé seul – ce que les investigations du journaliste laissaient entrevoir –, on pouvait imaginer que les médicaments propres à l'y aider lui avaient été administrés sous la contrainte. L'autopsie avait relevé en effet des traces d'anxiolytique dans le sang, mais dans le sang seul : il n'y en avait ni dans les urines ni dans l'estomac ; ces produits n'avaient donc pas été absorbés volontairement, mais plus vraisemblablement injectés de force avec une seringue, comme cela serait envisagé plus tard.

Jacques Collet avait également demandé à un grand médecin légiste américain, le professeur Ted Enrenreich, d'analyser le rapport d'autopsie, sans lui préciser l'identité du défunt. L'expert trouva l'autopsie pratiquée peu démonstrative et conclut qu'elle ne répondait pas à la demande faite communément aux praticiens d'établir les causes de la mort. Il en souligna les manques et omissions, et s'étonna notamment que les organes vitaux n'aient pas été analysés. Quelques mois plus tard, les médecins légistes qui pratiquèrent, à notre demande, une deuxième autopsie, aboutirent aux mêmes conclusions que lui. Le professeur Enrenreich terminait ainsi son analyse : « Cet individu aurait pu mourir d'un infarctus du myocarde, d'un traumatisme crânien ou vertébral ou d'une intoxication. » Quatre possibilités et quatre seulement, dont aucune n'excluait l'autre. Vingt-sept ans se sont écoulés depuis cette analyse, et nous savons aujourd'hui que mon père est mort après avoir été tabassé, probablement victime d'un arrêt cardiaque lors d'un « supplice de la baignoire ». Les conclusions du professeur Enrenreich n'en sont que plus lourdes de sens.

21 JUIN 1984 À l'occasion d'un réquisitoire supplétif dans le cadre de la plainte du garde des Sceaux, le procureur de la République de Versailles a été entendu comme victime du délit de diffamation publique envers un fonctionnaire public. Il déclare : « Je n'ai jamais rencontré aucun des membres de la famille Boulin, qui ne se sont jamais manifestés auprès de moi à un moment quelconque avant de se constituer partie civile et notamment pas au cours de l'enquête qui a suivi la mort de Robert Boulin. D'où ma surprise lorsque j'ai appris par la télévision que la famille Boulin entendait remettre en cause la thèse du suicide qu'elle avait largement contribué à établir. Je ne suis intervenu en aucune manière dans le déroulement de l'information que j'avais ouverte sur la plainte avec constitution de partie civile de la famille Boulin. » Si la famille n'est jamais intervenue, pourquoi a-t-il interrompu l'autopsie du crâne ? Un chef de cabinet ne saurait être considéré comme un membre de la famille ni un authentique délégataire de signature, à plus forte raison lorsque aucune demande signée n'a été déposée à la préfecture, comme la loi l'exige.

Dans sa série d'enquêtes, Jacques Collet diffusa également une interview de ma mère. Pour la première fois, elle révélait publiquement n'avoir jamais cru au suicide de son mari et avoir reçu, après sa mort, des pressions visant à la faire taire. Elle revenait également sur la présence chez elle le 29 octobre 1979 de Guy Aubert, conseil occasionnel de Robert Boulin, et sur le fait qu'il lui avait annoncé la mort du ministre vers 19 heures.

Le 13 mai, quelques jours après la diffusion des reportages sur TF1, l'hebdomadaire à grand tirage *Paris Match* publia les photos de l'identité judiciaire montrant notamment le visage tuméfié de mon père et témoignant des violences qu'il avait subies. Cette révélation avait l'avantage d'être explicite. Elle émut l'opinion publique qui, dans un sondage de l'époque, plaça la mort de Robert Boulin en tête des affaires du siècle. Étrangement, les magistrats chargés de statuer sur nos demandes d'investigation ne font jamais référence à ces clichés, sauf à dire qu'ils sont moins impressionnants en noir et blanc qu'en couleurs...

En juin 1983, au nom de ma mère, mon frère et moi-même, Me Jacques Vergès déposait plainte contre X devant le tribunal de Versailles pour homicide volontaire.

Guérilla judiciaire

Notre plainte fut déposée le 7 juin 1983. L'instruction judiciaire put enfin être ouverte pour rechercher les causes véritables de la mort de Robert Boulin, qui n'avait jusqu'alors fait l'objet que d'une enquête de police sommaire. Elle se poursuivit pendant huit ans grâce au travail opiniâtre de nos avocats, Jacques Vergès puis René Boyer. Elle fut d'abord confiée au juge Philippe Maestroni, au tribunal de Versailles. Nous vîmes ensuite défiler trois autres juges d'instruction. Le dernier en date, Laurence Vichnievsky, jeune magistrate précédemment en poste dans les services centraux de la Justice, hérita d'un dossier imposant contenant des milliers de pages de procès-verbaux.

Les débuts de notre guérilla judiciaire remontent donc à presque trente ans. Au début des années quatre-vingt, la présence de la partie civile à l'instruction était à peine tolérée. Seul notre avocat pouvait consulter le dossier, et ce, uniquement dans le cabinet du juge d'instruction. Il lui fallait se déplacer à des horaires précis, et il lui était interdit d'en faire la moindre copie. On imagine aisément combien cette entrave freina notre action. De plus, les juges d'instruction n'avaient encore aucune obligation de satisfaire les exigences de la partie civile. Ainsi fallut-il attendre les lois des 4 janvier et 24 août 1993, celle enfin du 15 juin 2000, pour que cette dernière soit habilitée à requérir des actes d'instruction (interrogatoire de suspects, audition de témoin, confrontation, reconstitution ou transport sur les lieux et, plus généralement depuis 2000, tout acte lui paraissant nécessaire à la manifestation de la vérité). Ce n'est qu'alors, et sous réserve de recours, que le juge fut tenu de motiver son refus. Depuis ces deux lois majeures, la partie civile peut également veiller à ce que la procédure se déroule dans des délais raisonnables. Si une enquête était rouverte aujourd'hui, nous n'aurions pas à attendre des années pour que de simples expertises soient ordonnées. Hélas, lorsque le dossier Boulin était encore en cours d'instruction, nous ne bénéficiions pas de ces avantages-là : ainsi malgré nos demandes répétées, nombre d'analyses de scellés, de confrontations, de perquisitions ou encore de reconstitutions n'eurent jamais lieu. Les lois de 1993 entrèrent en vigueur quelques semaines seulement après la confirmation du non-lieu par la Cour de cassation. C'était en décembre 1992. Voilà dix-neuf ans maintenant que la justice s'est fermée à nous.

Mais revenons aux débuts de notre enquête.

L'analyse du rapport de l'autopsie, réalisée en 1979 par les médecins légistes, fit apparaître de graves carences dans la recherche des causes de la mort du ministre Boulin. Nous découvrîmes avec stupeur qu'aucun examen du crâne n'avait été effectué, et ce sur ordre formel du procureur de la République. Cet ordre est inscrit dans le rapport d'autopsie lui-même. Jacques Vergès demanda aussitôt l'exhumation du corps ainsi qu'une contre-autopsie, qui permettrait également un examen des viscères.

La première autopsie avait en effet révélé la présence de diazépam dans le corps de Robert Boulin. Si l'on passe sur le fait que ce principe actif du Valium n'a rien à voir avec un barbiturique et

---

19 JUILLET 1984 — Dans une longue saisine, le juge Corneloup demande à la brigade criminelle de vérifier si les radiographies pratiquées par le docteur Kannapel lors de la première autopsie ont été présentées et examinées par les contre-experts de Bordeaux pour y découvrir des lésions osseuses. Cette contre-autopsie n'a toujours pas été effectuée.

2 OCTOBRE 1984 — Lors de son audition, Yann Gaillard, directeur de cabinet de Robert Boulin en 1979, déclare : « Au cours de cette matinée, j'ai remarqué sur le bureau du ministre quelques enveloppes timbrées dont les adresses étaient tapées à la machine. Ces enveloppes étaient du type courant, je veux dire qu'il ne s'agissait pas de plis à en-tête du ministère.

2 OCTOBRE 1984 — Que sont devenus ces courriers ? » Les enveloppes de la lettre dite posthume sont à l'en-tête périmé du ministère du Travail, et non pas « ministère du Travail et de la Participation ».

qu'il eût été absurde, comme nous l'avons démontré précédemment, de songer à se suicider en l'absorbant, sa quantité même éveillait le doute : jamais elle n'aurait pu provoquer une noyade, à moins que le noyé ne se fût maintenu lui-même la tête sous l'eau, ce que le réflexe de survie rend impossible. Mon père n'ayant pas, de son vivant, l'habitude de prendre des médicaments (à l'exception d'insignifiantes pilules digestives), l'étude des viscères ne serait que plus probante.

Nous demandâmes également l'examen des écrits posthumes attribués à mon père, et notamment des lettres soi-disant adressées par le ministre à une dizaine de destinataires. La première expertise s'en était tenue à la conclusion que ces lettres avaient été tapées sur sa machine à écrire personnelle. Était-ce une preuve de son implication indéniable ? N'importe qui peut écrire sur la machine d'un autre : rien n'indiquait qu'elles aient été rédigées par Boulin lui-même.

Et puis il y avait les témoins : nous exigeâmes qu'ils soient entendus, ou réentendus pour certains. De fait, ce 29 octobre, il subsistait une inconnue dans l'emploi du temps du ministre, que certaines personnalités pouvaient contribuer à combler. Il nous parut également indispensable de réclamer à Yves Autié des précisions, notamment sur la mystérieuse pile de dossiers que mon père lui avait fait porter du ministère jusque chez lui, et dont il est établi qu'il ne l'emporta pas lorsqu'il quitta pour la dernière fois son domicile : nombre, couleur des chemises, éventuellement titre ou contenu, etc. Cela nous aurait peut-être orientés vers la ou les personnes qui avaient un intérêt à faire disparaître ces dossiers.

1984 ARCHIVES. Le juge Corneloup souhaite interroger les policiers en faction 24 heures sur 24 devant le domicile des Boulin. Cela s'avère impossible. La police commence par nier s'y être trouvée. Lorsque, après vérification, le mensonge est révélé, ce sont les registres de présence du

1984 commissariat de Neuilly qui disparaissent, empêchant l'identification des agents en question. Pourtant, ces auditions permettraient de reconstituer précisément toutes les allées et venues au domicile de Robert Boulin dans la soirée du 29 octobre.

19 DÉCEMBRE 1984 *La Vie française* est condamnée à verser 20 000 francs de dommages et intérêts aux consorts Boulin, avec obligation de publier le jugement. L'hebdomadaire avait repris à son compte, sans précaution, la rumeur lancée par *La Lettre de l'assurance* (Voir le 26 janvier 1984).

Le docteur Broustra, de Libourne, qui connaissait si bien mon père, avait également un témoignage à apporter, important dans la perspective d'un éventuel suicide, et nous trouvions étrange que l'enquête eût omis de l'interroger. Malgré notre requête, il ne fut malheureusement jamais entendu ; il est aujourd'hui décédé.

Nous demandions l'audition de Marcel Cats, chef de cabinet, et de l'inspecteur Max Delsol, garde du corps de mon père. Tous deux s'étant rendus, sans nous en aviser, à l'Institut médico-légal de Paris le 30 octobre, nous souhaitions savoir ce qu'ils y avaient vu et entendu. Nous demandions qu'un autre tandem, Patrice Blank et Mᵉ Maillot, soit également auditionné.

Pour conclure, notre requête citait Jacques Chaban-Delmas, qui avait non seulement reçu l'une des lettres dites posthumes, mais avait indiqué devant témoins lors de l'enterrement qu'il connaissait « l'assassin », et qu'il ne pourrait s'attaquer à lui à moins de retrouver les dossiers disparus. Sinon, ajouta-t-il, « je ne pèserai pas plus lourd que Robert ». Ces propos étaient suffisamment troublants pour mériter une audition.

Contre-autopsie

La contre-autopsie eut lieu à l'hôpital Pellegrin de Bordeaux le 16 novembre 1983, soit quatre mois après la requête de notre avocat. Ce que nous y découvrîmes nous stupéfia. Ce jour-là, en présence du juge d'instruction de Versailles Philippe Maestroni, j'assistai à l'exhumation du corps au cimetière de Villandraut. Je souhaitais être témoin de l'ouverture du cercueil : quelques mois auparavant, des thanatopracteurs s'étaient spontanément

1985
Publication du livre
Mort d'un ministre de
Patrick Rambaud, inspiré
de l'affaire Boulin.

présentés chez notre avocat. Ils nous avaient avertis d'une probable momification à l'issue de la première autopsie, et de ses conséquences sur l'état du corps. Ils souhaitaient nous aider à faire surgir la vérité et dénoncer ces pratiques dilatoires qui déshonoraient leur profession. Nous n'avions, on le sait, jamais été sollicités pour une telle opération, pourtant encadrée par de strictes règles juridiques : une demande doit être officiellement déposée auprès des services de la préfecture avec l'accord de la famille, sous peine de fortes sanctions pénales, jusqu'à vingt ans de prison. L'enjeu était de taille. Ce jour-là, je voulais aussi vérifier l'exactitude de mes informations. Le juge n'accéda pas à ma demande, pensant sans doute m'épargner une cruelle épreuve.

Les professeurs L'Épée, Lazarini et Delorme, qui pratiquèrent la contre-autopsie sur le cadavre fraîchement exhumé, n'eurent cependant pas besoin de mon intervention pour constater l'opération de camouflage. Mon père avait effectivement subi des soins de thanatopraxie, qui avaient «momifié» la dépouille. Le terme est écrit noir sur blanc dans leur rapport. Les trois légistes y soulignaient par ailleurs que ladite momification avait créé des «conditions délicates, des difficultés et des impossibilités dans leur recherche de la vérité». Ils réclamèrent des suppléments d'expertise sur les soins apportés. En vain. Nous demandâmes pour notre part que les auteurs et commanditaires de ces soins soient recherchés et poursuivis, en vain également.

1985 — LETTRES. Le juge Corneloup, qui veut entendre le postier de Montfort-l'Amaury, ne peut pas l'auditionner. Selon la brigade criminelle, il se trouve à la Guadeloupe. Le postier est en réalité affecté à un poste en Bretagne, ce que des journalistes pourront établir par la simple consultation d'un annuaire.

15 MARS 1985 — Les docteurs Le Breton et Garat, qui avaient procédé aux analyses toxicologiques de Boulin, sont agressés dans la rue. Mme Garat est hospitalisée pour une fracture à la hanche. La plainte est classée sans suite.

JEUDI 26 SEPTEMBRE 1985 — Au cours de l'émission *Les Jeudis de l'information*, Lionel Jospin laisse entendre qu'Alain Peyrefitte aurait compromis son honneur dans l'affaire Boulin.

Le bordereau de momification

Les dossiers de mon père ne furent pas les seuls à s'être volatilisés. Ceux des pompes funèbres qui s'occupèrent de son corps subirent le même sort, alors que nous en avions besoin pour comprendre les circonstances dans lesquelles sa dépouille avait été maquillée et momifiée. Les médecins légistes de la contre-autopsie avaient besoin de connaître la composition du liquide inoculé pour l'embaumement, afin de déterminer la nature des modifications subies par le défunt.

Toute opération de thanatopraxie doit être légalement consignée sur un document administratif dit «bordereau d'intervention», qui en détaille le mode opératoire. Ce bordereau est conservé par les pompes funèbres. Auditionné à ce sujet le 20 janvier 1984, Albert Bouffandeau, directeur régional des Pompes funèbres réunies pour Paris–Île-de-France, tint un curieux raisonnement. Ayant lui-même vérifié qu'aucune demande ou autorisation de la famille, ni des autorités judiciaires, n'avaient été déposées à la préfecture[1], il déclara dans sa déposition : «En conséquence, je puis affirmer qu'il n'y a pas eu de soins de conservation.» Il ignorait sans doute que la réalité de l'embaumement venait d'être établie par la contre-autopsie. «Cependant, poursuivit-il, la société Hygeco France a dû intervenir à notre demande[2] pour faire une toilette sommaire. Une application de carboglace a sans doute été demandée pour permettre une conservation à court terme mais au cours de différents déménagements un certain nombre de documents que nous considérons

---

1. Cela n'empêchera pas le procureur Le Mesle, dans sa décision de rejeter notre demande d'ouverture en 2007, d'écrire contre toute évidence que ces soins ont été demandés par la famille.
2. Ce qu'a démenti le responsable des PFR de l'époque, Paul Perruchot, dans son audition du 20 janvier 1984.

LUNDI 21 OCTOBRE 1985

Alain Peyrefitte, en réponse aux propos de M. Jospin, déclare : «Avant et après le décès de Boulin, de nombreux magistrats, au tribunal de grande instance de Versailles, au tribunal de grande instance et à la cour d'appel de Caen, à la cour d'assises de Coutances et à la Cour de cassation, ont eu à connaître ce dossier,

LUNDI 21 OCTOBRE 1985

dont l'examen est venu en audience publique. Le Conseil supérieur de la magistrature a estimé, pour sa part, que les conditions dans lesquelles s'étaient déroulées ces procédures étaient sans défaut… Je mets quiconque au défi de citer un geste, une demande ou une parole qui à cette occasion auraient pu être

LUNDI 21 OCTOBRE 1985

contraires aux devoirs de ma charge de ministre [de la Justice] ou à mon honneur d'homme.» Qu'est devenue la plainte d'Alain Peyrefitte contre Lionel Jospin ?

d'une importance minime ont été détruits. Cela explique que l'on ne retrouve pas le volet du triptyque du bordereau d'intervention n° 1758.»

Patrice Gicquel, le thanatopracteur d'Hygeco France qui intervint sur le corps à l'IML, le 30 octobre 1979, ne se montra pas plus loquace. Il déclara néanmoins aux policiers qui l'interrogeaient, le 27 décembre 1983, qu'il avait reçu, avant son audition par la PJ, le conseil de son supérieur «qu'il valait mieux dire qu'on ne se souvenait de rien». Le bordereau, si bordereau il y eut, gardera ses secrets.

Il y a bien eu momification du corps, clandestinement et en toute illégalité. Mais nous ne savons toujours pas qui l'a sollicitée et à quel moment, qui l'a exécutée, ni qui l'a payée. À notre connaissance, les factures afférentes aux obsèques de Boulin furent prises en charge par les services du Premier ministre, à l'exception des frais d'ouverture et de fermeture du caveau familial à Villandraut, acquittés par ma mère. Nous savons cependant, sans contestation possible, que les soins de thanatopraxie ont permis de masquer les traces des blessures présentes sur le corps de mon père et de détourner l'attention des violences subies avant sa mort. Il est établi, en outre, que les produits chimiques utilisés pour l'embaumement ont la propriété de modifier l'état des organes et de la peau et, ainsi, de ne plus permettre de rechercher les causes de la mort lors d'une contre-autopsie. L'affaire, en somme, avait été rondement menée.

En ouvrant le corps, les légistes s'aperçurent que certains organes essentiels pour l'établissement des raisons du décès manquaient : le

7 NOVEMBRE 1985

PLAINTE CONTRE X POUR HOMICIDE.
Déposition de l'adjoint au maire Jean Tirlet qui décrit les traumatismes du visage de Robert Boulin, qu'il avait lui-même constatés au bord de l'étang Rompu.

pharynx, le larynx et la langue – dont le premier rapport d'autopsie ne donnait aucune analyse. Ils ne seraient jamais retrouvés.

De ces découvertes, les professeurs L'Épée, Lazarini et Delorme firent bien sûr un rapport éloquent, véritable mise en pièces de l'examen pratiqué quatre ans plus tôt et de ses prétendus résultats : ils déclarèrent l'autopsie «incomplète», soulevèrent le fait que «la dissection du crâne n'[avait] pas été pratiquée, sur ordre[3]», et que les conclusions de l'examen mené en 1979 étaient donc «peu démonstratives».

La noyade, considérée par les activistes de la thèse du suicide comme un fait acquis, n'avait pas été démontrée, et les légistes bordelais précisèrent qu'il leur manquait «l'élément fondamental pour établir indiscutablement cette submersion : l'étude anatomopathologique des poumons, dont on ne trouve aucune trace dans le dossier». Étrangement, cette étude-là n'avait jamais été menée. Quand une mort par noyade est envisagée, la comparaison entre l'eau du lieu supposé de la mort et celle retrouvée dans le corps du supposé noyé est pourtant de rigueur. Elle est même le seul moyen de savoir si la victime en a bien ingéré. Dans notre affaire, il y a deux possibilités : soit les légistes de 1979, en présence d'une potentielle situation de noyade, oublièrent d'analyser les poumons du noyé, ce qui témoigne d'une effarante incompétence ; soit ils omirent de le faire parce qu'on le leur avait demandé. Je laisse à chacun juger de l'hypothèse la plus plausible. Dans le cas Boulin, «c'est indiscutablement un manque», comme l'affirma sobrement devant les caméras de Canal Plus Mlle Garat[4], assistante du professeur

---

3. Du procureur responsable à l'époque.
4. Juliette Garat est la première femme médecin légiste. Sa rigueur scientifique et sa probité l'amenèrent à dénoncer certaines pratiques qui avaient cours à l'IML. Voir *Interdit de se tromper, quarante ans d'expertises médico-légales,* par les docteurs Roger Le Breton et Juliette Garat, en collaboration avec Serge Garde, Plon, 1993.

6 FÉVRIER 1986

PLAINTE POUR FAUX EN ÉCRITURE PUBLIQUE. Les consorts Boulin, par l'intermédiaire de Me Jacques Vergès, portent plainte pour faux en écriture publique contre le procureur de la République de Versailles et le maire de Saint-Léger-en-Yvelines.

6 FÉVRIER 1986

Ces derniers sont susceptibles d'être inculpés pour faux en écriture publique et complicité, infractions qui auraient été commises dans l'exercice de leurs fonctions.

Le Breton, le directeur du laboratoire de toxicologie. Tous deux furent probablement les seuls à effectuer correctement leur travail lors de la première autopsie.

Le visage de mon père, dont l'étrange aspect nous avait tant marqués le lendemain de sa mort, donna lieu, cinq ans plus tard, à des découvertes tout aussi considérables. La contre-autopsie révéla la présence d'une, voire de deux fractures au nez ; sous l'œil, elle mit en évidence une fracture importante d'un centimètre à la hauteur du maxillaire droit, un os extrêmement solide. Les examens de 1979 incluaient pourtant des radios du visage. Comment les radiologues avaient-ils pu passer à côté de telles blessures ? Ce mystère trouva son explication lorsque le docteur Francis Kannapel, expert radiologue, affirma que le procureur lui avait expressément ordonné de ne chercher dans les radios *que* des traces de balles. Nous avons demandé que les radiographies fassent l'objet d'une contre-expertise. Le juge Verleene s'adressa à cette fin à un expert de la Pitié-Salpêtrière qui lui répondit qu'il n'en avait pas le temps car il écrivait un livre. Les choses en restèrent là. J'espère que ces radios n'ont pas disparu. En mai 2010, alors que nous attendions une possible réouverture de l'instruction, le procureur général Falletti m'annonça en effet qu'une partie du dossier – qui contenait probablement les radios en question – s'était perdue. Un mois plus tard, la ministre de la Justice Michèle Alliot-Marie faisait annoncer en fanfare que les scellés disparus avaient été retrouvés. Mais à l'heure où j'écris ces lignes, mon avocat Me Olivier Morice attend toujours une réponse à sa demande d'inventaire des pièces du dossier.

---

12 MAI 1986 — DIFFAMATION PUBLIQUE. Me René Boyer – avocat des Boulin depuis le 17 mars – dépose une offre de preuve : les Boulin proposent de prouver la vérité de tous les faits articulés et qualifiés dans la citation pour l'audience du 3 juillet 1986 devant la 17e chambre du

12 MAI 1986 — Tribunal de grande instance de Paris, notamment le fait que le procureur de Versailles a ordonné une autopsie incomplète et que les prélèvements des poumons effectués n'ont pas été analysés.

Analysant ces fractures, le rapport de contre-autopsie estimait qu'il y avait eu, du vivant de la victime, «*traumatisme appuyé*» (souligné par les médecins) du massif facial de Robert Boulin, ce traumatisme pouvant correspondre «à un choc direct» ou provoqué par «une substance dure ou contondante». Les légistes ne pouvaient toutefois pas complètement exclure l'hypothèse, favorisée jusque-là, d'une manipulation brutale après la mort, par exemple avec l'aiguille, dite de Reverdin, utilisée par les thanatopracteurs pour refermer les mâchoires du défunt. Mais d'après mon enquête auprès des spécialistes, cette aiguille ne peut guère faire qu'un trou d'aiguille, et serait bien incapable de provoquer une fracture d'un centimètre de long! En conclusion, les médecins se prononçaient «nettement en faveur de l'hypothèse d'un traumatisme facial *chez un être vivant*».

Pour établir avec certitude le caractère vital de ces fractures, soulignèrent-ils, il aurait fallu une étude anatomopathologique des plaies en 1979. Étude, on le sait, éludée à l'époque, et rendue définitivement impossible par une momification qui prenait soudain tout son sens. La prudence extrême dont faisaient preuve dans leur rapport les professeurs L'Épée, Lazarini et Delorme ne suffisait pas à entacher la clarté de leur démonstration : s'ils brandirent l'hypothèse des coups après la mort, ce fut pour l'écarter aussitôt car elle ne tenait pas, sur un plan scientifique (ni sur tout autre d'ailleurs). Malgré ces démonstrations, les enquêteurs continuèrent à se cramponner à la seconde hypothèse, et les magistrats à s'y accrocher pour justifier leur décision de clore notre plainte pour meurtre.

Après ce nouvel examen, bien des choses s'éclairèrent. Quand sur les photos de la première autopsie, nous avions découvert avec

22 MAI 1986 Le lendemain de leur destruction, le préfet Daubigny demande par écrit à l'expert de l'IML, le professeur Le Breton, dépositaire des scellés, l'autorisation de procéder à l'enlèvement des bocaux des poumons.

effarement les blessures de mon père, on avait tenté de nous faire croire que sa tête avait heurté un rocher à la sortie de l'eau. Mais à l'étang Rompu, il n'y avait pas le moindre caillou. Comment donc expliquer un tel choc ? Nous avions également remarqué, sur les photos du corps prises sur la berge, les traces d'un possible passage à tabac : sur ces clichés, on voit nettement un filet de sang sous le nez de mon père. La circulation sanguine ne se faisant plus après le décès, ce saignement est la preuve indiscutable que les coups furent portés de son vivant. Max Delsol et bien d'autres tentèrent de m'expliquer, dans les jours qui suivirent sa mort, qu'il se serait cogné et abîmé le visage contre sa voiture après avoir avalé des barbituriques. Cette thèse est absurde pour deux raisons : il n'y a pas de barbituriques, il n'y en a jamais eu, il n'en fut retrouvé aucune trace dans son corps ; et s'il s'était effectivement cogné lui-même, les saignements provoqués par les fractures du nez et du maxillaire auraient immanquablement laissé des traces de sang. Or à l'étang Rompu, il n'y avait de marques de sang ni sur la voiture, ni sur le sol jonché de feuilles mortes qui en auraient gardé trace, ni, selon l'expert qui les a examinés, sur les habits de la victime. Les coups furent portés avant et ailleurs, c'est indéniable.

Le soir du 16 novembre 1983, nous nous retrouvâmes au cimetière pour enterrer mon père de nouveau. Le juge Maestroni, qui était présent, n'attendit pas la remise officielle du rapport pour nous informer de ses stupéfiantes découvertes : il en souligna l'importance et mit l'accent sur les avancées spectaculaires, décisives, qui venaient d'être produites pour l'enquête. Confortés pour la première fois dans notre bon droit, nous étions

---

3 JUIN 1986 — Roger Le Breton avertit le préfet Daubigny des modalités et insiste sur la nécessité de conserver les prélèvements.

DÉCEMBRE 1986 — **JAMBES.** Lors de l'expertise des vêtements, le professeur Ceccaldi ne signale aucune présence de vase ou de boue sur le bas du pantalon ni sur les chaussures, ce qui indique que Robert Boulin n'est pas entré dans l'étang par ses propres moyens.

DÉCEMBRE 1986 — Le professeur Ceccaldi expertise les vêtements. « L'examen des vêtements n'a pas permis de découvrir des coupures ou perforations suspectes ni de déchirures pouvant attester que le corps a été traîné, seul le gilet est décousu, mais dans le dos. »

bouleversés mais satisfaits. Notre soulagement était cependant tempéré par la lourde épreuve de l'exhumation et de la contre-autopsie, mais surtout par le choc des conclusions des légistes. Traumatisés, indignés, nous étions à présent convaincus que des obstacles systématiques avaient été érigés jusque-là pour nous empêcher de connaître ces éléments. Nous comprîmes en un instant pourquoi on s'était acharné à nous faire croire, lors de la première autopsie, que nous avions insisté pour que le corps ne soit pas abîmé : il s'agissait de nous désigner comme responsables de ce qui avait été accompli à notre insu. Et dire que nous nous en étions remis les yeux fermés aux autorités compétentes, faisant confiance à leur professionnalisme !

Le 17 janvier 1984, ma mère, mon frère et moi étions convoqués au tribunal de Versailles. Le juge Maestroni souhaitait nous faire connaître, officiellement cette fois, les conclusions de la contre-autopsie. Nous savions que cette entrevue constituerait un tournant, qu'elle serait l'occasion de faire savoir à l'opinion publique l'énorme scandale qui se jouait dans son dos : l'assassinat du ministre Boulin et le camouflage qui s'ensuivit. Avec notre avocat Jacques Vergès, nous décidâmes de donner une conférence de presse à la sortie du cabinet du juge, au cours de laquelle nous lirions une lettre ouverte au procureur : nous voulions que les irrégularités de l'enquête soient connues de tous, et que les responsables assument leurs actes ; que chacun mesure combien nous nous sentions outragés par les mensonges successifs des autorités judiciaires et policières ; que le dossier soit, comme cela nous semblait légitime, dépaysé à Paris pour y être traité correctement. Sur les marches de son propre palais

DÉCEMBRE 1986

TÉMOINS. Malgré les demandes réitérées de la famille Boulin à différents ministres de la Justice, l'extradition d'Henri Tournet, l'homme qui a vendu le terrain de Ramatuelle à Robert Boulin, n'a jamais été requise, sous le prétexte que la justice ignorait où

DÉCEMBRE 1986

il se trouvait. Pourtant le juge Corneloup lui-même est allé l'interroger à son domicile d'Ibiza.

de justice, nous mettions enfin directement en cause le procureur sur la manière dont il avait dirigé l'enquête.

Je reconnais volontiers que ce fut là une erreur stratégique. L'expression employée – qui voulait donner à voir la gravité de la situation – n'eut pas les effets escomptés : on nous jugea excessifs, et nous perdîmes de notre crédibilité aux yeux de nombreux journalistes. Notre attitude pouvait cependant aisément s'expliquer après tout ce que nous venions de vivre. Cette considération n'a visiblement guère pesé dans l'esprit de Robert Badinter, notre ancien avocat, devenu ministre de la Justice. Le jour même, il porta plainte contre nous devant le tribunal correctionnel de Paris pour diffamation publique envers un fonctionnaire public en raison de ses fonctions. Nous qui n'avions jamais eu affaire à la justice, nous étions soudain inculpés. Il nous fallut trouver non seulement l'énergie, mais l'argent nécessaire à notre défense, et démontrer la réalité des faits justifiant nos accusations contre le procureur, ce qu'en termes juridiques on appelle «l'offre de preuve».

Quelque temps plus tard, alors qu'il ne restait plus que trois jours à notre avocat Jacques Vergès pour présenter l'offre de preuve devant le tribunal correctionnel, j'appris que notre conseil se trouvait à l'île de La Réunion et qu'il ne reviendrait pas de sitôt. J'eus alors la certitude que nos adversaires profiteraient de cette occasion pour nous abattre, moralement et financièrement. Nous n'avions aucune fortune personnelle, mon père ne nous ayant pas laissé de pelote de laine. Depuis la plainte déposée contre nous, ma mère s'était trouvée contrainte de payer sur sa pension de réversion tous les frais de justice, aidée en cela par mon frère et moi quand nous le pouvions.

18 DÉCEMBRE 1986

DIFFAMATION PUBLIQUE. Le tribunal correctionnel jugeant les Boulin pour diffamation publique envers un fonctionnaire public écarte l'offre de preuve, refusant la production du dossier de l'information ouverte contre X. Ils n'acceptent

18 DÉCEMBRE 1986

pas non plus d'entendre les médecins légistes, au nom du secret professionnel. Les Boulin font appel. À l'issue de cette procédure, ils sont condamnés, puis amnistiés.

Me René Boyer

Avec l'énergie du désespoir, je me précipitai alors chez l'avocat René Boyer, qu'Éric connaissait depuis qu'il avait effectué un stage chez son associé de l'époque, Joé Nordman. Ce fut le début d'une longue complicité avec un homme qui devait assurer notre défense jusqu'à sa retraite. Les grandes avancées de l'affaire Boulin sont essentiellement le fruit de son travail et de sa compétence. Sans lui, le dossier serait irrémédiablement clos.

Malgré la brièveté du délai, il présenta l'offre de preuve dans les temps impartis : celle-ci comportait le versement aux débats de l'intégralité du dossier de notre plainte pour homicide volontaire contre X. Dans ce dossier, on trouvait la copie du premier rapport médico-légal, faisant état de « l'ordre formel du procureur de ne pas pratiquer l'autopsie du crâne » initialement prévue par les légistes, ainsi que la retranscription écrite d'une écoute téléphonique édifiante, évoquant les « tripatouillages » auxquels avait donné lieu l'inscription du décès de Robert Boulin sur le registre d'état-civil de la commune. Peu après la mort de son beau-père, alors qu'Éric était en état de choc, l'inspecteur Max Delsol lui avait en effet ordonné de l'accompagner à la mairie de Saint-Léger-en-Yvelines pour y signer le registre d'état-civil. Éric s'était demandé pourquoi une telle formalité était nécessaire, mais il faisait encore confiance à Max et avait donc accepté de le suivre, encadré de policiers, dans une voiture du SRPJ de Versailles.

Nous avions saisi la portée de ce geste plus tard, en découvrant que, avec l'aval du maire de la ville, les mentions du jour et de l'heure de la mort avaient été modifiées en toute illégalité sur le registre. Nous avions alors décidé de porter plainte pour faux en

---

20 JANVIER 1987

DIFFAMATION PUBLIQUE. Les prévenus Boulin font appel du jugement du 18 décembre 1986 en présentant une requête prévue par l'article 507 du Code de procédure pénal. Par une simple mention portée en marge, le président de la chambre

20 JANVIER 1987

correctionnelle de la cour d'appel a rejeté la requête, sans indiquer le nom du juge qui a statué. Les Boulin se pourvoient en cassation contre cette décision.

30 AVRIL 1987

Me René Boyer obtient difficilement du garde des Sceaux Albin Chalandon l'aide judiciaire pour financer les coûts d'exhumation des bocaux contenant les derniers prélèvements d'organes du ministre, censés se trouver au cimetière de Thiais.

écriture publique, afin de savoir qui avait ordonné ces modifications et pourquoi. Mais le juge nous opposa le fait que mon mari avait, par sa signature, avalisé ces modifications, transformant « le faux en écriture publique » en « simple faux en écriture privée »… dont le délai de prescription, beaucoup plus court, était malheureusement dépassé. Notre plainte devint ainsi irrecevable. J'attends toujours de Max Delsol qu'il m'explique qui l'a sommé d'abuser de la confiance d'Éric et pourquoi il a accepté. La dernière fois que nous le lui avons demandé, il a prétendu n'avoir aucun souvenir de cet épisode.

Pour notre défense devant le tribunal correctionnel, nous demandions également l'audition de sept témoins : les médecins légistes ayant pratiqué les deux expertises médico-légales ; Marcel Cats, dont on disait qu'il était intervenu lors de l'autopsie pour éviter le « charcutage » du corps alors qu'il n'aurait eu aucune autorité pour le faire ; Alain Morlot, enfin, kinésithérapeute de mon père, et témoin que, la veille de sa mort, ses poignets étaient indemnes, puisqu'il l'avait massé. Par ce témoignage, nous voulions mettre en lumière que la blessure profonde, en voie de cicatrisation, au poignet droit, constatée lors de la première autopsie, aurait dû faire l'objet d'une enquête pour en déterminer l'origine

Malheureusement, à l'issue de l'audience du 27 novembre 1986, le tribunal correctionnel jugea que notre « offre de preuve » n'était pas recevable et que les documents produits par nous ne devaient pas être pris en compte. Il nous interdit en conséquence de faire entendre les médecins experts.

21 MAI 1987 La série *bis* des scellés des poumons est détruite à l'insu de l'expert, du juge d'instruction et de la famille par la nouvelle directrice de l'IML, alors que l'action pénale pour homicide est en cours d'instruction depuis 1983 et que la famille Boulin a exprimé

21 MAI 1987 publiquement sa volonté de retrouver ces bocaux.

9 JUIN 1987 DIFFAMATION PUBLIQUE. La chambre de la Cour de cassation ordonne que le jugement lui soit soumis.

Les raisons invoquées par le tribunal furent diverses : il n'était pas établi que les documents produits avaient été régulièrement obtenus ; quand bien même leur origine exacte pouvait être désignée, il s'agirait alors d'éléments d'une procédure d'instruction en cours, «dont la production présentait pour cette raison un caractère partiel et unilatéral» ; quant aux cinq médecins légistes, ils ne pouvaient être entendus car tenus au respect du secret de l'enquête, et assujettis au secret médical.

Après une longue procédure dont je fais grâce au lecteur, nous fûmes finalement condamnés sans avoir eu le droit de nous défendre, et amnistiés par la seule grâce de l'élection présidentielle de 1988.

Une consolation nous vint de la Cour de cassation, qui avait annoncé dans l'intervalle sa décision de dépayser l'instruction du dossier Boulin à Paris «pour une bonne administration de la justice». Doux euphémisme. Au moins, sur ce plan, avions-nous obtenu ce que nous voulions, au prix de quatre années de poursuites et d'un combat judiciaire perdu !

Lividités baladeuses

Entre-temps, l'enquête avait pris un nouveau tournant et nous avait exposés à autant d'espoirs que de déconvenues. James Sarazin, alors journaliste au magazine *L'Express*, fut le premier à nous aviser du problème soulevé par l'emplacement des lividités cadavériques sur le corps de mon père.

Les lividités sont l'un des indices élémentaires communément utilisés par la médecine légale pour déterminer la date et les circonstances de la mort. Elles désignent une coloration rouge à violacée de la peau, liée à un déplacement de la masse sanguine vers les parties déclives du cadavre, qui s'amorce dès l'arrêt de la circulation du sang. Sous l'effet de la gravitation, le sang s'accumule et s'immobilise sous la peau non comprimée des parties les plus basses. Chez une victime allongée, les lividités se trouvent donc dans le dos. Lorsque leur emplacement ne correspond pas à celui attendu, elles témoignent d'un changement de position du corps. Leur teinte peut aussi donner des renseignements sur la cause de la mort.

Les lividités cadavériques commencent à se positionner dans les deux à trois heures après le décès pour se fixer définitivement au bout de douze heures.

Dans l'hypothèse du suicide, Robert Boulin serait mort entre 17 h 30 et 20 h 00 le lundi 29 octobre 1979. Quand les gendarmes retrouvèrent le corps à 8 h 40 le lendemain, l'emplacement des lividités était donc définitif.

Le rapport médico-légal de la première autopsie précise qu'elles se situaient dans le dos alors que mon père a été retrouvé sur le ventre, dans la position de la prière du musulman : les lividités auraient dû se fixer naturellement sur le ventre et le devant des jambes. Puisqu'elles n'étaient pas là où elles étaient censées être, une conclusion aurait dû immédiatement s'imposer : le cadavre avait été déplacé après la mort. Dans l'hypothèse d'une mort solitaire, c'est à l'évidence impossible. On comprend donc mal que les médecins légistes se soient contentés de constater cet élément contredisant la thèse officielle sans pousser plus avant leurs recherches.

27 AOÛT 1987 — **PRIX DU TERRAIN.** En vue de l'agrandissement de la route départementale, les consorts Boulin sont indemnisés de l'expropriation de 74 m² de leur terrain déjà bâti à Ramatuelle. Ils se partagent la somme de 925 francs (125 euros).

28 OCTOBRE 1987 — Le juge Corneloup se rend à Ibiza pour interroger, sur commission rogatoire, Henri Tournet, l'homme condamné à 15 ans de prison par contumace et toujours en cavale.

NOVEMBRE 1987 — Serge Garde, journaliste à *L'Humanité*, décide d'aller vérifier lui-même les informations de la police judiciaire sur l'emplacement des prélèvements d'organes. Il constate que le monument censé faire obstacle aux investigations se situe à l'entrée du carré réservé aux donneurs d'organes et ne gêne en rien la recherche des scellés.

Au début, nous n'y avons vu que du feu. Il fallait être de la partie pour comprendre, à la lecture du rapport médico-légal, que l'emplacement des lividités démontrait l'impossibilité du suicide. Les policiers et les juges, eux, savent bien qu'il s'agit là d'un élément crucial d'une autopsie. Pourtant aucun n'a soulevé ce problème majeur. Il nous fallut attendre que deux journalistes attirent notre attention sur la question pour que, sous la pression intense de notre avocat, la justice commence à s'y intéresser.

Serge Garde, dans *L'Humanité* datée du 15 décembre 1987, comme James Sarazin dans *L'Express* du 8 janvier 1988, mettaient en évidence le fait qu'avec les lividités cadavériques, les enquêteurs disposaient dès le premier jour de la preuve médico-légale qui contredisait la mort solitaire. Cela rend d'autant plus incompréhensible le fait que le procureur ait exigé, sous prétexte que le suicide ne faisait pas de doute, un examen incomplet du corps (comme il est indiqué dans le rapport des médecins légistes eux-mêmes). Cette autopsie partielle fut décidée alors même que d'autres éléments auraient dû inciter à suivre une piste criminelle : le visage de boxeur de la victime, l'entaille profonde au poignet – qui n'a jamais été expliquée –, ainsi que l'étrange position du corps, dont la raison est inconnue elle aussi : courbé en avant, jambes repliées[5]. En y regardant de plus près, on aurait remarqué que les rigidités cadavériques du bras (cet enraidissement progressif de la musculature qui débute entre trente minutes et deux heures après le décès) avaient été cassées, comme si le corps avait été transporté dans un espace étroit, un coffre de voiture par exemple.

Les travaux de Garde et Sarazin sur les lividités concentrèrent en tout cas notre attention, et nous permirent d'obtenir de la

---

5. Cf. illustration page de droite.

Pendant 10 jours, le juge Corneloup va chercher au cimetière de Thiais, en vain, les scellés judiciaires contenant les poumons de Boulin, jetés illégalement dans la fosse commune, afin de pratiquer l'analyse anatomopathologique et déterminer s'il y a eu noyade

dans l'étang Rompu. Après des fouilles approfondies, aucun bocal, parmi les 282 analysés, étiquetés ou non, ne contient le moindre scellé de poumons.

justice qu'elle se penche enfin sérieusement sur le dossier, près de dix ans après les faits. Le juge Verleene chercha les causes de ces constatations récemment révélées, sans en trouver d'autre qu'un déplacement du corps après la mort. Fort à propos, un journaliste, Jean-Michel Brigouleix, vint expliquer doctement dans *France-Soir*, le 9 janvier 1988, que des bêtes sauvages avaient retourné le cadavre durant la nuit. Le juge interrogea le garde forestier de l'étang Rompu, qui mit en pièces cette tentative pathétique d'explication. Les services de police suggérèrent alors que l'hélicoptère ayant évacué le corps aurait produit, lors de son arrachement au sol, un déplacement des lividités, ce qui fit éclater de rire juge et avocat.

Corps de Robert Boulin sur la berge de l'étang Rompu. Son bras droit et ses jambes sont étrangement repliés.

La question des lividités est d'évidence l'une des plus embarrassantes pour les tenants de la thèse officielle : impossible de clore l'affaire Boulin sans y apporter une réponse plausible. La décision de la chambre d'accusation, présidée par Mme Martine Anzani, qui confirma le non-lieu en mars 1992, avança donc une nouvelle explication à leur changement de place : la température de l'eau de l'étang. Pour justifier cet argument, la chambre prétendit s'appuyer sur les dires d'un expert incontesté en médecine légale et familier de l'affaire Boulin, le professeur Le Breton. Or, quand ce dernier prit connaissance des propos que l'arrêt de la chambre d'accusation lui prêtait – et ce, malheureusement, après la confirmation du non-lieu –, il se déclara furieux et le clama haut et fort. Dans son livre de mémoires, publié en 1993, il estime que «l'utilisation de son nom pour ce type de démonstration pseudo-scientifique [était] abusive[6]».

Puisqu'elles ne sont intervenues qu'après la clôture de l'affaire Boulin, mais qu'elles sapent à la base l'argumentation qui a abouti au non-lieu, les protestations notoires du professeur sont d'une grande importance, et constituent indubitablement un «fait nouveau». Lors de notre demande de réouverture de l'instruction, en 2002, nous avons invoqué ce «fait nouveau», venu s'ajouter aux nombreux autres révélés par la presse (notamment par Canal Plus et France Inter). Comme tous les autres, cet argument de poids fut balayé du revers de la main par le procureur Laurent Le Mesle[7], qui refusa la réouverture de l'instruction en octobre 2007.

Il faudra pourtant un jour se résoudre à admettre la vérité. Comme dans n'importe quelle autre affaire criminelle, les lividités ont parlé et ce qu'elles disent est édifiant : si le corps de Robert Boulin a été déplacé après sa mort, c'est qu'il n'est pas arrivé vivant à l'étang Rompu, et qu'il ne s'est pas noyé volontairement.

---

6. *Interdit de se tromper*, op. cit.
7. Avant d'être procureur général près de la cour d'appel de Paris, Laurent Le Mesle était conseiller de Jacques Chirac pour les affaires de justice.

8 JANVIER 1988
Dans un article publié dans *L'Express*, intitulé «Le faux suicide de Robert Boulin», James Sarazin révèle que l'emplacement des lividités cadavériques, sur le dos, indique que le corps du ministre a été déplacé après sa mort. Un «pool» de journalistes de plusieurs médias se constitue pour tenter de tirer au clair les conditions de sa mort.

MARS 1988
Le magistrat Alain Verleene reprend le dossier Boulin.

À la recherche des poumons perdus

Rien à faire pourtant, la noyade dans l'étang Rompu demeurait pour la justice française la seule thèse valable. Cependant, dès 1979, les enquêteurs avaient à leur disposition un moyen définitif d'établir la vérité. Il aurait suffi de procéder à une analyse anatomopathologique, geste banal, et pratiqué d'office en cas de noyade : l'examen consiste tout d'abord à identifier les micro-organismes, ou diatomées, présents dans l'eau supposée avoir été inhalée (ici celle de l'étang Rompu). On recherche ensuite avec un microscope la présence de ces mêmes micro-organismes dans les prélèvements des poumons et des bronches de la victime. Si une quantité suffisante est trouvée, la noyade est prouvée.

Une telle analyse aurait tranché définitivement la question. C'est bien à cette fin que les médecins légistes de 1979 placèrent les prélèvements de poumons sous scellés. Or, comme l'analyse en question ne fut pas ordonnée par le procureur (qui ne demanda pas non plus que des échantillons d'eau soient prélevés dans l'étang Rompu), cette expertise n'eut jamais lieu. Et ne pourra jamais plus avoir lieu.

Dès le dépôt de notre plainte, en 1983, nous avions demandé l'examen des viscères, non effectué en 1979, pour que les causes de la mort soient établies scientifiquement. La nécessité d'une analyse anatomopathologique s'imposait alors à tous comme une évidence. En vue de cette analyse, l'un des premiers actes du juge d'instruction, Michel Maestroni, fut de demander au commissaire Gilles Leclair de se rendre à l'Institut médico-légal vérifier lui-même que les scellés des poumons s'y trouvaient – ce qu'il constata, le 3 août 1983. À l'époque, les parties civiles n'étaient pas tenues informées

AVRIL 1988
La famille Boulin porte plainte pour « destruction de preuves ».

15 JUIN 1988
Le Figaro est condamné pour diffamation envers les consorts Boulin et doit verser 30 000 francs à chaque membre de la famille pour avoir, une fois de plus, colporté la rumeur sans chercher à en contrôler la véracité. (Voir 26 janvier 1984.)

précisément des progrès de l'instruction. Ni ma mère, ni mon frère, ni moi n'eûmes connaissance de ces constatations. Je n'ai découvert le rapport du commissaire Leclair que des années plus tard, lorsque j'eus enfin le dossier en main. Ce «détail» n'est pas sans importance pour la suite.

En 1983, le juge fit également constituer des prélèvements d'eau de l'étang Rompu. Mais lorsqu'il voulut avoir accès aux bocaux contenant les poumons de mon père, la police judiciaire lui apprit qu'ils avaient été envoyés pour destruction au cimetière de Thiais, précisant que ce déménagement malencontreux avait eu lieu dans le courant du «premier trimestre de 1983». Or, c'est précisément à ce moment-là que nous faisions savoir par la presse notre intention de porter plainte contre X pour homicide... Si j'avais su alors que le commissaire Leclair avait constaté la présence des bocaux à l'IML en août 1983, soit plusieurs mois après leur prétendu transfert à Thiais, j'aurais peut-être pu remettre en cause les dires de la PJ au juge d'instruction. Au lieu de suivre la piste du cimetière, nous aurions réclamé à l'IML les bocaux contenant les poumons de mon père, que le commissaire Leclair y avait vus *après* le supposé déménagement. À ce moment-là, nous les aurions probablement trouvés.

Ce n'est qu'en 1987 que nous apprîmes que les viscères de mon père avaient fait l'objet de deux séries de scellés : l'une conservée dans le formol, l'autre dans le froid. La première série fut soi-disant envoyée à Thiais début 1983 ; la disparition de l'autre série, elle, intervint en mai 1986, dans des circonstances rocambolesques (sur lesquelles nous reviendrons).

14 AOÛT 1988
Un incendie détruit une partie de la maison de Jean Lalande, beau-frère de Robert Boulin, à Barsac en Gironde. L'origine de l'incendie n'a jamais été expliquée.

14 AOÛT 1988
Jean Lalande est un témoin important, convaincu de la thèse de l'assassinat.

Le juge Corneloup, qui avait succédé au printemps 1984 au juge Maestroni[8], estima lui aussi que l'analyse des poumons était indispensable pour déterminer les circonstances de la mort, et établir s'il y avait eu noyade ou pas. La police judiciaire lui donna tant de précisions sur l'endroit et la date à laquelle les bocaux avaient été enterrés qu'il concentra toute son attention sur le cimetière de Thiais.

Me René Boyer dut cependant user de son pouvoir de persuasion pour convaincre le juge d'aller retrouver ces bocaux. Sitôt que nous manifestâmes notre intention de nous rendre à Thiais, la PJ se mit en effet à distiller à M. Corneloup des informations propres à freiner nos ardeurs. Dans un premier temps d'ordre géologique : les bocaux auraient été enterrés dans le carré réservé aux personnes ayant fait don de leur corps à la science, là où le sous-sol est malheureusement constitué d'une glaise qui rendrait les recherches particulièrement ardues ; d'ordre architectural enfin : par une malheureuse coïncidence, un monument à la gloire des donneurs d'organes aurait été érigé à l'automne 1983 juste au-dessus de l'emplacement où les bocaux se trouvaient enfouis. C'est du moins ce que la conservatrice du cimetière déclara lors de son audition par la PJ en janvier 1984, ajoutant que «toutes recherches poser[aient] des problèmes certains». Enfin, si la famille persistait à vouloir faire retrouver les bocaux, il allait lui en coûter[9]. Le devis que l'on nous présenta alors s'élevait à la somme, très importante pour nous, de deux cent cinquante mille francs (l'équivalent de trente-huit mille euros, et ce en 1984).

---

8. Yves Corneloup instruisit l'affaire de mars 1984 à janvier 1988.
9. Dans le système français, c'est la partie civile qui s'acquitte de tous les frais d'investigation.

10 SEPTEMBRE 1988

Fabienne Boulin Burgeat se rend chez M. Moreau qui possède un garage à Vauhallan. Il lui explique qu'avec Marcel Galland, mort l'année précédente lors d'une opération, ils avaient l'habitude de pêcher, dans l'étang Rompu, très apprécié pour ses brochets et ses sandres. Marcel lui aurait confié, un an au moins après les faits, qu'il avait assisté à la noyade de Robert Boulin. «Heureusement que j'avais mis ma voiture sur l'autre chemin, autrement ils m'auraient assassiné. Deux hommes en ont mis un troisième dans l'étang en le tenant par les pieds.» Marcel Galland s'est caché dans la forêt avant de fuir. M. Moreau achève son histoire par ces mots : «Si j'avais personnellement assisté à la scène, je leur aurais foncé dessus, ou serais allé voir le juge car je ne suis pas un déballonné, mais là, personne n'aurait été obligé de me croire, [en tant que témoin de témoin] ce n'est pas une preuve. De plus, le lendemain je serais mort.»

René Boyer se battit pendant près de deux années afin que l'État prenne en charge ces frais au titre de l'aide judiciaire. L'aide fut finalement accordée par le ministre de la Justice, Albin Chalandon, en 1987. Au même moment, alors que nous étions prêts à aller à Thiais découvrir le pot aux roses, la deuxième série de prélèvements des poumons, toujours conservée à l'IML, était détruite sans que nous n'en sachions rien.

Il suffit que l'État décide de prendre à sa charge les travaux d'exhumation des bocaux pour qu'aussitôt le monument de Thiais qui soi-disant empêchait l'exhumation des bocaux devint tout à fait accessoire. Et pour cause : un jour de novembre 1987, Serge Garde, journaliste à *L'Humanité*, se rendit sur place pour vérifier le bien-fondé des informations de la police judiciaire. Stupéfaction ! Il constata que le monument, situé à l'entrée du carré réservé aux donneurs d'organes, ne gênait en rien la recherche des scellés…

Finalement, rendez-vous fut pris à la mi-novembre 1987 pour récupérer les bocaux. Les recherches au cimetière de Thiais, auxquelles j'assistai en partie, avec le juge Corneloup et Mᵉ Boyer, durèrent dix jours. Très aimablement, le premier jour, le juge nous proposa de partager son véhicule pour nous y rendre. Nous acceptâmes volontiers son invitation. Installé à côté de son chauffeur dans sa voiture de fonction roulant à tombeau ouvert toutes sirènes hurlantes, Corneloup dirigeait lui-même la circulation, donnant tantôt des ordres aux autres véhicules avec des gestes appuyés, tantôt des injonctions à ceux qui auraient pris le risque de ne pas s'arrêter à notre passage. À la vitesse à laquelle nous allions, fichtre ! il fallait

11 NOVEMBRE 1988

Interview d'Hermann Stromberg réalisée par le journaliste de *L'Humanité*, Serge Garde. Il raconte avoir été présent lors de la mort accidentelle de Boulin. Selon lui, Robert Boulin avait rendez-vous avec Christian Bonnet, ministre de l'Intérieur,

11 NOVEMBRE 1988

Alain Peyrefitte, garde des Sceaux, Fontanet, deux autres hauts fonctionnaires et Henri Tournet, au carrefour des Voleurs en forêt de Rambouillet.

7 DÉCEMBRE 1988

Question écrite du groupe communiste à l'Assemblée nationale. « M. Georges Hage exprime au garde des Sceaux ses interrogations sur le fait que, neuf ans après, les circonstances de la mort de Robert Boulin n'aient toujours pas été établies. »

éviter les accidents. Mais les morts ne sauraient attendre… Assise à l'arrière à côté de mon avocat, silencieuse, j'essayais de me préparer au mieux à l'épreuve qui nous attendait.

Quand les recherches commencèrent dans le cimetière, les fleurs de la Toussaint n'étaient pas encore toutes fanées et coloraient çà et là la grisaille des tombes. Je me tenais au bord du trou que les terrassiers fouillaient sans relâche, à la recherche des bocaux censés contenir les poumons de mon père. L'odeur était pestilentielle. Des monceaux de cadavres anonymes s'entassaient sous nos pieds au fur et à mesure de l'excavation. Les vers de Rimbaud me revinrent alors en mémoire : «Dansent, dansent les paladins/Les maigres paladins du diable/Les squelettes de Saladins […] Et les pantins choqués enlacent leurs bras grêles/Comme des orgues noirs, les poitrines à jour/Que serraient autrefois les gentes damoiselles/Se heurtent longuement dans un hideux amour[10].»

Pendant plusieurs jours, nous restâmes, Me Boyer et moi, au pied d'une grande tranchée d'une soixantaine de mètres carrés. Les voliges en bois, ces grandes boîtes utilisées par l'IML pour transporter les bocaux de restes humains, étaient empilées au-dessous de maints corps démantibulés, jetés dans ce qui n'était qu'une fosse commune. Les cadavres ressemblaient à des pantins disloqués. À certains, il manquait un membre supérieur, à d'autres une jambe, ou encore une tête. Une escouade d'hommes en combinaison blanche, identiques à ceux qui avaient, huit ans plus tôt, ramené chez nous le corps de mon père, s'affairait ici et là. Les inspecteurs

---

10. « Le bal des pendus », Arthur Rimbaud.

12 JANVIER 1989
PLAINTE POUR DESTRUCTION DE PREUVES. La directrice de l'IML est entendue, en tant que témoin assisté, par le juge Brigitte Blind chargée de l'instruction de la plainte pour destruction de preuves.

27 NOVEMBRE 1989
Agression de Fabienne Boulin Burgeat à la veille de son passage à l'émission « Star à la barre » (Antenne 2), animée par Daniel Bilalian, où elle est invitée à témoigner de l'impossibilité du suicide. Deux jeunes hommes en costume cravate volent à

27 NOVEMBRE 1989
l'arraché son sac contenant des éléments du dossier.

de la PJ étaient également nombreux autour de ce grand trou. Malgré l'habitude qu'ils avaient de voir des cadavres, le spectacle de tous ces corps dans des positions aussi incongrues leur était visiblement difficile à supporter. Ils n'avaient encore jamais vu chose pareille. Autour du charnier, pour se réconforter sans doute, ils se racontaient les faits divers les plus horribles qu'ils avaient connus au cours de leur carrière : la petite vieille morte sur son lit et retrouvée des mois plus tard ; le cadavre, découpé et stocké dans des sacs poubelles, qui se répand, liquéfié, sur les marches de l'escalier… L'ambiance était lourde pour tout le monde. Et moi qui continuais de vouloir trouver quelque chose de sacré dans les morceaux d'organes que nous cherchions !

René Boyer fit observer d'entrée de jeu au commissaire de la police judiciaire, Christian Flaesch[11], l'absence de monument à la gloire des donneurs d'organes sur ce carré. La chose eut pour seul effet de déclencher l'hilarité du pandore. Le juge, lui, était rassuré. Il fit à son tour remarquer au commissaire que, contrairement à ses pronostics, la terre n'était pas glaiseuse et les voliges demeuraient en bon état : «Vous disiez qu'elles seraient inexploitables, mais non, regardez, le sol est sec.» Et, la mine réjouie, il alla s'affairer plus loin. Le commissaire Flaesch, avec ses faux airs à la Delon, se pencha alors vers moi et me dit à l'oreille, d'une voix doucereuse mais ferme : «De toute façon, vos bocaux, vous ne les retrouverez jamais !»

Le juge, apparemment moins impressionnable que les policiers, dirigeait les recherches avec allant. Il avait dû en voir bien d'autres !

---

11. Depuis juillet 2007, Christian Flaesch dirige la police judiciaire parisienne.

JUILLET 1990 Le journaliste Jacques Derogy s'attaque à la petite équipe de reporters qui travaillent de près sur l'affaire et en dénoncent les turpitudes. Il écrit, dans *L'Événement du jeudi* : «Or, comme pour les chambres à gaz, les "révisionnistes" du fait divers s'acharnent

JUILLET 1990 d'autant plus à contester les versions avérées qu'ils peuvent avoir quelque part mauvaise conscience. Quitte à falsifier les faits… »

9 JANVIER 1991 Mme Laurence Vichnievsky est nommée juge d'instruction en remplacement de M. Verleene. Elle hérite d'un dossier particulièrement volumineux et complexe, dont la totalité mesure plus de 1,50 mètre de haut.

Il me revint alors le souvenir d'un après-midi au palais de justice de Paris où, assis sur un banc dans la galerie des juges d'instruction, nous attendions pour être entendus par Corneloup. Bien moins solennel et rutilant que les salles d'audience ou la galerie des Pas-Perdus, le couloir était étroit, et le spectacle des hommes menottés, encadré chacun de deux gendarmes, me serrait le cœur. Puis nous, les consorts Boulin, fûmes introduits dans le bureau modeste du juge. Au pied de la chaise qui me fut assignée, je vis une mare de sang tout frais. Effarée, je me retournai vers la greffière, qui me dit calmement : « Ce n'est rien. Le client précédent. Encore un qui ne voulait pas retourner en prison. Il s'est coupé l'oreille au cutter. » Et la séance de travail de commencer, comme si de rien n'était.

Tout au long des recherches, l'odeur âcre et étouffante colla à nos habits, à nos cheveux. Une odeur à laquelle on ne peut s'habituer, même avec le temps, et dont on ne peut se protéger. Me Boyer jeta son imperméable à l'issue de l'épreuve. À intervalles réguliers, un homme dont l'accoutrement rappelait des films de science-fiction venait pulvériser sur la fosse le contenu d'une bombe désinfectante, mais l'accalmie n'était que de courte durée.

Ce qui me choqua le plus fut le travail des pioches. Le tapis de cadavres était si épais au-dessus des voliges que les terrassiers devaient frapper à grands coups pour dégager les corps, les évacuer sur les côtés, et faire place nette. Leurs pics tombaient au hasard, tantôt sur une épaule, sur un ventre, un œil…

Mon conseil et compagnon d'infortune m'emmenait en voiture pendant la pause du déjeuner. Nous tentions ainsi d'échapper un instant à l'atmosphère surréaliste de ces éprouvantes journées.

17 JANVIER 1991

Mme le juge Vichnievsky transmet le dossier de l'affaire Boulin au parquet pour règlement.

2 SEPTEMBRE 1991

Le parquet de Paris retourne à Mme Laurence Vichnievsky le dossier, accompagné d'une réquisition de non-lieu, ce qui stupéfie la partie civile : des demandes d'instruction importantes sont en attente.

20 SEPTEMBRE 1991

ORDONNANCE DE NON-LIEU. Laurence Vichnievsky ordonne le non-lieu en reprenant mot pour mot le réquisitoire du parquet. Elle ajoute seulement : « sauf à retenir comme certaine l'existence d'une vaste conspiration ».

Tous ces efforts, cependant, devaient se solder par un retentissant échec. Aucun bocal, parmi les deux cent quatre-vingt-deux analysés, étiquetés ou non, ne contenait le moindre scellé de poumons. Le juge confia en aparté sa déception à René Boyer : « Ils les ont jetés ! »

De nature optimiste, je ne m'effondrai pas à l'annonce de ce résultat désastreux et m'accrochai à une toute nouvelle information obtenue d'un journaliste quelques jours auparavant. Selon cette personne, d'autres bocaux des poumons, une « série *bis* », étaient encore conservés à l'IML. Je pensais que le juge Corneloup en ignorait l'existence et voulais lui donner cette piste discrètement. J'attendis donc la toute dernière heure de notre dernière journée au cimetière pour lui en faire part, au moment où il s'apprêtait à monter dans sa voiture. Je lui confiai l'espoir que je plaçais dans la « série *bis* ». Je me vois encore lui demander de garder cette information secrète, et de ne surtout pas en parler à la police judiciaire. Ce souvenir précède immédiatement la toute dernière image que j'ai de notre excursion à Thiais : René Boyer et moi sommes debout côte à côte devant les grandes palissades de bois qui ont été érigées pour protéger des regards le chantier béant. Nous voyons le juge s'installer dans son véhicule et, au même instant, le commissaire bondir et s'y engouffrer à son tour. La limousine noire s'échappa alors à vive allure.

René et moi rentrâmes à Paris dans sa voiture et fîmes le point. Si les fouilles minutieuses de ces dix derniers jours, à l'endroit précisément indiqué par la police et l'IML, n'avaient rien donné, c'était à l'évidence que les bocaux des poumons ne s'y étaient jamais trouvés.

24 MARS 1992 ORDONNANCE DE NON-LIEU. Martine Anzani, présidente de la chambre d'accusation de la cour d'appel de Paris, explique dans son ordonnance de non-lieu de 1992 – de sa propre initiative et sans s'appuyer sur aucun dire d'expert – l'absence de vase ou de boue sur le

24 MARS 1992 bas du pantalon et sur les chaussures de M. Boulin. Selon Mme Anzani, et contrairement à ce qu'affirme le colonel de gendarmerie, sur place au moment des faits, les pompiers auraient traîné le corps, nettoyant ainsi le pantalon et les chaussures…

15 DÉCEMBRE 1992 La Cour de cassation confirme le non-lieu et pose un délai de dix ans avant une éventuelle prescription. Tout fait nouveau surgissant durant ce délai peut permettre la réouverture de l'enquête.

Il fallait bien en conclure que quelqu'un avait menti sur la date et les conditions de la destruction de ces pièces à conviction. Les bocaux conservés par le froid constituaient notre dernière chance. Ils avaient été placés en lieu sûr, croyions-nous, par le professeur Le Breton, expert auprès de l'IML. Ce dernier avait été chargé de faire les examens toxicologiques des viscères de mon père en 1979 et prenait soin de conserver les prélèvements dont il avait la garde. Après que les bocaux contenant le sang de Robert Boulin avaient été volés en octobre 1980, la « série *bis* » des poumons avait été placée dans un réfrigérateur cadenassé, dont le professeur Le Breton gardait lui-même la clef. Ces précautions n'empêchèrent pas leur disparition.

Les bocaux placés dans ce réfrigérateur furent en effet détruits à son insu par la nouvelle directrice de l'IML alors que l'action pénale pour homicide était en cours d'instruction depuis 1983, et que notre volonté de retrouver la « série *bis* » était de notoriété publique. La destruction eut lieu au printemps 1987, quand nous venions d'obtenir l'aide judiciaire nécessaire pour fouiller la fosse du cimetière de Thiais. Comble de l'ironie, la destruction de la « série *bis* » fut effectuée par « enfouissement », dans ce même cimetière…

Mme Anzani, présidente de la chambre d'accusation, dans sa décision confirmant la clôture de l'instruction en 1992, revint sur cet épisode pour en minimiser l'importance, en notant que ces prélèvements ne permettaient plus l'analyse des produits toxiques. Mais le problème était autre : nous ne demandions pas d'analyse *toxicologique*, seulement une analyse *anatomopathologique*. Or le docteur Garat, avait bien indiqué dès 1984 au juge Corneloup que ces scellés étaient toujours conservés dans le réfrigérateur de son

1993 Publication du livre de Roger Le Breton et Juliette Garat (avec Serge Garde) *Interdit de se tromper. Quarante ans d'expertises médico-légales.* L'ancien responsable du laboratoire de toxicologie de la préfecture de police de Paris, qui a analysé les prélèvements toxicologiques **1993** de Robert Boulin, bat en brèche la version du suicide et réfute les arguments utilisés par Martine Anzani pour expliquer la localisation des lividités cadavériques.

service. Le professeur Le Breton et le docteur Garat m'ont confirmé par la suite qu'ils demeuraient utilisables pour un tel examen.

Le juge Corneloup ne fut pas informé, pas plus que la famille, de la décision qui fut prise de détruire ces scellés. La directrice de l'IML ne sollicita pas une autorisation qu'il ne lui aurait pas donnée, convaincu qu'il était de la nécessité d'analyser les poumons de Robert Boulin.

La destruction de la «série *bis*» fut en réalité opérée en deux temps. Le 24 mai 1986, un an avant son enfouissement au cimetière de Thiais, le professeur Le Breton reçut un courrier, daté du 22 mai, du préfet Jean Daubigny : le chef de cabinet du préfet de police de Paris lui donnait trois semaines pour vider son réfrigérateur contenant la «série *bis*», et ce en présence de l'Inspection générale des services qui établirait un procès-verbal. Le 3 juin 1986, le professeur Le Breton répondit à M. Daubigny qu'il refusait de déférer à son injonction, en rappelant que l'affaire Boulin n'était pas terminée, qu'elle était en cours d'instruction et que la décision de détruire des scellés n'appartenait donc qu'à l'autorité judiciaire. Il précisait que, pour répondre à la question de la noyade, il était toujours possible d'effectuer des recherches de diatomées sur les prélèvements conservés dans son réfrigérateur. Il soulignait par ailleurs la nécessité d'informer la famille, citant l'exemple de la famille du ministre Georges Mandel qui avait tenu à prendre possession des vestiges du cœur de son parent, lorsque la justice avait estimé que leur conservation n'était plus nécessaire. Il terminait sa réponse en précisant au préfet qu'il se tenait «à [sa] disposition à

4 JUILLET 1995 La justice rend une ordonnance de non-lieu à la suite de la plainte pour «destruction de preuves», en l'occurrence les prélèvements anatomopathologiques, déposée par la famille Boulin. La justice reconnaît l'élément de fait (les preuves

4 JUILLET 1995 ont bien été détruites) et la demande fondée en droit (les pièces ne devaient pas être détruites) mais la partie civile est tout de même déboutée, l'élément intentionnel n'étant pas retenu par le parquet ni par la juge d'instruction.

NOVEMBRE 1999 Le magazine *Golias*, sous la signature de Francis Christophe, publie une contre-enquête détaillée remettant en cause la version du suicide («Le grand maquillage. L'affaire Boulin, vingt ans après»).

tout moment pour signer un procès-verbal de remise des scellés aux autorités judiciaires par les représentants de la Préfecture de police».

Cette réponse s'avéra inutile : le réfrigérateur du professeur Le Breton fut fracturé le 21 mai 1986, soit la veille du jour où M. Daubigny écrivait au professeur pour le mettre en demeure de le vider. Le Breton ne l'apprit – par voie de presse – qu'en janvier 1988. Outré, il écrivit deux lettres à ma mère, les 13 janvier et 31 mai de cette même année, dans lesquelles il énonçait les conditions de la disparition de la «série *bis*». Dans sa lettre du 31 mai, il accusait la directrice de l'IML qui, selon lui, avait «pris la responsabilité de détruire sciemment des moyens de preuve d'une possible absence de noyade[12]».

Notre plainte pour destruction de preuves, déposée en avril 1988, fut instruite par Mme le juge Gervais de Lafond, puis par Mme Brigitte Blind. L'instruction se poursuivit jusqu'en juillet 1995 et se conclut par un non-lieu : selon l'ordonnance de non-lieu, si la destruction était démontrée – un premier pas –, rien ne prouvait en revanche *l'intention de nuire* des responsables. La directrice de l'IML, qui fut entendue par le juge en tant que témoin assisté le 12 janvier 1989, reconnut en effet avoir procédé à l'enlèvement des bocaux sans autorisation de la justice : «Je ne pouvais pas rechercher parmi tous les magistrats celui qui s'occupait de l'affaire Boulin», se défendit-elle[13]. Un simple coup de téléphone au parquet aurait pourtant suffi.

---

12. Archives privées de ma famille. Lettre citée par Benoît Collombat, *op. cit.*
13. Citée par Alain Frilet, *Libération*, 21 avril 1988.

2000 Publication du livre *Adieu Colbert* de Yann Gaillard, ancien directeur de cabinet de Robert Boulin, aujourd'hui sénateur UMP de l'Aube. Il affirme qu'à 2 heures du matin, il apprend par Philippe Mestre, directeur de cabinet de Raymond Barre à Matignon, que le corps du ministre vient d'être retrouvé. Selon la thèse officielle, il ne le sera qu'à 8 h 40.

29 OCTOBRE 2001 LETTRES. À Villandraut, Max Delsol apprend à Fabienne et Éric Burgeat qu'il possède toutes les lettres de menaces adressées à Robert Boulin. Cet inspecteur de police chargé de la sécurité du ministre ne les a jamais versées au dossier.

29 OCTOBRE 2001 Il reconnaît que lui-même, ainsi que d'autres collaborateurs, avait l'habitude d'imiter l'écriture et la signature du ministre avec son autorisation.

Le préfet Jean Daubigny fut entendu quant à lui le 23 mai 1995 – soit sept ans après notre dépôt de plainte – par Mme Brigitte Blind. Le procès-verbal de son audition apporte des éléments bien instructifs.

« Le juge : Le constat que cette glaciaire a été vidée de son contenu a eu lieu le 21 mai 1986, soit la veille du courrier que vous adressez au professeur Le Breton, courrier dans lequel vous lui demandiez de procéder à l'enlèvement des bocaux. Par ailleurs, à réception du courrier du professeur Le Breton, daté du 3 juin 1986, pourquoi ne pas avoir convenu d'un rendez-vous avec celui-ci ? Pour quelles raisons ne pas avoir saisi de la difficulté le parquet de Paris ou le juge d'instruction, voire même la famille Boulin, étant observé que le recours à l'autorité judiciaire semblait être la solution qui s'imposait, selon le professeur Le Breton ?

Jean Daubigny : [...] Les faits invoqués sont relativement anciens, je ne pourrais donc vous faire part que des souvenirs que j'en ai : j'ai d'abord le souvenir pour la période considérée d'une surcharge de travail... Je ne vois pas comment j'aurais pu à la fois adresser et signer ce courrier du 22 mai et donner antérieurement, ne serait-ce que la veille, l'autorisation verbale de vider le contenu de la glaciaire. Cela ne me paraît pas possible du point de vue du bon sens et de ma façon de travailler... Je ne me souviens pas ensuite de ce qui a pu être décidé à mon niveau... devant, en quelque sorte, la non-réponse de M. Le Breton... Je m'interroge sur le point de savoir si à l'occasion de congés, que je pense avoir pris en juin 1986, un fonctionnaire hiérarchiquement supérieur n'aurait pas pris attache avec le parquet de Paris... »

2002 Nouvelle tentative de piratage de ligne téléphonique déjouée par Fabienne Boulin Burgeat. Un agent venait de passer installer la ligne de son nouveau domicile. Peu de temps après, un autre agent des télécoms se présente. Elle le renvoie **2002** et joint les télécoms qui lui affirment qu'ils n'ont envoyé personne.

Pour aboutir à une condamnation, trois éléments devaient être réunis :

– L'élément de droit. Il est établi : des scellés judiciaires n'auraient pas dû être détruits sans autorisation du magistrat instructeur.

– L'élément de fait. Il est établi lui aussi : ces scellés existaient bien et ils ont bien été détruits volontairement, non par accident.

– L'élément intentionnel. Il ne fut pas retenu par le parquet ni par la juge d'instruction, pour qui il était évident que Jean Daubigny et la directrice de l'IML avaient uniquement l'intention de faire le ménage.

Le non-lieu fut confirmé par la cour d'appel le 4 juillet 1995.

Bal des vampires, quai de la Râpée

L'épisode des poumons n'est qu'une péripétie parmi les multiples disparitions de preuves qui ont ponctué le dossier Boulin. La deuxième d'entre elles – après l'envol de la langue, du pharynx et du larynx lors de la première autopsie – remonte au mois d'octobre 1980. Elle se produisit quai de la Râpée, au siège de l'Institut médico-légal, là où officient les médecins légistes et experts chargés d'établir les causes du décès des personnes dont on soupçonne que la mort n'est pas naturelle. La médecine légale obéit, on le sait, à des protocoles stricts et à des procédures rigoureuses, et toute autopsie de cadavre implique un nombre de prélèvements, soigneusement conservés, en vue d'analyses ultérieures.

Au premier étage, à l'automne 1980, se trouvait dans une glaciaire le flacon contenant le sang de mon père. Le professeur Roger Le Breton, qui avait la garde du scellé judiciaire, constata sa disparition

15 JANVIER 2002

L'émission « 90 Minutes » sur Canal Plus diffuse le reportage *Robert Boulin*. *Le suicide était un crime* de Bernard Nicolas et Michel Despratx. Ces derniers apportent de nouveaux éléments infirmant la thèse du suicide, entre autres le témoignage du colonel de gendarmerie (Jean Pépin) qui a sorti le corps de l'eau, d'une spécialiste en toxicologie (Juliette Garat) qui a analysé le sang du ministre et d'un ancien substitut du procureur de la République (Daniel Leimbacher) qui explique avoir subi des pressions de sa hiérarchie.

16 JANVIER 2002

Un article dans *Libération* affirme que Boulin avait été inculpé dans l'affaire immobilière de Ramatuelle. Ce qui est totalement faux. Boulin n'a été ni inculpé, ni entendu, ni même convoqué.

le lundi 6 octobre 1980 et saisit immédiatement toutes les autorités pour faire la lumière sur ce vol : le préfet de police de Paris, le procureur de Versailles, l'Inspection générale des services de la police. Dans sa lettre datée du 15 octobre au préfet de police, il soulignait la gravité des conséquences du vol. Ce flacon de sang, écrivait-il, « représentait, avec sa teneur en Valium, l'élément principal de discussion dans cette affaire ». L'absence d'effraction laisse penser que le voleur devait être un familier des lieux. On connaissait le fantôme de l'Opéra, mais le coup du vampire du quai de la Râpée était une première. Ce vol ne troubla pas grand monde et ne fit l'objet d'aucune enquête sérieuse. En tout cas, le dossier judiciaire n'en contient aucune trace. Nous n'en fûmes informés, du reste, que des années plus tard, après que nous avions déjà porté plainte et émis notre souhait de retrouver les scellés des prélèvements effectués lors de la première autopsie.

À la suite de ce vol, le professeur Le Breton décida d'abriter les autres prélèvements d'organes – les poumons de mon père – dans un réfrigérateur cadenassé, acquis à cet effet par le chef de cabinet du préfet de police. Peine perdue.

Quand nous le découvrîmes, le vol du flacon de sang nous apparut d'autant problématique que le Valium servait à justifier la thèse selon laquelle mon père se serait assoupi après avoir ingéré des médicaments, pour finalement se noyer. Cela eût été possible s'il s'était agi de barbituriques. Or le Valium n'est pas un barbiturique, mais un anxiolytique, qui a pour effet de réduire la volonté ; c'est pour cette raison que les extorqueurs de blancs-seings ou les violeurs l'utilisent. D'après les médecins légistes que nous avons consultés sur le dossier établi par les experts de l'IML, l'hypothèse

19 MARS 2002 Fabienne Boulin, toujours en attente d'une réponse à sa demande de réouverture de l'instruction, assistée de son avocat, s'entretient avec le procureur général Jean-Louis Nadal.

29 AVRIL 2002 Première demande de réouverture de l'instruction sur charges nouvelles.

8 MAI 2002 Colette Boulin déclare un cancer.

la plus vraisemblable est qu'il aurait été injecté à mon père par une piqûre, afin qu'il résiste moins vivement à ses ravisseurs. En 1989, excédé par les carences de l'enquête, le professeur Le Breton soutint d'ailleurs que, sur la base des résultats de ses analyses, c'est cette hypothèse que les enquêteurs auraient dû envisager[14]. Mais jamais ces derniers ne voulurent suivre cette piste, cherchant au contraire à faire admettre à ma mère que son mari avait emporté avec lui, pour son dernier rendez-vous, des comprimés de Valium en quantité importante.

Le bocal volé contenait-il réellement le sang de Robert Boulin ? S'il avait été conservé, on pourrait aujourd'hui le savoir avec certitude. Le doute demeurera, d'autant que ce ne sont pas le professeur Le Breton et son assistante qui effectuèrent les prélèvements. Le 30 octobre 1979, ils n'étaient pas à l'IML mais au tribunal correctionnel de Pontoise, pour y déposer dans le procès du talc Morhange. Le professeur confia au journaliste Serge Garde : « De toute façon, j'aurais refusé de participer à une autopsie incomplète. Cette pression exercée par le procureur pour [limiter les investigations] est indigne et prête à suspicion. »

Plus tard, je rencontrai Roger Le Breton et Juliette Garat. La rigueur intellectuelle et morale de ces experts, leur courage pour dire haut et fort ce qu'ils savaient m'impressionnèrent. Ils me relatèrent la manière dont ils furent chassés du laboratoire de toxicologie par la nouvelle directrice de l'IML, dont ils contestaient les méthodes et l'absence de titres en matière de médecine légale. C'est

---

14. Lettre du 26 mai 1989 au juge chargé de l'enquête sur la disparition des prélèvements d'organes de mon père.

22 MAI 2002 Décès de Bertrand Boulin d'une crise cardiaque.

23 AOÛT 2002 Décès de Colette Boulin.

elle qui ordonna le grand ménage des bocaux au cours duquel les derniers prélèvements de mon père disparurent. Dans son audition du 10 mai 1999, Jean-Pierre Agazione, de l'Inspection générale des services de police, témoigna de la violence des tensions entre l'ancienne et la nouvelle direction : «La succession du professeur Le Breton à la tête du laboratoire toxicologique de la préfecture de police a motivé l'intervention de mon service... sur ordre exprès du préfet de police, à cause du contentieux très important qui existait entre l'ancienne direction et la nouvelle se reprochant la disparition de matériels et également de scellés.»

Les deux médecins me rapportèrent l'agression brutale dont ils furent victimes à cette époque sur un trottoir parisien du quatorzième arrondissement, entraînant une fracture de la hanche pour le docteur Garat et de multiples contusions pour le professeur Le Breton. Ils me parlèrent aussi du choc qu'ils avaient ressenti, découvrant à leur retour de congés maladie, fin 1985, que leur laboratoire à l'IML avait été vidé de leurs affaires.

Dans ses mémoires [15], Roger Le Breton revint sur le vol du sang de mon père. «Cette disparition a achevé de me convaincre que le résultat des différentes expertises pouvait ne pas plaire à tout le monde.» Juliette Garat ne craignit pas à son tour d'exprimer sa conviction. Toute sa vie elle œuvra dans la discrétion, sachant résister à ce qui lui paraissait en désaccord avec ses valeurs. Ses petits rires sarcastiques impressionnèrent beaucoup dans le documentaire diffusé sur Canal Plus, lorsque à la question de Bernard Nicolas : «Croyez-vous à l'assassinat de Robert Boulin?», elle répondit sobrement mais avec assurance : «Je ne peux pas ne pas dire oui!»

---

15. *Interdit de se tromper, op. cit.*, p. 77.

30 OCTOBRE 2002

TÉMOINS. France Inter diffuse un reportage de 10 mn dans son «7-9» contenant de nouveaux témoignages contre la version du suicide : celui du postier Denis Lemoal, ou de l'expert en écriture Alain Buquet : «À ce moment-là, j'étais pétrifié ; j'ai bien senti que le magistrat était sur les charbons ardents, il m'a dit qu'il s'agissait d'une grosse affaire... Ça bouge là-haut... pas de conneries, vérifie la syntaxe, ça ira en haut lieu... À ce moment-là c'était une affaire d'État... Sûr, sûr à 100%? On ne sait pas, à ce moment-là, on ne faisait pas de calculs de probabilités... pour se prononcer avec une certitude, avec une sécurité déterminée... J'aurais bien pu conclure autrement», ou encore du gaulliste Olivier Guichard, qui affirme avoir «toujours pensé que Boulin ne s'était pas suicidé».

La valse des lettres posthumes

Comme dans tout bon tour de magie, les disparitions avaient été précédées d'apparitions et l'on découvrit, après la mort de mon père, d'innombrables faux écrits qui lui étaient attribués. Le 30 octobre 1979, à 8 h 40, lorsque les gendarmes de l'unité motocycliste de Versailles, lancés à la recherche « d'une haute personnalité susceptible d'attenter à ses jours » arrivèrent aux abords de l'étang Rompu, ils repérèrent aussitôt la voiture décrite sur leur ordre de recherche. Attendant l'arrivée des pompiers pour sortir le corps qu'ils avaient aperçu dans le petit étang, et ignorant encore l'identité de l'homme, ils s'approchèrent de la Peugeot 305. Immédiatement, ils virent sur le tableau de bord un bristol à l'en-tête du « Ministère du Travail, Le Ministre ». Les gendarmes ramassèrent les clefs, tombées à côté du véhicule au milieu de feuilles mortes, et examinèrent ce bristol.

Le recto et le verso présentaient chacun un texte manuscrit, de deux encres distinctes. D'un côté, les mots étaient écrits au stylo bleu : « Les clefs de la voiture sont dans la poche droite de mon pantalon (T.S.V.P.) », de l'autre, à l'encre noire : « Embrassez éperduement *(sic)* ma femme. Le seul grand amour de ma vie. Courage pour les enfants, signé Boby. »

Ma mère a toujours douté de l'authenticité de ce mot. Le style indirect employé pour s'adresser à elle l'intrigua, la choqua même. Les habitudes de mon père étaient tout autres. Il avait coutume de commencer ses billets par « Mon amour chéri ». La faute d'ortho-graphe au mot « éperdument » ajoutait à son trouble. Tout comme les scories, dont les courriers dits posthumes sont truffés, celle-ci est en totale contradiction avec la manière d'écrire, exigeante et

30 OCTOBRE 2002 Interruption de la prescription par l'ouverture d'une enquête préliminaire ordonnée par le procureur général Jean-Louis Nadal.

28 NOVEMBRE 2002 TÊTE. Lors de son audition et alors que la contre-autopsie a mis en évidence deux fractures sur le visage en 1983, le docteur Francis Kannapel prétend que les radios initiales ne montrent pas de fractures. En 1989, le juge Verleene demande à un médecin radiologue de la Pitié-Salpêtrière d'étudier

28 NOVEMBRE 2002 les radios de la face, réalisées lors de la première autopsie, et de lui dire si les fractures découvertes lors de la seconde autopsie étaient déjà visibles. Le médecin explique qu'il manque de temps pour les regarder. En effet, il est occupé à la rédaction d'un livre.

rigoureuse, de mon père.

Les règles d'expertise graphologique judiciaire imposent de fournir à l'expert, à côté de l'original à analyser, des documents de comparaison originaux, en qualité et en nombre suffisants. Or l'expert graphologue Alain Buquet, saisi le 26 décembre 1979 par le parquet de Versailles pour examiner les écrits posthumes attribués à Boulin, ne parvint pas à réunir un nombre suffisant de documents de comparaison, malgré sa demande insistante auprès du parquet qui le pressait de conclure. Cela entacha indéniablement son travail mais ne l'empêcha pas cependant d'attribuer ces écrits à mon père. Plus tard, il devait, à tort, attribuer à Christine Villemin la rédaction des lettres du corbeau de l'affaire Grégory[16].

Pour l'affaire Boulin, il avoua en 2003 au micro de France Inter que la pression des magistrats du parquet était intense et que s'il avait conclu dans ce sens, il aurait pu tout aussi bien « conclure autrement »… Peut-on lui en vouloir ? La graphologie est loin d'être une science exacte…

Alain Buquet expliqua que le bristol avait probablement été écrit en deux temps : le graphisme de la phrase destinée à ma mère laissait en effet supposer qu'elle avait été rédigée « dans des conditions inhabituelles » et peut-être « sous la contrainte ». Les enquêteurs préférèrent cependant retenir l'autre hypothèse de l'expert selon laquelle le papier en question aurait été griffonné par « un homme fatigué, surmené et déprimé ». Une telle conclusion

---

16. *Un homme à abattre, op. cit.*

13 DÉCEMBRE 2002 — TÉMOINS. Témoignage de Jacques Douté dans *Sud-Ouest* (« Un silence trop lourd ») qui explique avoir été prévenu de la mort de Robert Boulin dès le 29 octobre 1979, à 20 heures.

20 FÉVRIER 2003 — M. Alain Buquet, expert graphologue, déclare dans son audition (P.V. 2002/000184/1°) qu'il a demandé à l'époque d'avoir accès à un plus grand nombre de documents de comparaison.

simplifiait diablement les choses puisque, lorsque l'expert fut désigné, l'enquête n'envisageait déjà *que* l'hypothèse du suicide.

Voilà un exemple caractéristique de la manière dont la justice a fonctionné, cherchant à donner les apparences d'une enquête minutieuse alors que la véracité des faits n'était pas scientifiquement établie et que les spécialistes, de leur propre aveu, étaient contraints de travailler dans un climat de pression peu propice à la sérénité de l'analyse.

En août 1986 deux d'entre eux, MM. Roger Laufer et Pierre Faideau, confirmèrent les résultats de l'expertise antérieure tout en avouant ne pas pouvoir apporter la moindre preuve scientifique à l'appui de leurs dires. Non sans cynisme, et en des termes qui resteront dans les annales, Roger Lafer tenta de justifier leur manière de travailler, tout à fait atypique, en expliquant à Benoît Collombat le dilemme de l'expert : « Ou bien conclure d'une manière molle qui ne sert à rien, ou bien conclure d'une manière ferme, avec bien évidemment un risque. » Et la vérité dans tout cela ?

Au lendemain de la découverte du corps de mon père, neuf lettres composées de quatre feuillets parvinrent par la Poste à leurs destinataires. À première vue, ce texte pouvait sembler authentique – une première impression qui ne résiste pas à l'analyse.

Personne ne vit le ministre poster ces lettres. L'enquête s'est contentée des déclarations de deux témoins spontanés pour conclure hâtivement que Boulin les avait bien expédiées lui-même. L'un des témoins, M. G., chef d'entreprise à Versailles, dit l'avoir vu entre 17 h 00 et 17 h 30 remonter la rue de Paris, proche de la poste

27 FÉVRIER 2003

Dans son audition, M. Levaï déclare : « Il est exact qu'à l'issue de cette émission, nous avons pris un verre avec M. Boulin. S'en est suivi une conversation d'ordre privé sur, entre autres, l'affaire des terrains de Ramatuelle, laquelle lui interdisait de devenir Premier ministre à la place de M. Raymond Barre. À

27 FÉVRIER 2003

ce moment-là, M. Boulin nous a répondu de "prendre patience". Il ajoutait qu'il "avait de quoi confondre ses détracteurs et que cette affaire serait réglée la semaine suivante". Il avait vraiment l'air sûr de lui et était déterminé à se battre contre un adversaire qu'il n'a pas nommé. »

2 JUIN 2003

L'émission « Droit de suite » de « 90 Minutes », sur Canal Plus, diffuse *Robert Boulin. Le suicide était un crime*. De nouveaux témoins parlent.

de Montfort-l'Amaury. Interrogé ensuite par mon frère, ce témoin fit preuve d'un embarras certain, refusant de préciser si Robert Boulin était seul ou accompagné. Je ne m'explique toujours pas ce silence obstiné.

L'autre témoin, le postier Denis Lemoal, expliqua aux enquêteurs avoir constaté à 17 h 30, alors qu'elles venaient de tomber dans la boîte, la présence d'enveloppes portant l'en-tête du ministère. Mais il précisa ne pas avoir vu qui y avait glissé ces courriers.

Aucune enquête de voisinage ne fut diligentée pour rechercher d'autres personnes susceptibles de compléter ces deux témoignages.

En 1984, le juge Corneloup voulut faire interroger à nouveau les deux hommes sous commission rogatoire. La police lui indiqua que l'audition du postier n'était plus réalisable, l'homme habitant désormais la Guadeloupe. Or cette information se révéla fausse puisque nous réussîmes, plus tard et avec l'aide de journalistes, à découvrir qu'il vivait à Saint-Brieuc sans avoir jamais eu l'intention de s'installer dans les Antilles. Le faux renseignement, aussi farfelu qu'il puisse paraître, eut pour conséquence d'empêcher l'audition. Le juge aurait pourtant pu entendre beaucoup de choses intéressantes : M. Lemoal a gardé un souvenir précis du nombre et du poids des lettres qu'il a manipulées, ainsi que de leurs formats – qui selon lui ne correspondent pas aux lettres reçues. C'est Benoît Collombat, compensant encore une fois les carences de la police criminelle, qui sut recueillir son témoignage. C'est tout simplement dans l'annuaire que le journaliste trouva l'adresse du postier et enregistra ses déclarations pour l'émission « Interception » sur *France Inter*. M. Lemoal lui confirma avoir relevé, vers 17 h 30, une demi-douzaine d'enveloppes à l'en-tête du « Ministère du Travail et de la

26 OCTOBRE 2003 TÉMOINS. Le magazine « Interception » sur France Inter diffuse une contre-enquête de 45 mn (« Robert Boulin. Un homme à abattre »), rediffusée le 18 avril 2004, mettant en cause, une nouvelle fois, la version du suicide.

17 JUIN 2005 Question écrite au garde des Sceaux par le député Noël Mamère qui se termine par ces mots : « Quelles mesures compte-t-il prendre pour faire enfin toute la lumière sur la mort d'un homme qui fut ministre de la République quinze ans durant ? »

Participation », alors que, d'après la thèse officielle, mon père aurait posté une dizaine de lettres dans des enveloppes à l'en-tête du seul « Ministère du Travail » ; il remarqua aussi que les plis présentaient des poids différents et que certains, insuffisamment timbrés, semblaient contenir des liasses de papiers. Ce n'est pas le cas des courriers connus, qui ne contiennent que quatre feuillets chacun – plus un papier de quelques lignes dactylographiées[17] pour le pli destiné au commissaire de police de Neuilly, M. Samissof, et celui de l'AFP ; en plus des enveloppes classiques, il nota enfin la présence d'enveloppes demi-format, qui ne furent jamais retrouvées.

Son témoignage est à rapprocher de celui de Françoise Lecomte, la secrétaire de mon père, qui déclara, alors qu'elle ignorait le témoignage du postier, avoir aperçu le 29 octobre en début d'après-midi des enveloppes demi-format sur le bureau de son ministre. L'absence d'enquête sur la base de ces témoignages ne permet toujours pas de savoir si Robert Boulin déposa ou non des courriers à la poste de Montfort-l'Amaury, ni combien, ni ce que ces courriers renfermaient réellement. L'hypothèse vraisemblable d'une substitution au cours de leur transport ultérieur ne fit jamais l'objet d'investigations sérieuses.

L'original de la lettre posthume attribuée à mon père ne fut jamais retrouvé non plus. Or, selon la thèse officielle, tous les textes tapés par lui le dimanche furent retrouvés le mardi matin par le SRPJ de Versailles dans sa corbeille à papier, à son domicile. Cette disparition est donc incompréhensible.

---

17. « J'ai décidé de me noyer dans un lac (*sic*) de la forêt de Rambouillet où j'aimais faire du cheval. Ma voiture 305 Peugeot qui sera au bord est immatriculée 651 GX 92. »

4 JANVIER 2006 TÉMOINS. Fin des nouvelles auditions devant un officier de police judiciaire de Nanterre. 28 personnes ont été entendues entre 2002 et 2006, sans réouverture d'information judiciaire. Certains témoins clefs, comme les hommes de permanence à Matignon et au ministère de l'Intérieur la nuit du 29 octobre 1979, n'ont pas été entendus.

Dans sa décision de confirmer le non-lieu et de clôturer l'instruction judiciaire, la chambre d'accusation, présidée par Mme Anzani, retint l'hypothèse de l'authenticité de la lettre «dite posthume», en précisant notamment qu'«un brouillon manuscrit» en avait été récupéré dans la corbeille. C'est la première, et à ma connaissance la seule fois qu'un tel brouillon est mentionné dans la procédure. Il ne fut même pas cité dans l'ordonnance de non-lieu de Mme Vichnievsky. L'existence d'un tel indice avait apparemment échappé aux prédécesseurs de Mme Anzani ainsi qu'aux policiers du SRPJ. L'arrêt de la chambre d'accusation ajouta qu'un projet de lettre manuscrite au *Monde* avait également été trouvé dans la corbeille. Première nouvelle, là encore! Je suis impatiente de voir ces fameux brouillons de mes propres yeux.

L'absence d'original pose bien sûr un problème dans le cadre de la version officielle. En revanche, dans l'hypothèse d'un montage réalisé à partir des notes de mon père – telles celles qu'il adressait régulièrement à ses conseillers, et auxquelles il aurait suffi d'ajouter quelques lignes suggérant un suicide – il semble logique de ne pas retrouver d'original.

La lettre dite posthume reprenait, pour l'essentiel, un argumentaire sur l'affaire de Ramatuelle. Les trois premières pages ressemblent à une note, comme le ministre en rédigeait régulièrement depuis des mois sur la question. Les passages faisant référence à une intention suicidaire sont très différents du reste du texte et apparaissent clairement comme des ajouts : ainsi le dernier feuillet, qui comporte dix lignes, dont le texte est sans lien avec celui de la page précédente et dont le numéro – 4 – est décalé par rapport aux autres pages ; ainsi la première phrase de la première page.

JANVIER 2007 — TÉMOINS. Parution du livre de Raymond Barre, *L'Expérience du pouvoir*, (entretiens avec Jean Bothorel), où l'ancien Premier ministre affirme avoir appris la découverte du corps à 3 heures du matin, alors qu'officiellement le corps n'a été découvert qu'à

JANVIER 2007 — 8h40. On lui précise alors que Robert Boulin se serait suicidé par barbituriques.

11 AVRIL 2007 — TÉMOINS. Publication du livre *Un homme à abattre. Contre-enquête sur la mort de Robert Boulin* de Benoît Collombat, journaliste à France Inter.

Cette phrase («J'ai décidé de mettre fin à mes jours») est nettement décalée du reste de la lettre, tant horizontalement, vers la droite, que verticalement. Ces mots, qui ne respectent pas l'alignement du texte, ont manifestement été ajoutés après coup. La lettre contient en outre des erreurs que n'aurait pas pu commettre mon père[18].

En 1983, dès le dépôt de notre plainte contre X pour homicide, Me Jacques Vergès réclama une expertise approfondie de la lettre pour déterminer si mon père en était bien le dactylographe, notamment des quelques phrases faisant référence au suicide. Il ne suffit pas d'affirmer que ce courrier a été tapé sur sa machine pour en établir l'authenticité[19]. Cette expertise ne nous fut pas accordée et nous ne pûmes jamais voir les scellés contenant les exemplaires de la lettre, pas plus que les autres écrits. Au contraire, nous avons toujours été privés de débat contradictoire sur ces pièces essentielles.

Tout cela fut un montage. Si mon père avait voulu rédiger une lettre d'adieu, le contenu en eût été autre. D'abord parce qu'un tel texte s'adresse avant tout aux personnes que l'on aime ; et puis parce que, si l'on est sur le point d'accomplir un tel geste ultime, on oublie les problèmes secondaires, tel l'emplacement d'une clef. Toute une vie de lutte ne peut s'achever sur des considérations dérisoires.

---

18. Cf. «La valse des lettres posthumes», p. 268.
19. D'autant que le ruban encreur de la machine, qui aurait pu apporter des indices utiles sur la chronologie de la frappe des écrits, a disparu des scellés.

26 AVRIL 2007 À la suite des nouveaux témoignages et de la parution du livre de Benoît Collombat, William Bourdon dépose une requête, qui actualise la précédente.

11 MAI 2007 TÉMOINS. Rue89 interviewe Jean Mauriac : «En fait, deux personnes m'ont assuré de l'assassinat de Robert Boulin. Michel Jobert et Olivier Guichard. Quand un homme aussi au courant des affaires policières et des arcanes du pouvoir qu'Olivier Guichard vous dit cela, ça ne laisse pas indifférent. Michel Jobert, lui, se

11 MAI 2007 basait sur la politique. Il disait que Robert Boulin faisait peur. Pourquoi ? Parce qu'il en savait trop sur le financement du RPR. [...] C'est ce que m'a dit Jobert. Dans le financement du RPR, il y a aussi Bongo et le Gabon. »

La lettre posthume est un faux, fabriqué par des personnes qui connaissaient bien Robert Boulin, mais qui étaient moins soucieuses que lui de la grammaire et de l'orthographe. Armelle Montard, qui dirigea son secrétariat particulier pendant presque toute sa carrière ministérielle, m'assura un jour qu'il ne faisait pas de fautes d'orthographes et que les secrétaires étaient particulièrement attentives aux leurs de peur qu'il ne les repère.

Je possède un cahier que mon père avait nommé « cahier de vie » et dans lequel, à partir de ses onze ans, il rédigea une sorte de revue de presse de l'actualité mondiale. Ce cahier témoigne du grand soin et de la rigueur de son jeune scripteur. L'esprit d'ordre qu'il conserva toute sa vie brille avec éclat dans ce cahier, indemne de rature ou de faute d'orthographe. Il est invraisemblable qu'il ait pu, à l'heure de sa mort, lancer à la France entière le brouillon qu'on a voulu lui attribuer.

Les nombreuses autres péripéties de notre combat au cours des huit années de l'instruction seraient trop longues à reprendre ici en détail. Ce fut long et éprouvant. Nos juges avançaient par à-coups. Certains nous confièrent même qu'ils faisaient l'objet au fil du temps de pressions contradictoires. Il fallait toujours insister sans relâche, attendre parfois des années pour qu'un simple acte de procédure soit ordonné, au risque que les preuves disparaissent et que les témoins meurent, ce qui fut trop souvent le cas, malheureusement. Nous avons réussi à ouvrir des pistes d'enquête très prometteuses. Aucune n'a été exploitée sérieusement. Car comme l'a dit Benoît Collombat, qui a décrypté le processus en détail, l'instruction s'est poursuivie « sans que la piste de l'homicide soit

21 JUIN 2007
Le procureur général de la cour d'appel de Paris, Laurent Le Mesle, reçoit Fabienne Boulin Burgeat et son avocat Mᵉ William Bourdon.

16 OCTOBRE 2007
Laurent Le Mesle rejette la demande de réouverture du dossier effectuée par William Bourdon pour Fabienne Boulin Burgeat.

jamais sérieusement explorée[20] ». Je me console cependant de cette période houleuse en regardant le dossier que, malgré toutes les difficultés rencontrées, nous avons réussi à constituer. Aux débuts de l'affaire, il était haut de quelques centimètres seulement. Il a aujourd'hui atteint la taille d'un jeune adolescent, et mesure aux alentours d'un mètre cinquante. Il serait plus imposant encore s'il n'avait été amputé de tant de pièces à conviction, disparues par « coïncidence », à chaque fois que nous nous y intéressions. Ce dossier contient les éléments susceptibles de résoudre l'affaire, pour peu qu'un juge libre et compétent soit autorisé à les examiner en toute indépendance. Le voile a été déchiré. La vérité est à portée de main.

---

20. *Un homme à abattre, op. cit.*, p. 21.

28 OCTOBRE 2008

Benoît Collombat saisit les autorités américaines (CIA) en vertu du Freedom Of Information Act (FOIA) afin de pouvoir consulter auprès de celles-ci d'éventuels documents relatifs à la mort de Robert Boulin en octobre 1979. En effet, un proche de la famille, M. Gilles Bitbol, résidant aux États-Unis et en relation avec l'administration américaine, a eu connaissance de menaces d'assassinat pesant sur Robert Boulin peu de temps avant la mort de celui-ci.

La valse des lettres posthumes

Dans le premier paragraphe de la lettre dite posthume, il est écrit que la situation de Robert Boulin aboutit pour sa part « à auditions, campagne de presse et suspiçion (*sic*) ». Pourquoi avoir utilisé le terme « auditions », et au pluriel ? Mon père ne fut jamais convoqué pour la moindre audition. Le lendemain de sa mort, les magistrats confirmèrent d'ailleurs devant les caméras de télévision qu'il n'avait jamais été question de l'entendre. Pourquoi enfin aurait-il mis une cédille à « suspiçion » — faute réitérée qui exclut l'hypothèse de la coquille ? Un avocat expérimenté comme lui, licencié ès lettres, pouvait-il confondre l'orthographe de « soupçon » avec celle de « suspicion », deux mots d'usage courant dans son métier ? Je note aussi que le nom de la rue Rémusat où nous avons habité des années est orthographié avec un « z »… Il y a dans cette lettre un autre passage qui m'interpelle et dont je ne vois pas comment il aurait pu être écrit ce jour-là par mon père. On y lit : « L'article du journal *Le Monde* du 27 octobre, inspiré directement selon l'aveu que m'en a fait M. James Sarazin[1], par le jeune Van Ruymbeke[2], qui joue au vedettariat (sic) et au Saint Just… ». Plus loin : « Ce dévoiement dans la révélation du secret de l'instruction laisse froid un garde des Sceaux[3] plus préoccupé de sa carrière que du bon fonctionnement de la justice. » Le style dénonciateur, la virulence

envers le juge Van Ruymbeke ne cadre pas avec l'analyse que mon père faisait des événements à la veille de sa mort. Durant l'été, il avait bien compris que le portrait donné du juge par le cabinet du ministre de la Justice (« Un juge rouge qui veut faire un carton sur un ministre ») était un leurre, que Van Ruymbeke était différent de ce qu'on voulait lui faire croire, et que les qualificatifs alarmistes avaient pour but de le déstabiliser. Il souhaitait d'ailleurs rencontrer le magistrat, convaincu que leur rencontre ferait cesser les pressions malfaisantes. Boulin avait commencé à rédiger une lettre à ce propos. Dans la matinée du 29 octobre, il avait demandé à Yann Gaillard, son directeur de cabinet, d'aller voir son camarade de promotion de l'ENA, le secrétaire général de l'Élysée Jacques Wahl, pour étudier les conditions qui permettaient à un ministre d'être entendu par un juge.

Contrairement à ce que laisse croire la supposée lettre posthume, et même si les journalistes n'ont pas l'habitude de révéler leurs sources, James Sarazin m'assura d'une chose : jamais il ne confia à Boulin que Renaud Van Ruymbeke pouvait être son informateur. Mon père savait pertinemment que ceux qui informaient les journalistes étaient ses propres amis politiques, comme cela fut confirmé depuis par Louis-Marie Horeau, du *Canard enchaîné*[4]. Une enquête judiciaire eut lieu cependant suite à la publication de la lettre « posthume » : il s'agissait de déterminer s'il y avait eu ou non violation du secret de l'instruction par le

---

1. L'auteur de l'article.
2. Le juge d'instruction alors chargé de l'affaire contre Henri Tournet.
3. Alain Peyrefitte, à l'époque ministre de la Justice et qui ambitionnait de devenir Premier ministre.

---

4. « Droit d'inventaire », France 2, 22 octobre 2008.

juge. L'enquête conclut que Van Ruymbeke n'avait pas trahi le secret de l'instruction et que James Sarazin n'avait eu aucun contact avec lui. Le magistrat en fut blessé mais tira son épingle du jeu : l'histoire le retiendra comme un individu intègre et courageux.

Saluons au passage le joli coup de billard à trois bandes réalisé par les concepteurs de la lettre. Ils réussirent à camoufler l'assassinat d'un ministre, à détourner l'attention des auteurs de la campagne calomnieuse dont ce dernier avait été victime, et enfin à barrer la route de Matignon à un dénommé Alain Peyrefitte – que cette lettre écartait désormais de l'ascension qu'il ambitionnait. Sa mise en cause avait en effet terni son image dans l'opinion publique.

D'autres détails m'intriguent : les mots raturés à la main, par exemple. Typiques d'un brouillon, sont-ils seulement concevables dans la dernière lettre d'un ministre suicidaire tirant officiellement sa révérence ? Il y a aussi ce choix absurde de souligner, sur quatre pages de texte, deux mots absolument insignifiants dans le contexte : « Accord... autorisant... la construction de 26 villas... accord jugé *périmé* par l'administration, faute de début d'exécution de travaux depuis *février 1968*. » La mise en valeur de ces deux mots se justifierait dans une note d'explications juridique, pas dans un testament public.

La lettre est tapée sur un papier à en-tête obsolète du « Ministère du Travail ». Mon père, qui avait à sa disposition le nouveau papier du « Ministère du Travail et de la Participation » dont il faisait quotidiennement usage, ne l'utilisait donc plus que pour ses brouillons. J'en veux pour preuve la lettre personnelle (« S'il venait à m'arriver un accident ») qu'il m'avait remise en septembre 1979 et qui ne faisait pas exception à la règle.

La signature ne permet pas non plus d'établir l'authenticité du document. Selon l'expert graphologue Alain Buquet, elle est facile à imiter. Georges Pauquet, secrétaire général de la mairie de Libourne, confirma d'ailleurs dans son audition du 6 février 2003 que la signature de Boulin, avec son autorisation, était fréquemment imitée par certains de ses collaborateurs. Pour contrôler la signature véritable, poursuivit-il, il eut suffi de la comparer avec celles apposées sur les feuilles du registre des délibérations du conseil municipal, que le maire de Libourne présidait. À ma connaissance, cela n'a jamais été fait. Maxime Delsol, inspecteur de police chargé de la sécurité du ministre, reconnut que d'autres collaborateurs et lui-même imitaient, avec son autorisation, la signature du ministre, ainsi que son écriture, pour personnaliser de quelques mots certains courriers. Qui dit que ces mots griffonnés sur les exemplaires des destinataires de la lettre n'ont pas été « personnalisés » ?

Les courtes annotations, portées sur les enveloppes ou en marge de la lettre, présentent des calligraphies distinctes selon les destinataires, alors qu'elles sont censées avoir été rédigées le même jour. Ainsi, sur l'exemplaire du commissaire Samissof, la mention « personnelle » est au féminin, dactylographiée. Elle est suivie du terme « urgente » inscrit à la main, et des mots « uniquement pour la police » – avec une calligraphie fort différente de l'habituelle. Pour l'AFP, le mot « urgent », dactylographié, est précédé d'un

« très », manuscrit. Sur la copie envoyée à Alain Ribet, journaliste à *Sud-Ouest*, les mentions « urgent et personnel » sont au masculin et dactylographiées et, en tête de la lettre, il y a une griffe manuscrite « amicalement » – expression singulière pour un homme sur le point se suicider. Ces divers indices font songer à une hâte désordonnée qui n'était pas dans le caractère de mon père. Comme si ces mots, destinés à donner au courrier un semblant d'authenticité, avaient été écrits par des faussaires.

D'autres bizarreries apparurent, qui ne firent pas non plus l'objet d'investigations. Les courriers, officiellement postés ensemble, n'arrivèrent pas au même moment à leurs destinataires. Chaban-Delmas reçut sa lettre le matin de la découverte du corps ; Pierre Simon l'après-midi ; d'autres les réceptionnèrent plusieurs jours après. L'arrivée rapide des deux premières lettres constitue une anomalie. D'autant plus que Pierre Simon fut, selon son témoignage, prévenu par le parquet de Versailles dès le matin du 30 octobre qu'il allait recevoir une lettre posthume. Nul, à ce stade, n'était censé en connaître l'existence. Autre anomalie : la lettre destinée au suppléant de mon père, Gérard César, lui fut expédiée à l'Assemblée nationale, alors que selon plusieurs témoins, mon père ne lui écrivait jamais à cette adresse mais toujours à sa mairie de Rauzan.

Plusieurs des lettres, enfin, ne furent pas saisies par la police : celles réservées à ses conseils, Me Bondoux et Me Maillot, mais également celles de Pierre Simon, du journal *Sud-Ouest*, ou de *Minute*, dont Paul-André Sadon, magistrat au parquet général de Paris, se fit directement donner l'exemplaire pour le remettre à Alain Peyrefitte, à la demande de ce dernier[5].

Par ailleurs, le choix des destinataires est incompréhensible : pourquoi ces gens-là ? Il y avait tant de personnes à qui mon père aurait eu plus de raisons d'expliquer son geste. Aucun membre de notre famille ne reçut de message ; pas même sa mère, sur laquelle il veillait pourtant avec un soin constant ; ni son directeur de cabinet, ni le président de la République, ni le Premier ministre avec lequel il entretenait de bons rapports ; ni son premier adjoint à la mairie de Libourne ; ni enfin ses amis proches, comme les Pierre, ou Louis Jung, son plus ancien soutien à Libourne. Conseiller municipal et propriétaire du *Résistant*, ce dernier avait toujours compté parmi les premiers destinataires des déclarations de mon père. Si Robert Boulin avait décidé de laisser une lettre posthume, elle leur aurait été adressée à eux, et en priorité. Visiblement, les faussaires n'eurent pas le temps de penser à tout.

Que dire des journaux qui l'avaient mis en cause quelques mois plutôt ? *Le Monde* et *Le Canard enchaîné* ne reçurent pas de message, non plus que Patrice Blank, pourtant très présent à cette période. Quant à Max Delsol, qui prétend aujourd'hui avoir été le confident de Boulin, il a attendu 2010 pour affirmer au journal *Sud-Ouest* avoir reçu, lui aussi, une lettre posthume. C'est cette dernière qui l'aurait convaincu du suicide de son patron. Qui ne se méfierait d'une si tardive révélation ? À moins qu'elle ne résulte d'une coquille du journaliste.

---

5. Déposition de M. Sadon du 15 octobre 1985.

Le contenu de la corbeille à papier ajoute au mystère des écrits précédents. L'inventaire qu'en fit la police le jour de la découverte du corps décrit huit enveloppes timbrées non oblitérées, fermées puis rouvertes et enfin déchirées, chacune au nom d'un destinataire. Huit enveloppes, dit l'inventaire des scellés, quand le rapport du SRPJ évoque neuf destinataires et que l'arrêt de la chambre d'accusation en mentionne dix. Personne n'a voulu se soucier de ces comptes divergents.

Les adresses portées sur ces enveloppes étaient, contrairement au courrier dit posthume, manuscrites (hormis celle destinée au commissaire Samissof). L'enveloppe de Gérard César indiquait quant à elle la mairie de Rauzan. Que pouvaient contenir ces enveloppes timbrées avant d'être ouvertes, puis déchirées ? Une lettre de démission ? Des révélations que mon père s'apprêtait à rendre publiques lorsqu'il a été tué ?

La corbeille contenait aussi un petit morceau de papier déchiré avec le texte dactylographié suivant : « J'envisage de me noyer dans un étang de la forêt de Rambouillet où j'aimais faire du cheval. Ma voiture 305 Peugeot qui sera au bord est immatriculée 651 GX 92 » – une mention presque similaire à celle trouvée dans les plis envoyés à l'AFP et au commissaire de Neuilly. L'authenticité de ce mot est des plus douteuses. L'expression « j'envisage » est impropre en les circonstances, sans parler de la sotte référence aux promenades à cheval. Visiblement, les faussaires ont en trop fait.

Lorsqu'il découvrit ce papier dans la nuit du 29 au 30 octobre, mon mari décida d'alerter les autorités. Comment Robert Boulin aurait-il pu être négligent au point de laisser derrière lui un tel message, avec le risque qu'il soit découvert prématurément par un de ses proches, dont Julienne, notre employée de maison, qui faisait le ménage de son bureau ? Sur ce point, la thèse officielle se contredit elle-même. Selon l'ordonnance de non-lieu, mon père aurait ajouté, dans sa lettre postée au commissaire Samissof, la recommandation suivante : « Prévenez en priorité mon gendre, Éric Burgeat... Attention à ne pas alerter ma fille si elle est au bout du fil. » Confier un tel message à la Poste est absurde, car il avait peu de chance d'arriver à son destinataire avant la découverte du corps. Visiblement, les faussaires se sont pris les pieds dans le tapis.

S'il est invraisemblable que mon père ait laissé derrière lui de telles traces, qui aurait pu les glisser dans sa corbeille ? A priori bien du monde, compte tenu des multiples allées et venues ce soir-là dans l'appartement – et notamment celles de Patrice Blank. Emprunter la machine à écrire de mon père puis la replacer, bourrer la corbeille d'indices fabriqués, s'emparer des dossiers qu'il avait rapportés du ministère, pourquoi pas ? Cela ne requérait pas trop de temps ni d'adresse particulière. C'est probablement ainsi que les choses se déroulèrent boulevard Maillot. Un interrogatoire sérieux de nos visiteurs, une reconstitution, auraient en tout cas permis de clarifier les faits. Mais cela n'a pas eu lieu.

Pourquoi avoir ainsi bourré la corbeille à papier ? À l'évidence pour nous convaincre du suicide avant même le déclenchement des recherches ; ou mieux, pour nous inciter à les déclencher nous-mêmes. En effet, jusqu'à la découverte du contenu de la corbeille, cette hypothèse ne nous avait pas effleurés. Il fallait nous y encourager. Nos manipulateurs durent s'impatienter, trouver que nous tardions à réagir. De fait, si nous n'avions pas été induits en erreur par ces papiers, nous n'aurions pas laissé se propager aussi facilement la thèse du suicide.

Selon l'ordonnance de non-lieu, mon père aurait tapé ces lettres au cours de la matinée du dimanche précédant sa mort[6], dans le bureau de son domicile, avant de se rendre en début d'après-midi au ministère pour en faire des photocopies. Il passa le reste de l'après-midi chez lui, sans plus travailler sur sa machine, profitant de la compagnie de ses enfants et petits-enfants. Ce jour-là, mon père tapa et photocopia des textes. Mais il ne s'agissait pas des lettres vues plus haut. Nous savions qu'il préparait, avec soin, une réponse aux attaques du journal *Le Monde*, réponse qu'il soumit le jour même à Bertrand et moi, puis le lendemain matin à ses collaborateurs. Certains d'entre eux se souvinrent que leur ministre leur en avait distribué des photocopies pour connaître leur avis sur la pertinence de sa réponse. Mais l'enquête négligea de s'attarder sur ces faits. Le projet de réponse est composé de deux feuillets, datés, et le nom du destinataire est identifié (contrairement à la lettre posthume). Le ministre s'y défend des insinuations contenues dans le journal paru le vendredi précédent. Il s'explique sur l'affaire des terrains de Ramatuelle pour démentir, point par point, toute opération immobilière douteuse.

Comment, le dimanche matin, aurait-il pu en quelques heures taper quatre feuillets d'une lettre posthume et un projet de réponse à un journal – ces textes obéissant à des états d'esprit si opposés ? Il semblerait en fait que certains éléments de la lettre en question aient justement été contenus dans un texte que mon père avait donné à transcrire, le matin de sa disparition, à sa secrétaire Françoise Lecomte. Elle dit avoir frémi en retrouvant, dans la lettre de suicide publiée par la presse, des passages du texte qu'elle avait dactylographié, à propos de l'affaire de Ramatuelle. Qu'est devenu le texte que Françoise Lecomte a eu entre les mains ce matin-là ? Mon père l'avait-il sur lui, avec d'autres notes peut-être, lorsqu'on l'assassina ? Ou bien était-ce celui qu'Yves Autié fut, dans la matinée du lundi, chargé de délivrer en mains propres, à ses conseils Patrice Blank et Alain Maillot ? Le saurons-nous un jour ? Blank ne remit pas cette lettre à la police et l'exemplaire reçu par Alain Maillot a disparu. Pourquoi les juges n'ont-ils pas exigé la restitution de cette pièce ? Si elle portait en germe la lettre posthume, il n'était guère difficile de s'en servir de base pour réaliser un faux. Mais peut-être s'agissait-il seulement de sa réponse au *Monde*, auquel cas Blank serait lavé du soupçon de complicité dans la fabrication d'une fausse lettre posthume. Le 30 octobre à l'aube, Blank se rendit en effet chez le directeur du *Monde* au prétexte de lui remettre un message de mon père, qu'il garda finalement pour lui après l'annonce à la radio de la mort du ministre. Était-il réellement porteur de cette réponse ou cherchait-il à se constituer un alibi ? Ces questions, les enquêteurs ne prirent pas la peine de se les poser.

---

6. L'ordonnance de non-lieu mentionne « pratiquement toute la matinée », ce qui est inexact puisque mon père en a passé une bonne partie à se rendre à la messe, avec ma mère.

Messieurs,

J'ai décidé de mettre fin à mes jours.

Une grande partie de ma vie a été consacrée au service public. Je
fait scrupuleusement, désirant en toute occasion demeurer exemplai-

Or voici que la collusion évidente d'un escroc paranoïaque, mythoma-
pervers, maître chanteur et d'un Juge ambitieux, haineux de la socié
considérant, à priori un Ministre comme prévaricateur, et de cer-
s milieux politiques où hélas mes propres amis ne sont pas exclus,
tit, pour ma part à auditions, campagne de presse et suspicion.

Tout cela serait dérisoire, compte tenu de ma transparence dans cet-
affaire si le côté scandaleux ne s'en emparait et si je n'étais Minis
en exercice. Cela m'est insupportable et je ne peux pour moi-même
urtout pour les miens le supporter.

Pourtant les faits sont simples à mon égard: ma femme et moi avons
is le 18 Juillet 1974, deux hectares de garrigues dans la presqu'i-
le Ramatuelle, pour y construire une maison de vacance. Acte authen-
e a été régulièrement passé et transcrit au bureau des hypothèques
raguignan chez Me LONG, notaire à Grimaud, le prix payé par chèque,
s que le notaire m'ait donné tous apaisements, pièces à l'appui, su
craintes et questions que je me posais sur des contentieux en cours
ressant mon terrain.

Une maison de 180 m2 au sol, sans étage ni dépendance pour 20.000 m²
errain correspondait à l'exigence légitime d'un C.O.S. sévère (0,03
e milieu protégé, a été construite, après délivrance régulière d'un
is de construire, sans aucune dérogation.

Mon histoire simple aurait due se terminer là si en 1977 je n'avais
is que Mr TOURNET que j'avais connu en 1962 à Paris, comme habitant
Rémuzat le même immeuble que moi à l'époque et dont la femme était
ie d'enfance de la mienne, avant de vendre à la Sté HOLITOUR, dont
enais mes droits, n'avait vendu en 1973, 35 Ha de terrain, dont le
, par acte authentique chez Me GROULT, notaire à Pont-Hébert, à des
ands les Consorts COUSIN-CAMUS-Vve DEMOGE et en avait, à tort perçu
rix avant transcription.

L'acte de 1973, par des erreurs multiples du notaire n'avait pu ê-
transcrit, d'où mon ignorance de la chose, comme pour mon notaire.

En 1974 après que je sois intervenu à la demande de Tournet, comme
est l'usage, pour m'informer, auprès de l'administration compéten-
ur ses droits, j'avais soutenu la Direction de l'Equipement du Var,

Vu et annexé.....

qui refusait, à juste titre, de revenir sur un accord préalable de
de 1967, autorisant sur le terrain de Tournet, la construction de
villas, accord jugé périmé par l'administration, faute de début d'
cution de travaux, depuis Février 1968.

Un P.O.S. étant en cours il fallait en attendre la mise en pla

TOURNET qui avait, en fait, pratiqué une escroquerie au permis
de construire, sachant qu'il était périmé, faisait état de " ses h
relations" (Arrêt Cour Appel Aix) pour laisser les parties dans l
pérance d'une révision de la chose, avait en face de lui un Ministr
pectueux de la position de l'administration, jugée légitime, après
formation, qui mettait à néant ses manoeuvres et influences chimér

Mais mieux, étant Ministre délégué à l'Economie et aux Finance:
1977, je découvrais que la gente à HOLITOUR, consentie par Tournet
22 Avril 1974, à un prix minoré, en accord avec les COUSIN (voir
de de Me BUNODIERE au nom de la Caisse de garantie des Notaires), re
vrait une tentative de fraude fiscale, consistant à éluder les plus
lues qui étaient dues sur le prix de vente aux Consorts COUSIN, au
du d'ailleurs être retenues à la source, TOURNET étant français, ma
résident étranger (art. ancien 150 ter du C.G.I.), et minorer pou
COUSIN les droits de mutation. D'où le fait, après le refus de tran
tion de l'acte du 23 Janvier 1973 le fait que ni l"acte du 22 Septe
1973, ni l'acte rectificatif de 1974 n'ont été présentés à la trans
tion.

Je suis donc intervenu auprès de l'administration compétente po
faire calculer les plus-values exigibles, les droits de mutation et
procéder à un rehaussement du prix minoré d'HOLITOUR.

Le jeune Juge VAN RUYMBECKE aveuglé par sa passion de " faire
carton sur un Ministre" est passé à coté de la question négligeant
tort le rapport sus-visé de Me BUNODIERE pourtant versé au dossier.

On comprend la vindicte de TOURNET, pris la main dans le sac, à
gard d'un Ministre qui quoiqu'ami, mis au courant, ne faisait que s
devoir.

D'où le fait qu'incarcéré à CAEN par le Juge et inculpé de faux
écriture publique, inculpation criminelle et d'escroqueries multipl
Mr TOURNET, dans le but évident de se dégager sur un Ministre en ex
ce, soutenait que j'étais au courant au moment de mon achat des ven
antérieures de 1973 authentiques, mais non-transcrites - ce qui est
purement grotesque, et prétendait m'avoir remis de l'argent par chè
au porteur en échange de l'obtention des permis de construire.

Outre le fait, qui n'est vraiment pas dans mon genre, que je n'a
jamais vu, ni endossé un chèque au porteur émanant de TOURNET - ce q
se vérifie aisément, le chèque étant au dossier, aussi bien pour mo
que pour ma femme ou ma famille - les Préfets, alors en poste, pour
témoigner da ma solidarité totale avec une administration exemplair
la matière, après que je me sois informé auprès d'elle, position que
j'ai encore renouvellée, sur démarches de Me DESHAYES, notaire peu s
puleux et au centre de cette affaire, à Caen, faite au nom de ses cli
les Consorts COUSIN en 1978.

Mais à surprise, voici que TOURNET, inculpé criminellement par

Vu et annexe
.../....

ge, s'accusant d'un autre crime de prévarication, est libéré sur
heure de ses prétendus aveux, autorisé, sans retrait de son passeport
aller à l'étranger, moyennant 500.000 Fr de caution, versées au sur-
us en espèces, somme dérisoire pour un homme qui doit aujourd'hui près
3 Millions de francs et qui s'est rendu insolvable à NEUILLY, comme
Espagne où les immeubles et terrains, dont il se dit propriétaire,
nt au nom de tiers ou de sociétés écrans organisées avec des compli-
té (son neveu Me COISSAC est propriétaire 35 Bd V. Hugo à Neuilly,
MARI TUR à IBIZA et une société immobilière Madame ROBER, tenue par
e ancienne maitresse, pour laquelle Tournet vend des terrains en se
rtant fort.)

Le pacte avec ce jeune Juge, dont la malveillance est évidente, vis
e mettre au centre d'une affaire où je vois mal ce que j'y fais, moi
i ait acheté un terrain, construit une maison de vacance, sans aucun
prit spéculatif.

Voici, au surplus que TOURNET libéré " parle à la presse" pour rendre l'expression du journaliste du Monde dans son article du 27 Oc-
re, donnant ses versions mythomaniques au Canard enchainé, versant
liberemment et au grand jour, des pièces du dossier de l'instruction
e journal dont la motivation profonde est la malveillance.

L'article du Journal le Monde du 27 Octobre, inspiré directement
où l'aveu que m'en a fait Mr James SARAZIN, ~~inspiré directement~~ par
jeune VAN RUYMBECKE, qui joue au vedétariat et au Saint Just, revèle
ne une lettre du 20 Juillet 1974 de Me DESHAYES à Me LONG et que je
ouvre pour la première fois, saisie chez Me LONG par le Juge, commu-
uée par lui audit journaliste, tandis qu'il inspirait directement
conclusion in fine du même article.

Ce dévoiement dans la révélation du secret de l'instruction laisse
id un Garde des Sceaux plus préoccupé de sa carrière que du bon fonc-
nnement de la Justice.

Cette présentation des choses laisse dans l'ombre les combines, es-
queries, spéculations, faux, malversations de TOURNET en accord avec
COUSIN et de leur notaire Me DESHAYES (on ne fait ni transcrire
actes et on laisse dormir une assignation à Coutances depuis 1975),
r me mettre au centre d'une affaire où je ne suis pour rien et où
sers d'appat.

J'apprends depuis quelques jours, où les langues se délient, que
RNET au moment de la guerre froide a escroqué à grande échelle, des
nçais naïfs et apeurés, en transportant pour leurs comptes des fonds
BRESIL pour "acheter des terrains", fonds que Tournet a "oublié" de
ettre, mais pour lesquels les interessés ne pouvaient porter plainte
n antiquaire de la rue des Saint Pères pourrait dire beaucoup)

Tout celà m'insupporte, moi qui depuis vingt ans de vie publique,
t quinze ans de vie ministérielle, me suis efforcé de demeurer exem-
ire et où ma situation matérielle demeure modeste, n'ayant comme uni-
ressource que mon traitement de Ministre.

La prévarication pour 40.000 Fr est dérisoire et à la hauteur de ce
sonnage mythomane et pervers qu'est Tournet et d'un Juge inexpérimen-
vindicatif et haineux. Mais sa manoeuvre, trouvant dans le Juge une
ille complaisante a abouti à sa libération et m'a mis au centre
n panier de crabes où je n'ai rien à faire.

Vu et annexé
....//....

Un Ministre en exercice ne peut être soupçonné, encore moins ancien Ministre du Général de Gaulle.

Je préfère la mort à la suspicion, encore que la vérité soit

Que ma famille, si unie et que l'on commence à attaquer scand ment, se resserre encore davantage, dans le souvenir, non altéré, je pourrai laisser où j'ai servi l'Etat et mon pays avec passion sinteressement.

Je vous prie de croire, Messieurs, à mes sentiments dévoués:

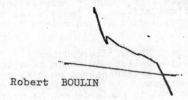

Robert BOULIN

P.S. Mes avocats le Bâtonnier BONDOUX et Me Alain MAILLOT pourr donner plus de détail, ayant en mains toutes pièces à l'appui de thèses.

que à la constante arrêté de libérymen qui saront ma rigueur et ma honnêteté au 20 ans de gestion.

Vu et ann.

PROGRESSION GÉOMÉTRIQUE

Huis clos dans la chambre des secrets

Mon père aimait beaucoup Amédée, le prénom de son beau-père, mon grand-père, et de l'aîné de ses petits-fils, mon premier fils. Amédée, c'est aussi le titre d'un chef-d'œuvre de Ionesco : *Amédée ou Comment s'en débarrasser*. Wikipédia résume ainsi les deux premiers actes de la pièce : «Un couple, Amédée et Madeleine, vit depuis quinze ans dans l'obsession du secret que renferme la chambre d'à côté. Amédée n'arrive plus à écrire et Madeleine s'est vue obligée à prendre du travail. Une paire de jambes énorme surgit de la porte d'à côté et révèle qu'un cadavre bien particulier était caché derrière elle. Ce dernier aurait attrapé la maladie incurable des morts :" La progression géométrique " et grandit inexorablement. Le couple s'affaire autour des jambes qui s'allongent par à-coups à travers la scène… »

On n'a jamais tant parlé de l'affaire Boulin que depuis que les autorités judiciaires ont décidé de la fermer, de maintenir close la chambre des secrets.

1991

À la fin de l'année 1991, notre avocat, Mᵉ René Boyer, continuait à enrager des lenteurs de la justice quand le juge d'instruction, Alain Verleene, lui annonça son départ prochain pour d'autres fonctions. Un nouveau juge allait donc être nommé pour s'occuper du dossier Boulin. Devant notre crainte que ce changement de juge ne retarde encore les investigations indispensables à la connaissance de la vérité, le juge Verleene exhorta notre conseiller à la patience. À l'évidence son successeur aurait besoin de quelques mois pour se familiariser avec l'affaire, compte tenu de l'épaisseur du dossier et du poids de la charge auquel il (ou elle) aurait à faire face. René Boyer, rodé au métier et doté d'une grande détermination, avait conscience de toutes les difficultés entravant la recherche de la vérité dans ce dossier. Il avait même entendu un juge d'instruction lui confier de mauvaise humeur : « Ils ne savent pas ce qu'ils veulent, un jour il faut que je pousse, un autre que je freine. »

Sans écouter les conseils du juge Verleene, René Boyer attendit seulement jusqu'au retour des vacances de fin d'année pour frapper à la porte de son successeur, Laurence Vichnievsky, arrivée tout droit des services centraux du ministère de la Justice. Avant de s'entretenir avec elle, l'avocat souhaitait avoir accès au dossier pour vérifier certains points et affiner son argumentation. La chose s'avéra plus compliquée qu'il ne l'avait escompté, car l'un des deux tomes du dossier manquait à l'appel. Il se trouvait encore dans le bureau du juge Verleene. Quand il l'eut retrouvé, René Boyer vérifia rapidement ce qu'il y cherchait et entreprit derechef de se présenter au nouveau magistrat. Cette dernière refusa toute discussion et avant de le congédier sans ambages, lui fit savoir qu'elle venait de transmettre le dossier au parquet « pour règlement ». Ce qui signifie qu'elle venait d'engager la procédure de clôture de l'instruction. Nous fûmes évidemment surpris et indignés de cette décision que nous vivions comme un véritable coup de Jarnac. Privés de la moindre possibilité de débat contradictoire, nous étions mis

27 AOÛT 2009

Benoît Collombat reçoit une réponse de Dolores Nelson, « Information and Privacy Coordinator », qui l'informe que la CIA a classé le dossier concernant la mort de Robert Boulin, mais il ne peut être consulté car susceptible de mettre en cause la « Défense nationale » et les « Affaires étrangères ».

27 OCTOBRE 2009

TÉMOINS. Benoît Collombat interviewe sur France Inter de nouveaux témoins. L'ancien ministre Jean Charbonnel déclare que, selon lui, il s'agit d'un « règlement de comptes politique ». Pierre Allia, ancien policier à la PPP, argue que son oncle Michel le Libanais, mort dans une fusillade à Paris, a été témoin de la mort de Robert Boulin. L'ancien patron de

27 OCTOBRE 2009

l'OCRB (Office central de répression du banditisme), Lucien Aimé-Blanc, confirme le profil et l'action souterraine de Michel le Libanais. Bernard Rumegoux, assistant des médecins légistes, raconte à Benoît Collombat qu'il a observé la marque d'un coup porté derrière la boîte crânienne et des traces de liens au poignet.

devant le fait accompli et ne pûmes alors qu'assister, impuissants et silencieux, à la procédure de fermeture du dossier enclenchée à notre insu.

La chronologie de cet épisode parle pour elle-même :

Le 9 janvier 1991, Mme Vichnievsky prend ses fonctions de juge d'instruction en remplacement de M. Verleene. Elle hérite d'un dossier particulièrement volumineux et complexe, dont la totalité mesure plus d'un mètre de haut ;

Le 17 janvier 1991, Mme Vichnievsky transmet le dossier de l'affaire Boulin au parquet pour règlement ;

Le 2 septembre 1991, le parquet retourne à Mme Vichnievsky le dossier, accompagné d'une réquisition de non-lieu ;

Le 20 septembre 1991, Mme Vichnievsky ordonne le non-lieu sur notre plainte contre X pour homicide volontaire de mon père.

Malgré la complexité du dossier, huit jours seulement suffisent au juge d'instruction pour transmettre le dossier au parquet. Dix-huit jours seulement après avoir reçu la réponse du parquet, la juge d'instruction rend une ordonnance de non-lieu en l'état. Celle-ci s'appuie en tout point sur le réquisitoire que le parquet lui a adressé. Fulgurance géniale de l'intime conviction ? Hâte intempestive ? L'histoire tranchera.

Nous fîmes bien sûr appel de l'ordonnance de non-lieu prononcée par Mme Vichnievsky. En vain. Elle fut confirmée en des termes similaires, le 24 mars 1992, par la chambre d'accusation de la cour d'appel de Paris, sous la présidence de Mme Martine Anzani, puis par la Cour de cassation le 15 décembre de la même année.

27 OCTOBRE 2009 VISAGE. Au micro de Benoît Collombat, Jean-Pierre Courtel, inspecteur de police au SRPJ de Versailles à l'époque de la mort de Boulin, tient à mettre les choses au point : « En aucun cas la sortie du corps ne peut avoir provoqué les blessures sur le visage de

27 OCTOBRE 2009 Robert Boulin. » Il ajoute, dans un excès de franchise : « Je n'ai peut-être pas vu ce qu'il fallait voir… » et affirme aujourd'hui dans les médias ne « plus croire au suicide ». Il met en doute le témoignage de Patrick Drut qui n'aurait pas été présent au moment de la

21 MARS 2010 sortie du corps, alors que l'ordonnance de non-lieu s'appuie principalement sur ce témoignage pour accréditer l'idée que la fracture du maxillaire viendrait d'une chute sur un rocher à ce moment-là.

Avant la décision de non-lieu, nous attendions beaucoup d'une nouvelle loi, en préparation, qui devait accorder aux parties civiles le droit d'exiger, et non plus seulement de proposer, des investigations (interrogatoire de suspects, audition de témoin, confrontation, reconstitution ou transport sur les lieux). Malheureusement, cette loi n'est entrée en vigueur que début 1993, quelques semaines après que la Cour de cassation avait décidé que la porte de la chambre des secrets soit refermée. Refermée certes, mais pas pour toujours.

La décision de la Cour de cassation ouvrait en effet un délai de prescription de dix ans, au cours duquel l'action publique pouvait être enclenchée. Pendant ce délai, nous avions le droit de demander à tout moment au procureur la réouverture de l'instruction sur charges nouvelles. Par une certaine aberration du droit français cependant, sur ce type de demande, le procureur décide souverainement, sans voie de recours possible.

Le délai était censé courir jusqu'au 15 décembre 2002. Si, en 2010, dix-huit ans plus tard, la prescription n'est toujours pas éteinte, c'est qu'à force de combats acharnés nous avons réussi à en arrêter le cours. Contre les tempêtes, nous sommes parvenus à maintenir la flamme de la justice allumée. En veilleuse, certes, mais il ne tient qu'aux autorités judiciaires de la raviver. En attendant, « la progression géométrique » est à l'œuvre. L'affaire Boulin continue de gonfler.

Bien que le coup fût rude, la fin de l'instruction n'entama pas notre détermination. Il ne fut jamais question d'abandonner la partie. La justice ayant décidé de ne plus instruire ce dossier, nous allions mener l'enquête nous-mêmes. Conformément aux conditions

21 MARS 2010 Sur France 2, Marie-Pierre Farkas présente « Au nom du père ». Dans ce documentaire, Lætitia Sanguinetti rapporte les propos de son père : « C'est un assassinat ! Robert ne s'est jamais suicidé », qui confirment ceux de Jean Charbonnel. Elle ajoute

21 MARS 2010 qu'une haute personnalité gaulliste avait déposé chez son avocat américain une lettre explicite sur son assassinat.

23 MARS 2010 Requête de réouverture d'une information déposée par Me Olivier Morice, « une exigence de vérité », adressée au tout nouveau procureur général de la cour d'appel de Paris, M. Falletti.

d'une réouverture de l'instruction, il nous fallait rechercher des «déclarations de témoins, pièces et procès-verbaux qui, n'ayant pu être soumis à l'examen du juge d'instruction, étaient cependant de nature à fortifier les charges qui auraient été trouvées trop faibles ou à donner aux faits de nouveaux développements utiles à la manifestation de la vérité». Certes, le dossier contenait de nombreuses zones d'ombre. Maintes pistes n'avaient pas été approfondies. Mais la décision de non-lieu les avait, en quelque sorte, neutralisées. Pour obtenir la réouverture de l'instruction, la loi impose de mettre en avant des faits inconnus jusque-là. Il ne suffit donc pas, par exemple, de démontrer que des témoignages existants ont été ignorés ou mal exploités. Il faut en trouver d'inédits.

Le problème résidait donc dans le choix de la stratégie pour détecter ces éléments nouveaux.

Pour une partie civile privée de juge d'instruction, le défi est immense. Comment enquêter soi-même? Bien que livrés à nous-mêmes, nous avions rapidement repoussé l'idée d'embaucher un détective privé, solution qui n'offrait pas, à nos yeux, les garanties nécessaires dans un dossier aussi délicat. J'ai conscience que certains de nos scrupules, qui, je l'espère, nous honorent, ont pu affaiblir notre combat. Face à la machine infernale, nous ne pesons sans doute pas lourd avec nos délicatesses.

Une autre difficulté freinait nos recherches. En effet, le non-lieu prive de l'accès aux scellés. Impossible donc de faire pratiquer les analyses nécessaires, ce qui aurait exigé en outre des compétences techniques hors de la portée des simples justiciables que nous sommes. D'autant que la validité et l'authenticité de tout

---

25 MARS 2010
Conférence de presse chez Me Olivier Morice sur le dépôt de la requête, en présence de Jean Charbonnel.

31 MAI 2010
Lors d'une conférence de presse à Libourne, ville de Robert Boulin, la garde des Sceaux Michèle Alliot-Marie déclare, à quelques jours du rendez-vous fixé par le procureur général à Fabienne Boulin : «Le dossier est clos, et en l'absence

31 MAI 2010
d'éléments nouveaux, je m'en tiens aux décisions qui ont été prises.»

nouvel indice ou témoignage que nous aurions pu découvrir par nos propres moyens risquaient d'être immédiatement contestées. Condamnés par l'ordonnance de non-lieu à être à la fois juge et partie, nous savions qu'il serait facile à nos adversaires de mettre en cause la crédibilité de nos trouvailles. Aux États-Unis, les parties peuvent faire l'enquête elles-mêmes et les preuves qu'elles apportent sont jugées sur leur propre valeur. En France, la culture est différente. Tout élément de preuve découvert par la partie civile est a priori suspect. Ainsi, à découvrir des preuves nous-mêmes, nous courions le risque de les détruire, par notre simple contact.

Depuis le début de notre action judiciaire, nous nous étions imposé comme ligne de conduite rigoureuse de ne pas solliciter nous-mêmes de témoins, autant par éthique personnelle que pour ne pas être suspectés de vouloir user d'une quelconque influence. Nous nous sommes également interdit de leur faire courir le moindre risque. C'est pourquoi nous n'avons jamais demandé à rencontrer des personnalités comme Raymond Barre ou Christian Bonnet, dont les révélations mettent pourtant en pièces la thèse du suicide. Si M. Bonnet, ou Mme Barre, lisent ces lignes, j'espère qu'ils comprendront la raison de notre discrétion. Raymond Barre, lui malheureusement, ne les lira pas.

Il nous fallait aussi apprendre à faire le tri entre les témoins spontanés fiables et la foule de déséquilibrés qui se disaient en mesure de nous fournir des informations décisives. Mythomanes ou paranoïaques, ils prétendaient souvent trouver des points communs entre l'affaire Boulin et leur propre combat. Certains s'imaginaient

8 JUIN 2010

LETTRES DITES POSTHUMES. Le procureur Falletti annonce à la partie civile que la justice a égaré des pièces à conviction ainsi qu'un tome entier de la procédure. Figuraient dans ces archives perdues des lettres destinées à une analyse ADN. La requête de réouverture est rejetée.

8 JUILLET 2010

ALLÉLUIA. La chancellerie, ainsi que le procureur général, annoncent à la presse que tous les scellés égarés du dossier Boulin ont été retrouvés, sans que les circonstances de leurs découvertes soient expliquées. L'instruction n'est pas rouverte pour autant.

31 OCTOBRE 2010

«Cette étrange affaire Boulin», nouveau reportage de Marie-Pierre Farkas diffusé dans «13 h 15, le dimanche» (France 2), démonte une nouvelle fois la thèse officielle.

sans doute pouvoir faire avancer leur cause en la soudant à la nôtre. Beaucoup cherchaient simplement une oreille compatissante, prête à entendre l'histoire de leurs drames familiaux et professionnels ou celle de leurs démêlés judiciaires. J'ai écouté tout le monde sans a priori, mais avec circonspection. Certains me donnaient rendez-vous à l'autre bout de la France, alors que comme tout le monde j'aurais sans doute préféré rester ce jour-là devant ma télévision pour voir en famille la finale de Noah à Roland-Garros. D'autres m'imposaient d'improbables jeux de piste pour aller à leur rencontre. Le plus pathétique d'entre eux fut sans doute ce gendarme à la retraite, souffrant d'un cancer en phase terminale, qui voulait monnayer son témoignage afin de pouvoir mieux se soigner. Sa femme montrait une gêne certaine, empreinte de compassion, devant l'effort que j'avais consenti pour venir jusqu'à eux et la ferme résistance que j'opposais au marchandage que me proposait son époux. Tant et si bien qu'elle réussit à le convaincre de me livrer, sans rien exiger en retour, son information, qui ne se révéla d'aucune valeur.

Récemment, en 2007, un autre témoin spontané réussit à nous entraîner quelques mois sur de fausses pistes. Il nous téléphonait de Thaïlande et donnait des précisions assez stupéfiantes et à première vue très crédibles. Un jour néanmoins, il réussit à se faire financer un petit séjour en France par quelques journalistes, au cours duquel il perdit sa superbe et toute crédibilité face aux feux croisés de leurs questions. Je me suis toujours demandé si ce prétendu témoin agissait de son propre chef ou s'il n'était pas manipulé ou encouragé par nos adversaires en vue de nous égarer. Nous avions été victimes d'une tentative similaire en 1988, lorsque Hermann Stromberg prétendit avoir été présent sur les lieux juste avant la mort de mon père.

Trouver des faits nouveaux supposait que les médias parlent suffisamment de l'affaire pour encourager les vrais témoins à sortir de l'ombre et du silence. Or, nous n'étions pas très doués pour les plans de communication. Nous n'avions jamais fait appel aux médias. Longtemps nous avons pensé que la vérité s'imposerait d'elle-même.

La fausse piste Hermann Stromberg

Hermann Stromberg est apparu précisément au moment où des avancées importantes dans le dossier donnaient bon espoir de faire surgir la vérité. L'étude de la position des lividités cadavériques démontrait que le corps avait été déplacé après la mort. Nous venions de découvrir que des preuves avaient été détruites volontairement et nous avions porté plainte. C'est dans ce contexte, en novembre 1988, qu'Hermann Stromberg, qui aurait été selon Benoît Collombat une barbouze du SAC, entra en contact avec Serge Garde, journaliste à *L'Humanité*, et lui déclara : « J'étais là [quand Boulin a été tué[1]] ! » De son histoire rocambolesque, en contradiction avec de nombreux faits avérés du dossier, il ressortait que Stromberg serait venu au ministère le 29 octobre et que Boulin lui aurait alors confié des dossiers. Ils se seraient ensuite retrouvés, Boulin, Tournet et lui, au carrefour des Voleurs à Montfort-l'Amaury, parmi un cortège de voitures remplies de ministres et de repris de justice. La discussion se serait vite envenimée, des coups auraient été échangés et mon père aurait fini par tomber, mort. À la suite de son entretien dans *L'Humanité Dimanche*, Stromberg fut interrogé le 29 novembre par la brigade criminelle, à la demande de notre avocat. Il resservit la même version, soulignant qu'à son avis il s'agissait « d'un simple crime crapuleux et non d'un crime politique ou à connotation politique ». Je me suis souvent demandé quelles avaient pu être les motivations de Stromberg pour faire de telles déclarations. Cherchait-il à impliquer Tournet dans la mort de mon père ? C'est possible quand on sait que Stromberg reprochait à Tournet d'avoir escroqué sa belle-mère, riche héritière et propriétaire de casinos. Stromberg pourrait aussi avoir été encouragé à rendre publique sa version par certains de nos adversaires, car elle permettait, au cas où le meurtre ne pourrait plus être nié, d'accréditer l'idée qu'il s'agissait d'un simple règlement de comptes entre filous. Quoiqu'il en soit, la piste indiquée par Stromberg fonctionna comme un leurre qui nous fit perdre du temps, ainsi qu'au juge Verleene qui s'était déplacé à Dunkerque pour l'interroger, et à nombre de journalistes qui crurent un temps devoir s'aventurer sur cette piste. Si Stromberg sait des choses, j'attends qu'il les exprime plus clairement.

---

1. *L'Humanité Dimanche*, 18 novembre 1988.

Pour se faire entendre, il faut avoir la chance de rencontrer des journalistes prêts à consacrer l'effort intellectuel et le temps indispensable pour un dossier aussi complexe. Dans la situation, notamment financière, dans laquelle se trouve la presse de notre pays, rares sont les médias qui accordent des délais suffisants à leurs reporters pour chercher eux-mêmes les informations brutes, les analyser et les recouper. La plupart se contentent de distiller le contenu des dossiers de presse qui leur sont livrés clefs en main. L'affaire Boulin n'a pas échappé à la règle. À de rares exceptions près, les journalistes se sont longtemps contentés de répéter les rumeurs répandues sous les plafonds dorés de la République. Pour beaucoup, le travail d'enquête se bornait à un simple copier-coller.

Chaque année, pourtant, le dossier revenait sous les feux des médias, à l'occasion de la publication de reportages ou de mémoires de certains acteurs de l'affaire.

C'est ainsi qu'en 1993 les deux experts de l'IML qui avaient procédé aux examens toxicologiques des viscères de mon père, le professeur Le Breton et le docteur Garat, publièrent un livre de souvenirs, *Interdit de se tromper. Quarante ans d'expertises médicales*, écrit avec Serge Garde. Ils y réfutaient vigoureusement le raisonnement suivi par les juges pour évacuer la question des lividités cadavériques dans leur décision de non-lieu. Je rappelle qu'il s'agit là d'un élément capital. L'emplacement anormal des lividités constatées, sur le dos au lieu du ventre, aurait dû en effet conduire les enquêteurs à conclure que le corps avait été déplacé entre le moment de la mort et celui de sa découverte. La décision de la cour d'appel avait cru pouvoir donner une autre explication à la position anormale des lividités en invoquant le fait que le corps était resté quelques heures dans l'eau froide de l'étang. Les juges prétendaient s'appuyer sur les déclarations du professeur Le Breton lui-même. Dans son livre, il nia catégoriquement la teneur des propos que la cour d'appel lui avait prêtés et confirma que la seule explication scientifique était celle d'un déplacement du corps après la mort. La publication de ce livre n'eut toutefois pas le retentissement escompté et le voile du silence retomba vite sur notre affaire.

De même, le non-lieu prononcé le 4 juillet 1995, à la suite d'une autre plainte que nous avions déposée pour la destruction volontaire des poumons sous scellés, ne retint pas longtemps l'attention de la presse. Pourtant, la décision de non-lieu reconnaissait formellement la réalité de la destruction et son caractère prémédité. Elle nous reprochait seulement de n'avoir pas établi l'intention de nuire des coupables.

Nous nous sommes encore heurtés à la loi du silence lorsque ma mère fit condamner Giscard, le 17 juin 1997, par la cour d'appel de Reims, pour les propos diffamatoires qu'il avait rapportés à son sujet dans ses mémoires. La presse se fit discrète sur cette condamnation. Un seul journaliste, Francis Christophe, assista aux débats. Grande fut notre déception, car notre avocat avait bien sûr profité de l'audience pour retracer l'ensemble de l'affaire et démontrer une nouvelle fois l'impossibilité du suicide. Mais nos arguments restaient inaudibles, comme étouffés.

En 2000, Yann Gaillard, inspecteur des finances et dernier directeur de cabinet de mon père, devenu depuis sénateur de l'Aube, publia ses mémoires, *Adieu Colbert*. Faisant confiance à notre système républicain et à sa justice, Yann Gaillard n'a jamais remis en cause la version officielle. Sa révélation en a d'autant plus d'impact. Il affirme en effet avoir appris la découverte du corps de Robert Boulin à 2 heures du matin, dans le bureau et de la bouche de Philippe Mestre, directeur de cabinet du Premier ministre. Cette information précise et circonstanciée aurait dû faire l'effet d'une bombe, car elle remettait en cause la thèse officielle de la découverte du corps par les gendarmes sept heures plus tard le mardi, à 8 h 40. Mais l'information fut aussitôt oubliée, victime elle aussi du «Grand Édredon» selon le mot de Ionesco.

Nous prenions conscience que seule l'opinion publique était en mesure d'inciter malgré elles les autorités à faire la vérité, mais ce n'étaient bien sûr pas ces quelques salves, toujours éphémères qui pouvaient permettre de la faire éclater publiquement. Le pouvoir judiciaire, dans ces affaires dites «réservées», est fortement soumis au pouvoir politique. La séparation des pouvoirs, si chère à Montesquieu et aux révolutionnaires, n'a pas toujours cours en France, même si la Déclaration des droits de l'homme et du citoyen, dans son article n° 16, proclame joliment : «Toute société dans laquelle la garantie des droits n'est pas assurée ni la séparation des pouvoirs déterminée, n'a point de Constitution.» Oubliant ces principes, la classe politique, tous partis confondus, semblait s'être unie pour cacher aux Français un exemple criant de l'état de délabrement des mœurs politiques et des institutions de notre pays. Incapables d'empêcher les assassinats dits d'État et encore moins de les sanctionner, nos bons notables préféraient baisser les yeux et se taire. Face à l'alliance des trois autres pouvoirs, le quatrième, celui de la presse, semblait comme avoir rendu les armes.

Néanmoins, à la façon de l'*Amédée* de Ionesco et suivant la loi de «la progression géométrique», l'affaire Boulin finit par grandir sur la scène médiatique, certes par à-coups, mais inexorablement.

Le temps passait et les témoins disparaissaient. Notre stratégie de l'an 2000, comme aimait à l'appeler Me Boyer, se devait d'aboutir sans retard, sous peine de devoir nous en remettre aux historiens pour connaître la vérité. Cette perspective ne m'était pas d'un grand réconfort. Que pourraient-ils conclure du dossier d'enquête bâclée que la justice leur laissait? J'avais en tête l'aphorisme d'Alexandre Sanguinetti selon lequel «les grandes trahisons sont toujours effacées par l'histoire». Nous nous devions de le démentir. Nos adversaires jouaient aussi, à leur manière, sur les ravages du temps, l'érosion de la mémoire, la disparition des témoins, la corruption des archives et des pièces à conviction, qui finissent par s'abîmer quand elles ne se perdent pas dans les couloirs des palais de justice ou les locaux de la police judiciaire.

Mon quotidien était heureusement fait d'autre chose que de l'affaire Boulin. J'ai toujours pris garde à ne pas la laisser se muer en obsession. Je me suis longtemps refusée, peut-être à tort, à faire la tournée des popotes, à parcourir la France en animant des conférences et des dîners débats. Denis Seznec, dont j'admire le combat, ô combien couronné de succès, pour la réhabilitation de son grand-père, m'a démontré l'utilité de cette méthode. Mais sans réussir à me convaincre de la faire mienne. C'eût été trop nous demander

à moi et aux miens. L'image du corps tabassé de mon père étai
déjà suffisamment prégnante dans nos esprits. Ma mère, mon frère
et moi étions soudés dans le combat, comme mon mari, comme
nos enfants, discrets mais présents. Nous étions si convaincus que la
vérité éclaterait un jour que nos forces en étaient décuplées, certes
mais nous restions conscients de nos limites. J'ai pu mesurer ce que
veulent réellement dire des expressions comme « en avoir plein le
dos », « je ne peux pas l'avaler », « se faire des cheveux blancs ». Et pui
notre combat se situait sur une trop longue durée pour prendre
le risque de nous user dans un engagement de tous les instants. Je
ressentais comme un devoir de refuser l'ascèse pour privilégier la
joie de vivre, tout d'abord pour nos enfants, mais aussi pour notre
propre survie.

En 2001, René Boyer décida de prendre sa retraite. Tout au long
des quinze années d'épreuves communes, d'espoirs déçus et de
percées indéniables, une solide amitié s'était tissée entre nous. L'idée
de ne plus pouvoir compter comme avant sur ses compétence:
professionnelles fut une réelle épreuve. René Boyer, désormais
avocat honoraire, me remit donc les gros volumes qui constituaien
le dossier pénal. J'avais dans l'idée de le lire rapidement chez mo
tout à mon aise. Ce dossier volumineux recélait des pépites qu
n'avaient pas encore été exploitées par les juges d'instruction pa
manque d'investigations, malgré nos demandes.

Il resta longtemps sur mon bureau avant que je n'ose l'ouvri
Il m'effrayait, comme ces livres du temps des Médicis qui empoi
sonnaient leur lecteur au fur et à mesure qu'il tournait les page
Son poids, sa hauteur me donnaient l'impression de me trouve
devant une muraille. Il me fallut apprivoiser cette présence, avan
que je n'ouvre les chemises cartonnées, que je prenne entre
mes mains ces photos que j'analysai tant de fois, à la recherche
d'anomalies. J'observais à la loupe : la bouche… fermée… Est-ce
normal pour un noyé ? Ces traces de doigts le long de la voiture
est-ce le signe d'une bagarre ? Cette blessure au poignet, comme
la trace de liens…

Il fallut du temps pour que je puisse examiner, disséquer tous
ces éléments, et encore du temps pour prendre conscience de

l'intérêt de mes trouvailles. Car le dégoût était souvent si fort que mon inconscient refusait la confrontation avec les résultats de mes propres analyses. Je dus apprendre, à contrecœur, à aborder le terrible, à supporter l'indigne, l'inexorable.

À force d'explorations régulières, l'indicible prit forme peu à peu, avec des contours et des contrastes faisant apparaître la vérité crue : la blessure très profonde au poignet, en voie de cicatrisation… la boucle de la chaussure qui manquait… les blessures au visage… la couleur de la peau… les détails de l'autopsie… l'absurdité de la lettre posthume, avec toutes ses fautes d'orthographe et ses vaines digressions… le déplacement du corps après la mort… Mes recherches ne se bornèrent pas à l'étude du dossier. Je commençai à faire parler mes proches, à préciser leurs souvenirs, à confronter mes analyses aux leurs.

Nous devions trouver le moyen d'éviter la prescription et l'arrêt des poursuites. Il nous restait à peine deux ans avant l'échéance du 15 décembre 2002. Bien que René Boyer demeurât toujours disponible pour nous donner des conseils, la nécessité de choisir un avocat qui puisse bientôt présenter notre requête en réouverture devenait pressante. Ma mère et mon frère, retirés dans le sud de la France, me chargèrent d'engager un nouveau conseil. Je me mis donc en quête d'un avocat à la hauteur des enjeux. René me fit rencontrer quelques-uns de ses confrères qu'il estimait fiables et compétents. Nous mesurâmes ensemble la difficulté de l'entreprise. Le premier rendez-vous se passait généralement bien. Par goût du défi, velléité d'en découdre avec les autorités ou perspectives de retombées médiatiques, l'affaire Boulin ne laissait généralement pas indifférents les maîtres, petits et grands, du barreau. Cependant les dures réalités de la vie d'avocat reprenaient vite le dessus : non seulement la famille n'avait pas beaucoup de moyens face à l'énorme travail à fournir (à commencer par la lecture du dossier), mais, immanquablement, dès que l'un d'eux semblait céder à la tentation de prendre l'affaire, des conseils «amicaux» lui faisaient comprendre qu'il y avait plus à perdre qu'à gagner. Le temps passait sans que nous rencontrions la personne idoine.

Un an avant la date fatidique de la fin de la prescription, je sollicitai un magistrat à la retraite, cousin de nos fidèles ami Pierre et Lise Vinde, et lui proposai de revisiter avec moi le dossie pénal afin d'y rechercher d'éventuels faits nouveaux qui nou auraient échappé. Ce travail n'avait pas encore commencé lorsque survint ce que j'aime appeler l'improbable marche des chenille processionnaires…

L'improbable marche des chenilles processionnaires

Quelles sont les raisons d'espérer ? Pour Edgar Morin, la première d'entre elles se trouve dans «le surgissement de l'inattendu et l'apparition de l'improbable». J'ai pu vérifier la pertinence de cet adage. Après presque dix années de traversée du désert, l'inattendu a surgi au tournant du siècle, alors que la situation semblait désespérée et la clôture définitive du dossier inéluctable.

Neuf ans d'instruction judiciaire avaient permis de mettre au jour la réalité de l'assassinat, mais elle restait comme en filigrane. Les soixante-quinze anomalies répertoriées, les manques de l'enquête, les disparitions de pièces, les vols de scellés, les mensonges et les pratiques dilatoires démontrant le meurtre et son camouflage apparaissaient clairement à qui se penchait sur le dossier. Mais tout cela ne suffisait pas à faire éclater publiquement la vérité. Encore fallait-il parvenir à reconstituer le puzzle et mettre en perspective tous ces éléments. La clôture brutale de l'instruction intervint avant cette dernière étape et nous comprîmes que nous n'y parviendrions pas seuls.

L'affaire Boulin aurait donc pu garder ses secrets si, à la fin des années quatre-vingt-dix, des journalistes d'investigation ne s'étaient attaqués au dossier, comme un cortège de chenilles processionnaires s'empare d'un bosquet d'arbres. Il a fallu l'apport d'un pionnier pour que ses successeurs se mettent en marche, chacun usant de son pouvoir urticant pour déstabiliser les adversaires, révéler les camouflages et faire avancer la vérité interdite.

La question a intéressé les meilleurs journalistes d'investigation dont certains en enseignent les techniques à l'école de journalisme de Lille. Ils ont pris le temps d'étudier l'ensemble du dossier, de mener des recherches approfondies. Ils ont interrogé plusieurs fois une centaine de témoins, recoupé leurs informations. Ils ont découvert des faits inédits et analysé tous ces éléments avec rigueur. Ils ont su respecter la déontologie de leur profession qui impose une réelle indépendance vis-à-vis des pouvoirs politiques ou économiques. Ils n'ont pas rechigné à la peine et n'ont pas craint de déplaire, ni de subir des menaces. Ces journalistes ont à bien des égards, pallié la carence des enquêteurs officiels, sans toutefois détenir leur capacité à prendre des mesures conservatoires et coercitives, point d'achoppement qui démontre la nécessité de nommer un juge instruction.

À la fin des années quatre-vingt-dix, le paysage audiovisuel s'est transformé. Canal Plus, notamment, cultivait son image de découvreur d'espaces de liberté et ce n'est sans doute pas un hasard si ce fut cette chaîne qui réalisa la contre-enquête, alors la plus approfondie, sur l'affaire Boulin. Elle fit prendre conscience aux Français de l'ampleur de ce désordre judiciaire.

Celui qui ouvrit la voie à Canal Plus fut Francis Christophe, qui suivait très attentivement les faits depuis le début, quand il était journaliste à l'AFP. C'est l'une des mémoires du dossier. En novembre 1999, il publia un article dans le magazine *Golias*, intitulé « Le grand maquillage. L'affaire Boulin, vingt ans après », une contre-enquête solidement étayée qui remettait en cause la version du suicide. Il rapporta également, pour la première fois, le témoignage d'un pêcheur qui avait assisté, tapi dans les broussailles, à la mise à l'eau du corps de Robert Boulin dans l'étang Rompu, vers 5 h 30 du matin, le mardi 30 octobre 1979.

En septembre 1988, j'avais rencontré un certain M. Moreau, garagiste de Vauhallan, chez qui ma belle-sœur Fanny prenait de l'essence lorsqu'elle habitait la commune. Il répéta ce qu'il avait confié à Fanny lorsqu'il avait appris son lien avec Robert Boulin, et m'expliqua qu'il avait jadis l'habitude d'aller pêcher dans l'étang Rompu avec son meilleur ami, Marcel Galland, mort en 1987 sur la table d'opération lors d'une intervention à l'œil. Marcel Galland lui avait confié en 1980 comment il avait assisté à la «noyade» de mon père, au petit matin du 30 octobre 1979. Il était tranquillement en train de pêcher, lorsqu'une voiture vint se garer au bord de l'étang. Ensuite, «deux hommes [en] ont mis un troisième dans l'étang en le tenant par les pieds. Heureusement que j'avais mis ma voiture sur l'autre chemin, autrement ils m'auraient assassiné», avait commenté Marcel Galland. Terrifié par ce qu'il venait de voir, il se cacha dans les broussailles et rentra chez lui aussitôt la voie libre. En entendant les informations à la radio quelques heures plus tard il comprit tout de suite à quoi correspondait le paquet jeté par les deux hommes dans l'étang. Le pompiste se présentait comme le témoin d'un témoin, mais il racontait si bien tous les détails de la scène que ses interlocuteurs avaient l'impression d'y être. Il se disait prêt à déposer son témoignage devant un juge. L'instruction fermée, son témoignage n'a jamais été recueilli par la justice. Francis Christophe présenta M. Moreau à Élise Lucet qui l'interviewa pour France 3, mais ce reportage n'est jamais passé à l'antenne.

L'article de Francis Christophe dans *Golias* attira l'attention de Bernard Nicolas, qui travaillait alors pour «90 Minutes» sur Canal Plus. Journaliste d'investigation, Bernard Nicolas est l'auteur d'un reportage qui fit date sur les secrets de la secte de l'ordre du Temple solaire dont une soixantaine d'adeptes avaient péri, tués par balle ou brûlés, en 1994 en Suisse et en 1995 en France. On avait alors parlé de suicides collectifs. Il pensait depuis longtemps à une contre-enquête sur l'affaire Boulin. L'article de *Golias* le décida.

Bernard Nicolas et Michel Despratx se consacrèrent à l'affaire pendant plus de sept mois. C'était l'époque bénie de Canal Plus, où la chaîne ne rechignait pas à donner à ses journalistes les moyens de leurs enquêtes. Je partageai avec eux tout ce que je savais. Je les mis en contact avec des témoins qui m'avaient dit être prêts à se faire interviewer, faute de magistrat instructeur pour les entendre.

Leur contre-enquête fut diffusée le 15 janvier 2002 sous un titre ne laissant planer aucun doute sur le résultat de leurs investigations : «Le suicide était un crime». Les journalistes y apportaient de nombreux éléments nouveaux infirmant la thèse du suicide. Des témoins jamais entendus ou entendus à la va-vite par la police purent s'expliquer devant la caméra. Ainsi, le colonel de gendarmerie Jean Pépin, l'un des premiers arrivés sur les lieux de la découverte officielle du corps de mon père, contestait les affirmations de ses collègues du SRPJ de Versailles. Juliette Garat, experte en toxicologie ayant pratiqué l'analyse du sang, se dit convaincue qu'il s'agissait d'un assassinat. Les journalistes allèrent aussi interroger au Chili Henri Tournet, dont le ministère de la Justice prétendait n'avoir pas encore retrouvé l'adresse, pour lui signifier sa condamnation par contumace dans l'affaire des terrains de Ramatuelle. Tous ces témoins sont aujourd'hui décédés. Sans Bernard Nicolas et Michel Despratx, leurs déclarations auraient été à jamais perdues.

Les téléspectateurs de Canal Plus en redemandèrent. La chaîne réalisa deux «droits de suite» sur l'enquête initiale, les journalistes trouvant à chaque fois de nouveaux témoins importants.

Le reportage de la chaîne, reposant sur une enquête d'une solidité incontestable, marqua pour nous un véritable tournant. L'affaire prit une ampleur médiatique jamais atteinte jusque-là. L'impossibilité du suicide était clairement démontrée, au point que même Jacques Derogy et Jean-Marie Pontaut, fervents partisans de cette thèse, renoncèrent alors à prétendre, comme ils l'avaient toujours fait auparavant, que l'enquête sur la mort de mon père avait été des plus «minutieuses». L'un des seuls à critiquer ce reportage, avant même sa diffusion, fut Louis-Marie Horeau, dans le *Canard enchaîné*.

Le vent tournait. Grâce à ces enquêtes journalistiques et aux faits nouveaux qu'elles apportaient au dossier, nous rassemblions enfin toute une série d'éléments sérieux sur lesquels fonder notre demande de réouverture de l'instruction, que notre avocat déposa au printemps 2002, quelques mois avant le délai fatidique. Je me souviens de ma rencontre avec le procureur général Nadal, le 19 mars 2002, avec lequel nous avions rendez-vous pour lui faire part de notre demande. J'attendais dans l'antichambre. Mon avocat était en retard. De peur de ne plus être reçue, je décidai d'entrer seule plaider ma cause. Jean-Louis Nadal a dû sentir mon désarroi.

Il me félicita de présenter mon dossier avec un recul que d'habitude, me dit-il, peu de parties civiles savent prendre. Cela me mit du baume au cœur et apaisa mes craintes. Le retard de mon conseil fut finalement une bonne stratégie. Je ne sais pas si elle fut délibérée.

L'émission de Canal Plus suscita l'intérêt de Benoît Collombat, grand reporter à France Inter qui commença à son tour une série d'enquêtes sur l'affaire Boulin. Il diffusa un premier reportage le 30 octobre 2002. Il donnait la parole à plusieurs témoins mettant à nouveau sérieusement à mal la thèse officielle. Denis Lemoal, postier à Montfort-l'Amaury, qui avait traité le courrier posthume accrédité à Robert Boulin, expliquait que les enveloppes qu'il avait triées ne correspondaient pas à celles des courriers attribués à mon père. Ce postier, prétendument parti vivre à la Guadeloupe, n'avait pu être interrogé par le juge Corneloup. Benoît Collombat retrouva sa trace à Saint-Brieuc, simplement à l'aide d'un annuaire téléphonique. Dans la même émission, l'expert graphologue Alain Buquet, qui avait authentifié les écrits attribués à mon père, confia qu'il aurait aussi bien pu conclure son analyse graphologique dans le sens opposé. On y entendait enfin Olivier Guichard affirmer qu'il avait «toujours pensé que Robert Boulin ne s'était pas suicidé».

Par coïncidence, le même jour, le procureur Nadal annonça qu'il avait ordonné une nouvelle enquête préliminaire pour entendre certains des témoins que nous avions cités dans notre demande de réouverture. Nadal ne sera pas, du point de vue de l'Histoire, celui qui a fermé l'affaire Boulin. Même s'il n'a pas pris la décision de rouvrir l'instruction, il a le mérite d'avoir laissé ses chances à la vérité. Sa décision fut pour nous une première victoire. Elle eut en effet pour conséquence d'interrompre le délai de prescription. Notre stratégie de l'an 2002 avait réussi, in extremis.

Après la diffusion de ces émissions, d'autres témoins se firent connaître, comme Jacques Douté, restaurateur à Libourne. Il révéla dans les colonnes de *Sud-Ouest*, le 13 décembre 2002, comment il avait été prévenu de la mort de mon père dès 20 heures le 29 octobre 1979.

Si l'année 2002 fut à bien des égards une année heureuse pour l'affaire Boulin, elle fut tragique pour notre famille, car elle vit disparaître, à trois mois d'intervalle, mon frère et ma mère.

Bertrand est mort le 22 mai 2002, alors qu'il venait d'apprendre du chirurgien de ma mère que celle-ci était atteinte d'un cancer probablement incurable. Cette dernière attendait à la clinique après son opération que mon frère vienne la chercher pour rentrer chez eux au Grau-du-Roi, près de Montpellier. Il m'échut de lui apprendre la mort de son fils. Elle mourut trois mois plus tard, le 23 août 2002 dans notre appartement parisien où nous l'avions accueillie. Elle avait triomphé de la calomnie et de l'ignominie, mais elle ne put rien contre le tsunami que fut la mort de Bertrand. Elle aimait la vie et était restée d'un caractère joyeux malgré tous ses chagrins, pour ne pas peser et nous encourager. En personne élégante jusqu'au bout de son âme, elle ne pleura jamais sur elle-même. Voilà un bel exemple à suivre pour la doyenne des Boulin que j'étais devenue, à cinquante ans. Bien que soutenue par mon mari, mes enfants, mes amis et les membres de l'association Robert Boulin-Pour la vérité j'étais désormais seule en première ligne.

Tandis que l'enquête préliminaire ordonnée par le procureur Nadal suivait son cours, les journalistes poursuivaient de leur côté leur travail d'investigation. Notamment Benoît Collombat qui en livra le résultat dans un reportage de quarante-cinq minutes diffusé sur France Inter dans le magazine «Interception» le 26 octobre 2003. Ce reportage laissa les auditeurs scotchés à leur poste de radio. France Inter reçut de nombreuses lettres de félicitations pour le travail remarquable de ce jeune grand reporter. Quant au monde politique, pétrifié, il se mura dans le silence. Le même magazine fut rediffusé le 18 avril 2004. Contrairement à la première fois, l'émission fit réagir en haut lieu, y compris à la Présidence de la République. Les murs de Radio France en tremblèrent paraît-il. Certains observateurs se demandèrent même si les jours de Jean-Marie Cavada, déjà comptés à la tête Radio France, n'en furent pas raccourcis. Il démissionna moins de dix jours plus tard.

Du côté de la justice, les auditions ordonnées en 2002 continuaient timidement à Nanterre. Elles avaient été confiées à un officier de police judiciaire, le brigadier Glory. Si vingt-huit personnes ont bien été entendues, le peu d'entrain que le brigadier mettait à explorer d'autres pistes que celle du suicide ne favorisait guère les révélations. Le 4 janvier 2006, l'enquête de Glory prit fin sans même que les personnes présentes à Matignon ou au ministère de l'Intérieur durant la nuit du 29 au 30 octobre n'aient été interrogées. Le procureur Nadal avait été remplacé en octobre 2004 par Yves Bot, auquel succéda, exactement deux ans plus tard, en octobre 2006, Laurent Le Mesle, qui avait été, de 2002 à 2005, conseiller pour la justice du président Chirac. Laurent Le Mesle laissa quelque temps dormir le dossier. Mon avocat, William Bourdon, et moi continuions à chercher le moyen de le réveiller. En 2007, deux événements considérables nous firent espérer l'avoir trouvé.

En janvier 2007, un témoignage capital porta en effet un nouveau coup, qui aurait dû être fatal, à la thèse du suicide. Raymond Barre, Premier ministre de Giscard au moment des faits, publiait ses mémoires[1] dans lesquels il expliquait comment il avait appris, dès 3 heures du matin, dans la nuit du 30 octobre, que l'on venait de retrouver le corps de Robert Boulin dans un étang où, lui avait-on dit, il s'était suicidé par noyade après absorption de barbituriques. L'une des plus hautes autorités de l'État confirmait là ce que nous ne cessions de clamer depuis des années : que la thèse officielle avait été préfabriquée bien avant la découverte officielle du corps de mon père. Mais le procureur Le Mesle choisit d'ignorer ce témoignage et M. Barre mourut sans avoir été entendu par la justice. Notons au passage que le ministre de l'Intérieur de l'époque, Christian Bonnet, qui affirme la même chose que son Premier ministre et qui est aujourd'hui bien vivant, n'a pas été entendu lui non plus.

Trois mois plus tard, en avril 2007, un autre pavé tomba dans la mare. Benoît Collombat, qui, après ses reportages de 2002-2004, avait décidé d'entreprendre une véritable contre-enquête sur

---

1. *L'Expérience du pouvoir, op. cit.*

la totalité de l'affaire Boulin, publiait *Un homme à abattre*[2]. Pour ses confrères comme pour les historiens professionnels, dont il a d'ailleurs la formation, ce livre, résultat de cinq ans d'investigations rigoureuses et approfondies, constitue la référence, jamais contestée depuis, sur l'affaire Boulin. Il a accumulé des centaines d'heures d'entretiens enregistrés, décortiqué le dossier pénal. Il est parvenu à éclairer des zones d'ombres des plus significatives. Notamment sur le rôle du procureur général Chalret qui s'est rendu sur les lieux de la découverte du corps vers 1 h 30 dans la nuit du 29 octobre 1979 Il a su interroger des témoins majeurs comme Raymond Barre Christian Bonnet et Marie-Thérèse Guignier, permettant de mettre en lumière la nuit au cours de laquelle rien ne s'est passé comme la thèse officielle le prétend. Il a ainsi établi sans aucun doute possible que toutes ces personnalités ont été informées de la découverte du corps du ministre Boulin entre 1 h 30 et 3 heures du matin, soit sept heures avant sa découverte officielle par la gendarmerie. Les éléments nouveaux qu'apporte cette contre-enquête sur la mort de mon père sont si nombreux que je ne peux tous les citer ici[3].

Un homme à abattre constitua une bombe à l'encontre des partisans de la thèse du suicide, faisant de manière implacable la démonstration de la réalité de l'assassinat. Est-ce la raison pour laquelle la procédure ouverte en 2002 par le procureur Nadal fut clôturée quelques mois plus tard ?

Comme nous savions, William Bourdon et moi, que le parquet n'allait pas se saisir lui-même de ces révélations explosives, nous déposâmes le 26 avril 2007 entre les mains du procureur Le Mesle un mémoire demandant à ce que de nouvelles investigations soient entreprises, et cette fois par un juge d'instruction indépendant, sur la base des éléments indiscutablement nouveaux et sérieux qu'apportait avant tout le livre de Benoît Collombat mais aussi celui de Raymond Barre. Nous mentionnions également les ouvrages de Yann Gaillard[4] et du professeur Le Breton[5]. Nous n'eûmes pas

---

2. *Op. cit.*
3. Pour un résumé des éléments nouveaux apportés par cette contre-enquête, consulter le site de l'association Robert Boulin-Pour la vérité : www.robertboulin.net.
4. *Adieu Colbert, op. cit.*
5. *Interdit de se tromper, op. cit.*

à attendre longtemps. Après nous avoir rencontrés le 21 juin, le procureur Le Mesle nous notifia le 16 octobre 2007 sa décision de rejeter notre demande de réouverture de l'instruction. Il qualifiait de « simples éléments d'ambiance insusceptibles d'apporter ne serait-ce qu'un commencement de réponse à la question qui nous occupe » les faits sur lesquels nous avions appuyé notre demande. Nul doute qu'il y eut urgence à refermer au plus vite la porte de la chambre des secrets. Mᵉ Bourdon déclara à la presse que ce refus de rouvrir l'information « n'est pas compréhensible car les éléments forts que nous apportons font exploser la thèse officielle ». Mais « c'est compréhensible parce que rouvrir l'affaire Boulin c'est ouvrir une boîte de Pandore », ajouta-t-il, en évoquant les « responsables mafieux et politiques » de la mort de Robert Boulin. « Il eût fallu une justice idéale, une justice exceptionnelle pour que l'on tire les conséquences des faits nouveaux très puissants que nous avons apportés », a-t-il conclu. Justice idéale ? Pour moi, naïve comme je suis, une justice normalement démocratique et républicaine aurait dû suffire. Cependant il faut que je vous raconte le seul élément de procédure décidé par le procureur Le Mesle. Il ne fit interroger ni Raymond Barre, ni Christian Bonnet ou Jean-Charles Rouher, par exemple, dont les témoignages étaient décisifs pour la recherche de la vérité. Voici l'histoire du Pêcheur devant l'éternel.

Pêcheur... devant l'éternel ?

Depuis 2006, Michel Despratx était sur une piste très sérieuse. Journaliste à Canal Plus et coauteur de la contre-enquête « Le suicide était un crime », il avait localisé un homme de main sur lequel pesaient des soupçons d'avoir directement participé à l'assassinat de Robert Boulin. Un certain Jacques Pêcheur, qui avait eu son heure de gloire dans les années soixante comme catcheur sous le nom de Spartacus avant de devenir videur de boîte de nuit, puis de se reconvertir dans la protection de personnalités. Florence Motte, propriétaire et rédactrice d'un journal girondin, *La Gazette du Pays,* fit la une de son édition du 16 avril 2007 sur cet homme. Son article, illustré d'une photo de Pêcheur sous le titre « l'assassin enfin démasqué », rapportait le témoignage d'un de ses anciens codétenus qui avait recueilli ses confidences sur son rôle dans l'assassinat de Boulin. À l'époque, Pécheur était incarcéré au Luxembourg, purgeant une peine de dix-sept ans de prison pour meurtre.

Notre demande de réouverture de l'instruction suivant son cours, nous avions communiqué ces informations au procureur Le Mesle[6]. Avec une hâte tout à fait inhabituelle qui ne manqua pas de nous surprendre, et tandis que de nombreux témoins dont nous avions explicitement demandé l'audition n'étaient toujours pas entendus, le procureur lança deux commissions rogatoires en l'espace de trois semaines pour faire interroger Pécheur/Spartacus dans sa prison du Luxembourg. Les interrogatoires eurent lieu les 30 juillet 2007 et 27 août suivants. Les enquêteurs n'y allèrent pas par quatre chemins : ils demandèrent à Pécheur, de but en blanc, s'il était l'assassin de Robert Boulin – ce qu'il nia bien entendu, tout aussi directement. Ainsi la piste Pécheur se trouva-t-elle immédiatement refermée, nous privant désormais de la possibilité de l'invoquer comme un fait nouveau pour faire rouvrir l'instruction. Il paraît que l'on ne procède pas autrement pour «cramer un témoignage», comme il se dit dans les milieux de la police judiciaire.

Dans les jours qui suivirent son deuxième interrogatoire, Pécheur se vit prié de quitter la prison. «Ils m'ont jeté comme un malpropre!», se plaignit-il quelque temps plus tard à Florence Motte. Selon un site internet dédié aux anciens catcheurs, Jacques Pécheur serait mort le 4 juin 2009. «Ah bon!», me dit Florence Motte quand je le lui appris, «pourtant, quand je l'ai vu après sa sortie, il était en forme!»

Nous étions furieux de la manière dont le procureur Le Mesle avait traité la piste Pécheur. D'autant que cet interrogatoire à la hussarde fut la seule mesure d'information qu'il ordonna avant de rejeter quelques semaines plus tard, le 16 octobre 2007, notre demande de réouverture de l'instruction en ignorant tout bonnement les autres témoignages nouveaux dont notre requête soulignait l'importance cruciale. Notre sentiment sur le comportement très contestable du parquet dans cet épisode par

---

6. Procureur général de la cour d'appel de Paris, ancien conseiller de justice auprès du président Jacques Chirac.

trop révélateur a été parfaitement exprimé dans le courrier que mon avocat Mᵉ William Bourdon adressa le 13 septembre 2007 au procureur Le Mesle.

«Monsieur le procureur général,

J'ai porté évidemment à la connaissance de Mᵐᵉ Fabienne Boulin Burgeat les deux auditions de M. Pécheur Jacques, effectuées à votre demande les 30 juillet et 21 août 2007, alors qu'il se trouvait incarcéré au Luxembourg.

Je me permets de souligner, ce qui évidemment ne vous a pas échappé, qu'à aucun moment, il n'a été demandé expressément l'audition de ce témoin ; j'avais simplement transmis, par courrier du 15 mai 2007, copie d'un article paru dans l'hebdomadaire *La Gazette du Pays* relatant des «révélations» qui ont été faites par ce M. Jacques Pécheur.

Nous vous remercions d'avoir bien voulu nous informer de votre initiative, non sans nous étonner du choix de ce témoin particulier et des conditions de son audition. Vous aurez en effet noté que dans le mémoire que je vous avais fait tenir, nous n'avions pas évoqué un seul instant l'existence de ces «révélations» et que surabondamment, j'avais mentionné à la fin de ce mémoire l'existence d'un certain nombre de témoins, en soulignant la nécessité de les faire entendre par un juge d'instruction, seul susceptible d'offrir les garanties d'objectivité et de professionnalismes requises pour de telles investigations.

Bref, l'essentiel n'est évidemment pas là. Il tient à l'existence de témoins infiniment plus probants, voire capitaux, notamment en raison de ce qu'ils ont écrit, notamment les témoins auxquels il est expressément fait référence dans le mémoire évoqué précédemment. Notamment, nous pensons à deux catégories de témoins : ceux qui ont écrit et dit qu'ils ont été informés de la découverte du corps de M. Robert Boulin vers 2 heures du matin, ceux qui ont été informés de la mort de M. Robert Boulin la soirée précédente, ces témoignages très concordants ruinant, personne ne peut le contester, la thèse officielle.

Ce sont ces témoins, puisque vous semblez d'accord pour qu'il soit procédé à de nouvelles investigations, qui doivent être entendus et eux prioritairement mais ces auditions ne peuvent et ne doivent plus intervenir dans le cadre d'une enquête préliminaire pour l'ensemble des raisons factuelles et juridiques que j'ai eu l'occasion de souligner et par écrit et par oral, lorsque je vous ai rencontré avec Mᵐᵉ Fabienne Boulin Burgeat.

J'ai la faiblesse par ailleurs de penser que, compte tenu de la gravité des enjeux, si une personne qui a participé aux faits ou qui est susceptible d'avoir été très proche des faits est entendue, obtenir d'elle une confession ou des informations, est en soi une tâche difficile. Mais en tous les cas, cette démarche nécessairement ne peut prospérer de façon plus efficace que si elle est effectuée par le truchement d'un magistrat instructeur, et dans le cadre d'une information qui permet simultanément toute une série d'investigations ou de vérifications. À supposer que M. Jacques Pêcheur ait participé aux faits, il était évidemment hautement improbable que, par je ne sais quel «miracle de l'esprit», il se confesse.

En d'autres termes, l'extrême complexité du dossier, qui tient à l'existence d'une conspiration qui a précédé l'assassinat de M. Robert Boulin et qui s'est poursuivie après, exige des investigations sophistiquées complexes et croisées que seul un magistrat instructeur peut faire.

Au-delà de cet argument technique, nous continuons à rappeler, M. le procureur général, que l'extrême qualité des faits nouveaux que nous vous avons soumis justifie que vous vous prononciez en faveur de l'ouverture d'une information le plus vite possible, et ce sans préjudice d'une nouvelle rencontre avec Mme Fabienne Boulin Burgeat que j'avais sollicitée par un courrier précédent.

Vous souhaitant bonne réception de la présente,

Je vous prie de croire, M. le procureur général, à l'assurance de ma parfaite considération et de mes sentiments respectueux.

William Bourdon.»

La décision du procureur Le Mesle, en octobre 2007, de clôturer le dossier fit redémarrer un nouveau délai de prescription de dix ans. Il nous reste aujourd'hui sept ans.

À tous nos combats, il faut ajouter celui qui consiste à trouver, mois après mois, l'argent nécessaire pour continuer la bataille judiciaire. Si la plupart des Français connaissent au fond d'eux-mêmes la vérité sur l'assassinat de mon père, il faut néanmoins que la justice finisse par accomplir son devoir. Nous étions trois à faire face à cette lourde charge financière. Seule, désormais, même si mon mari me soutient dans ce combat depuis la première heure, j'ai décidé de créer une association loi 1901, à but non lucratif déposée à la préfecture de Paris, qui a pour objet d'apporter son soutien à mon combat pour établir la vérité sur les circonstances de la mort de mon père. L'association Robert Boulin-Pour la vérité a choisi de ne recevoir que des dons, afin d'éviter tout risque de noyautage.

Aujourd'hui ses seuls membres sont un président, un secrétaire et un trésorier, ainsi qu'un vice-président pour la Gironde et la ville de Libourne qui est membre d'honneur.

Tandis que le procureur refermait une nouvelle fois la porte, les journalistes, eux, continuaient leurs enquêtes. Comme dans *Amédée ou Comment s'en débarrasser* de Ionesco, depuis 2007, les jambes du cadavre et le cadavre lui-même continuent à progresser sur la scène médiatique. La plupart des médias, presse écrite, audiovisuelle, blogs et journaux internet, rendent compte des développements de l'affaire et les Français sont de plus en plus nombreux à s'y intéresser. Ils prennent conscience de la gravité des faits, tant sur le plan judiciaire que politique.

La dernière péripétie judiciaire en date est celle qui fut à l'origine de ma décision d'écrire ce livre, comme je l'ai expliqué en préambule. Deux ans et demi plus tôt, le procureur Le Mesle avait rejeté notre demande. Mon nouvel avocat, Me Morice, estimait qu'il était temps de revenir à la charge. Nous ne pouvions nous servir des éléments présentés dans notre requête précédente. Même si nous estimions qu'ils n'avaient pas été convenablement exploités par le procureur, sa décision d'octobre 2007 les avait en quelque sorte définitivement «grillés». La loi nous imposait encore une fois de trouver des éléments inédits pour justifier notre demande. Olivier Morice fonda notre requête sur de nouveaux éléments mis en évidence par les journalistes qui avaient continué à enquêter, mais aussi sur une jurisprudence toute récente : en décembre 2008, la cour d'appel de Dijon avait ordonné la réouverture de l'instruction dans l'affaire célèbre du petit Grégory au seul motif du progrès de la science, notamment dans le domaine génétique. Me Morice s'appuya sur cette jurisprudence pour demander un examen ADN, afin de savoir si les lettres posthumes attribuées à mon père, ainsi que leurs enveloppes et timbres, portaient ou non ses traces génétiques. Il demandait également un examen génétique et toxicologique de la mèche de cheveux que nous avions recueillie sur le corps de mon père avant sa mise en bière. De nouveaux témoins étaient cités dans notre demande, notamment l'ancien ministre Jean Charbonnel, qui avait recueilli les confidences d'Alexandre Sanguinetti sur les auteurs de l'assassinat du ministre Boulin, et la fille même d'Alexandre Sanguinetti, qui avait confirmé en tout point le témoignage de Charbonnel. Pour des raisons de sécurité évidentes, ces deux témoins n'accepteront de déposer leurs témoignages que devant un juge d'instruction. Étaient cités aussi les pompiers présents à l'étang Rompu lors de la découverte du corps, qui se sont spontanément présentés à moi, mais qui ne veulent parler qu'à un juge d'instruction, en raison de l'obligation de réserve à laquelle ils se sentent astreints en tant que fonctionnaires. Nous mentionnions également le témoignage de Pierre Alia, ancien fonctionnaire de la préfecture de police de Paris, qui affirme que son oncle, indicateur de police, a assisté à l'assassinat de Robert Boulin. La demande s'appuyait aussi sur d'autres éléments récemment mis au jour, comme par exemple le refus opposé à Benoît Collombat, par la CIA, à sa demande de consultation des archives de l'agence. Reconnaissant que les archives de cette époque étaient normalement ouvertes au public, la CIA indiquait dans sa réponse du 27 août 2009 que, par exception, celles concernant la mort de Robert Boulin étaient encore soumises au secret car susceptibles de mettre en cause la défense nationale et les affaires étrangères ! Le procureur Le Mesle venait de quitter ses fonctions. Olivier Morice déposa notre nouvelle requête le 23 mars 2010, le jour même de la prise de fonction de son successeur, M. Falletti.

La suite, vous la connaissez. Je l'ai racontée dans le prologue. Sans même prendre la peine de nous le dire en face, le procureur Falletti annonça à la presse sa décision de rejeter notre demande. Au moment même où nous étions dans son bureau, en train de l'entendre nous avouer avec embarras que les pièces du dossier sur lesquelles nous demandions une analyse de l'ADN avaient été perdues. C'était le 8 juin 2010.

Ceci n'est pas
un épilogue

« Je pense à tous ces gens (que je connais), qui n'en pensent pas moins sur tout ce qui se passe, tout ce qu'ils voient ou connaissent, qui ont commencé par se taire par intérêt, et qui ont pris ainsi l'habitude d'être muets, et sont devenus ainsi de véritables eunuques de l'esprit.
Ils ont remplacé l'honneur par la Légion d'honneur. »
Note extraite de *Propos d'un jour*, Paul Léautaud, Mercure de France, 1947.

Ce titre en hommage au peintre Magritte [1] n'est pas plus surréaliste que la manière dont l'assassinat de mon père est traité depuis plus de trente ans par les autorités politiques et judiciaires de notre pays.

L'épilogue de ce livre, je l'écrirai le jour où la vérité sera faite.

Le jugement que je porte aujourd'hui sur l'attitude des autorités judiciaires et policières de notre pays, jugement forgé par plus de trois décennies d'expérience vécue, est tristement identique à celui de l'un des plus célèbres de nos hauts magistrats, le procureur Éric de Montgolfier. Dans son livre, *Le Devoir de déplaire*, parlant de sa fonction, il fait un terrible aveu : « Notre présence ne sert que de caution et, le cas échéant nous range aux côtés des bourreaux. » Il ajoute, « sans aller jusque-là, ma conscience n'est pas restée indemne de quelques reniements ». Même lui ! Que puis-je, que pouvons-nous, donc attendre de tous ceux de ses collègues qui ne veulent même pas s'avouer dans quelle servitude volontaire ils se sont

---

1. En référence à son tableau représentant une pipe, intitulé *Ceci n'est pas une pipe*.

eux-mêmes enfermés, par couardise, souci de protéger leur carrière, paresse intellectuelle ? Ceux-là se rendent-ils compte qu'ils laissent ainsi le champ libre aux prédateurs sans scrupule qui abusent de nos institutions, sous nos yeux incrédules, au gré de leurs caprices et de leurs intérêts particuliers ?

Mon père, en tout cas, n'était pas de ces confréries-là, et ne m'a pas élevée dans cette culture-là. Mon combat pour faire la vérité sur son assassinat n'a fait que renforcer ma foi dans les valeurs qu'il m'a enseignées : le service de l'intérêt général, l'exigence de rigueur et d'intégrité, la défense de l'État de droit.

En trente années de combats, j'ai aussi appris que nos droits et libertés fondamentales ont vite fait de s'user si l'on ne s'en sert pas. La vigilance citoyenne, la défense des libertés publiques et individuelles, doivent être exercées jour après jour par chacun de nous. Chez soi, autour de soi, dans son quartier, son travail, l'école et les palais de justice.

Le citoyen avait gagné durement le droit de pouvoir circuler librement dans les universités, les tribunaux, les mairies. Qu'en est-il aujourd'hui quand, au nom de la lutte antiterroriste, nous devenons tous des suspects en liberté surveillée ?

Alors, comment parvenir à faire la vérité dans une affaire d'État où l'État disparaît derrière l'intérêt privé, et où un ministre en exercice se fait frapper à mort – fait inédit dans l'histoire de la République ? Comment lutter contre cette culture d'impunité qui a permis, depuis tant d'années, à tous ceux qui se sont rendus coupables de l'assassinat de mon père, puis de crimes et de délits pour le camoufler, d'échapper aux poursuites ? Ses assassins, ceux qui ont fabriqué la thèse de son suicide, embaumé illégalement son corps, volontairement détruit ses viscères et tant d'autres scellés, qui ont menti aux juges et à la police, trafiqué les registres d'état civil, menacé des témoins, etc. ? Il est grand temps de mettre fin à l'impunité des puissants et de leurs affidés.

Ce qui me surprend le plus peut-être, quand je me retourne sur ces années de combat, c'est que rien ne semble avoir changé dans le comportement des autorités depuis 1979, malgré la sympathie que l'opinion publique témoigne pour notre quête de vérité. Certes, la plupart des acteurs de l'époque sont encore là. Mais qui croit sincèrement aujourd'hui au suicide de mon père ? Une toute petite minorité, et dont il est généralement facile de déceler les motivations. Et pourtant la vérité continue de faire peur. L'affaire Boulin est sans doute trop emblématique des mœurs de notre République.

Depuis trente ans, je n'ai pas voulu me substituer à la justice de mon pays, pensant qu'il était de son devoir de faire la vérité sur la mort de mon père. Mais devant l'obstruction systématique dont ce dossier fait l'objet, je sais désormais que je dois compter principalement sur l'appui populaire pour avancer vers la vérité.

Ne baissons pas les bras, jamais, car du dénouement de l'affaire Boulin dépend la sauvegarde d'un grand nombre de nos libertés et de nos valeurs démocratiques. Ne laissons pas le dernier mot aux assassins.

Décidément, cet épilogue reste à écrire. Le jour où la vérité sera connue. Le jour où le Dormeur du Val pourra reposer en paix.

Fabienne Boulin Burgeat.
Le Val-de-Bois, décembre 2010.

Index des personnes

314

Table des matières

Direction éditoriale : **Stéphanie Chevrier**
Suivi éditorial : **Camille von Rosenschild**
Direction artistique : **Cédric Scandella**
Assistante de suivi éditorial : **Aurélie Michel**

Suivi de fabrication : **Vincent Maillet**
Correction : **Marie-Pierre Prudon**
Impression : **Corlet, imprimeur S.A. à Condé-sur-Noireau**
Dépôt légal : **Janvier 2011. N° 103682 - 5 (136245)**
Imprimé en France